MAIGRET AUX ÉTATS-UNIS

Maigret à New York

Maigret chez le coroner

Georges Simenon, écrivain belge de langue française, est né à Liège en 1903. Il est l'un des auteurs les plus traduits au monde. À seize ans, il devient journaliste à *La Gazette de Liège*. Son premier roman, publié sous le pseudonyme de Georges Sim, paraît en 1921 : *Au pont des Arches, petite histoire liégeoise*. En 1922, il s'installe à Paris et écrit des contes et des romans populaires. Près de deux cents romans, un bon millier de contes écrits sous pseudonymes et de très nombreux articles, souvent illustrés de ses propres photos, sont parus entre 1923 et 1933… En 1930, Simenon rédige son premier Maigret : *Pietr le Letton*. Lancé par les éditions Fayard en 1931, le personnage du commissaire Maigret rencontre un immense succès. Simenon écrira en tout soixante-quinze romans mettant en scène les aventures de Maigret (ainsi que vingt-huit nouvelles). Dès 1930, Simenon commence aussi à écrire ce qu'il appellera ses « romans durs » : plus de cent dix titres, du *Passager du Polarlys*(1930) aux *Innocents* (1972). Parallèlement à cette activité littéraire foisonnante, il voyage beaucoup. À partir de 1972, il cesse d'écrire des romans. Il se consacre alors à ses vingt-deux *Dictées*, puis rédige ses *Mémoires intimes* (1981). Simenon s'est éteint à Lausanne en 1989. Il fut le premier romancier contemporain dont l'œuvre fut portée au cinéma dès le début du parlant avec *La Nuit du carrefour* et *Le Chien jaune*, parus en 1931 et adaptés l'année suivante. Plus de quatre-vingts de ses romans ont été portés au grand écran (récemment *Monsieur Hire* avec Michel Blanc, *Feux rouges* de Cédric Kahn, ou encore *L'Homme de Londres* de Béla Tarr), et, à la télévision, les différentes adaptations de Maigret ou, plus récemment, celles de romans durs (*Le Petit Homme d'Arkhangelsk,* devenu *Monsieur Joseph,* avec Daniel Prévost, *La Mort de Belle* avec Bruno Solo) ont conquis des millions de téléspectateurs.

GEORGES SIMENON

Maigret aux États-Unis

Maigret à New York
Maigret chez le coroner

PRESSES DE LA CITÉ

Maigret à New York

1

Le bateau avait dû atteindre la Quarantaine vers
quatre heures du matin et la plupart des passagers dor-
maient. Quelques-uns s'étaient vaguement réveillés en
entendant le vacarme de l'ancre, mais bien peu d'entre
eux, malgré les promesses qu'ils s'étaient faites, avaient
eu le courage de monter sur le pont pour contempler
les lumières de New York.

Les dernières heures de la traversée avaient été les
plus dures. Maintenant encore, dans l'estuaire, à
quelques encablures de la statue de la Liberté, une
forte houle soulevait le navire... Il pleuvait. Il brui-
nait, plutôt, une humidité froide tombait de partout,
imprégnait tout, rendait les ponts sombres et glissants,
laquait les rambardes et les cloisons métalliques.

Maigret, lui, au moment où l'on stoppait les
machines, avait passé son lourd pardessus sur son
pyjama et était monté sur le pont où quelques ombres
allaient et venaient à grands pas, zigzagantes, que l'on
voyait tantôt très haut au-dessus de soi, tantôt très bas
en dessous, à cause du tangage.

Il avait regardé les lumières, en fumant sa pipe, et d'autres bateaux qui attendaient l'arrivée de la santé et de la douane.

Il n'avait pas aperçu Jean Maura. Il était bien passé devant sa cabine, où il y avait de la lumière, et avait failli frapper. À quoi bon ? Il était rentré chez lui pour se raser. Il avait bu – il devait s'en souvenir, comme on se souvient de détails sans importance – il avait bu, au goulot, une gorgée d'une bouteille de marc que Mme Maigret avait glissée dans ses bagages.

Que s'était-il passé ensuite ? C'était sa première traversée, à cinquante-six ans, et il était tout étonné de se trouver sans curiosité, de rester insensible au pittoresque.

Le navire s'animait. On entendait les stewards traîner des bagages le long des coursives, les passagers sonner les uns après les autres.

Une fois prêt, il remonta sur le pont et le crachin en forme de brouillard commençait à devenir laiteux, les lumières à pâlir dans cette sorte de pyramide de béton que Manhattan offrait à ses yeux.

— Vous ne m'en voulez pas, commissaire ?

C'était le jeune Maura qui venait de s'approcher de lui et qu'il n'avait pas entendu venir. Il était pâle, mais tout le monde, ce matin-là, sur le pont, avait un teint brouillé, des yeux fatigués.

— Vous en vouloir de quoi ?

— Vous le savez bien… J'étais trop nerveux, trop tendu… Alors, quand ces gens m'ont invité à boire avec eux…

Tous les passagers avaient trop bu. C'était le dernier soir. Le bar allait fermer. Les Américains, surtout, voulaient profiter des dernières liqueurs françaises.

Seulement, Jean Maura avait dix-neuf ans à peine. Il venait de traverser une longue période de tension nerveuse et son ivresse avait été rapide, déplaisante, car il pleurait et menaçait tour à tour.

Maigret avait fini par le coucher, vers deux heures du matin. Il avait dû l'entraîner de force dans sa cabine où le gamin protestait, s'en prenait à lui, lançait avec rage :

— Ce n'est pas parce que vous êtes le fameux commissaire Maigret que vous devez me traiter comme un enfant... Un seul homme, vous entendez, un seul homme au monde a le droit de me donner des ordres : c'est mon père...

À présent, il était honteux, le cœur et l'estomac barbouillés, et il fallait que ce fût Maigret qui le remît d'aplomb, qui lui posât sa lourde patte sur l'épaule.

— Cela m'est arrivé avant que cela vous arrive, mon pauvre vieux...

— J'ai été méchant, injuste... Voyez-vous, je pensais tout le temps à mon père...

— Mais oui...

— Je me réjouis tellement de le retrouver, de savoir qu'il ne lui est rien arrivé...

Maigret fumait sa pipe dans le crachin, regardait un bateau gris, que les houles soulevaient très haut et laissaient retomber, exécuter de savantes manœuvres pour accoster l'échelle de coupée. Des officiers passaient comme en voltige à bord du paquebot et disparaissaient dans l'appartement du capitaine.

On ouvrait les cales. Les cabestans fonctionnaient déjà. Les passagers devenaient plus nombreux sur le pont et quelques-uns, malgré le demi-jour, s'obstinaient à prendre des photographies. Il y en avait qui échangeaient des adresses, qui se promettaient de se revoir, de s'écrire. D'autres encore, dans les salons, remplissaient leurs déclarations de douane.

Les officiers de la douane partirent, le bateau gris s'éloigna, puis ce furent deux vedettes qui abordèrent avec ceux de l'immigration, la police et la santé. En même temps, le petit déjeuner était servi dans la salle à manger.

À quel moment Maigret perdit-il Jean Maura de vue ? C'est ce qu'il eut le plus de peine à établir par la suite. Il était allé boire une tasse de café, puis il avait distribué ses pourboires. Des gens qu'il connaissait à peine lui avaient serré la main. Il avait fait la queue, ensuite, dans le salon des premières classes où un médecin lui avait tâté le bras et lui avait regardé la langue cependant que d'autres fonctionnaires examinaient ses papiers.

À certain moment, sur le pont, il y eut une bousculade. On le renseigna. C'étaient les journalistes qui venaient de monter à bord et qui photographiaient un ministre européen et une vedette de cinéma.

Un détail l'amusa. Il entendit un des journalistes, qui examinait avec le commissaire du bord la liste des passagers, et qui disait ou devait dire (car les connaissances de Maigret en anglais dataient du collège) :

— Tiens ! C'est le même nom que le fameux commissaire de la P.J.

Où était Maura à cet instant ? Le navire, tiré par deux remorqueurs, s'était avancé vers la statue de la Liberté que contemplaient les passagers accoudés à la rambarde.

De petits bateaux bruns, bourrés de monde comme des wagons de métro, frôlaient sans cesse le navire : des banlieusards, en somme, des gens de Jersey-City ou d'Hoboken qui arrivaient de la sorte à leur travail.

— Voulez-vous venir par ici, monsieur Maigret ?

Le paquebot était amarré aux quais de la *French Line* et les passagers descendaient à la queue leu leu, anxieux de retrouver leurs bagages dans le hall de la douane.

Où était Jean Maura ? Il le chercha. Puis il dut descendre, parce qu'on l'appelait à nouveau. Il se dit qu'il retrouverait le jeune homme en bas, devant leurs bagages, puisqu'ils avaient les mêmes initiales.

Il n'y avait pas de drame dans l'air, pas de nervosité. Maigret était lourd, courbatu par une traversée pénible et par le sentiment qu'il avait eu tort de quitter sa maison de Meung-sur-Loire.

Il avait tellement conscience qu'il n'était pas à sa place ! Dans ces moments-là, il devenait volontiers grognon et, comme il avait horreur de la foule, des formalités, comme il comprenait difficilement ce qu'on lui disait en anglais, son humeur devenait de plus en plus saumâtre.

Où était Maura ? On lui faisait chercher ses clefs, qu'il avait la manie de chercher dans toutes ses poches pendant un temps infini avant de les trouver à l'endroit où elles devaient fatalement être. Il n'avait rien à déclarer, mais il ne lui en fallut pas moins déballer tous les petits paquets soigneusement ficelés par Mme Maigret qui, elle, n'avait jamais eu à passer de douane.

Quand ce fut fini, il aperçut le commissaire du bord.

— Vous n'avez pas vu le jeune Maura ?

— Il n'est plus à bord, en tout cas… Il n'est pas ici non plus… Vous voulez que je me renseigne ?

Cela ressemblait à un hall de gare, en plus trépidant, avec des porteurs qui vous donnaient des coups de valise dans les jambes. On cherchait Maura partout.

— Il doit être parti, monsieur Maigret… Sans doute sera-t-on venu le chercher ?…

Qui serait venu le chercher, puisque personne n'était averti de son arrivée ?

Force lui était de suivre le porteur qui s'était emparé de ses bagages. Il ne connaissait pas les petites pièces d'argent dont le barman l'avait muni et il ne savait pas combien donner de pourboire. On le poussait littéralement dans un taxi jaune.

— Hôtel Saint-Régis… répétait-il quatre ou cinq fois avant de se faire comprendre.

C'était parfaitement idiot. Il n'aurait pas dû se laisser impressionner par ce gamin. Car ce n'était après tout qu'un gamin. Quant à M. d'Hoquélus, Maigret en arrivait à se demander s'il était plus sérieux que le jeune homme.

Il pleuvait. On roulait dans un quartier sale où les maisons étaient laides à en donner la nausée. Était-ce cela, New York ?

Dix jours… Non, neuf jours avant, exactement, Maigret était encore installé à sa place habituelle, au café du Cheval-Blanc, à Meung. Il pleuvait aussi, d'ailleurs. Il pleut aussi bien sur les bords de la Loire qu'en Amérique. Maigret jouait à la belote. Il était cinq heures du soir.

Est-ce qu'il n'était pas un fonctionnaire à la retraite ? Ne jouissait-il pas pleinement de cette retraite et de la maison qu'il avait amoureusement aménagée ? Une maison comme il avait toute sa vie souhaité d'en avoir une, une de ces maisons de la campagne qui sentent bon les fruits qui mûrissent, le foin coupé, l'encaustique, sans compter le ragoût qui mijote, et Dieu sait si Mme Maigret s'y entendait, à faire mijoter des ragoûts !

Des imbéciles, de temps en temps, lui demandaient avec un petit sourire qui le mettait en colère :

— Pas trop de nostalgie, Maigret ?

La nostalgie de quoi ? Des vastes couloirs glacés de la Police judiciaire, des enquêtes à n'en plus finir, des jours et des nuits passés à la poursuite d'une canaille quelconque ?

Bon ! Il était heureux. Il ne lisait même pas les faits divers, ni le récit des crimes, dans les journaux. Et, quand Lucas venait le voir, Lucas qui avait été pendant quinze ans son inspecteur préféré, il était bien entendu qu'on n'avait pas le droit de faire la moindre allusion à la « Maison ».

Il joue à la belote. Il annonce une tierce haute en atout. Juste à ce moment, le garçon vient lui annoncer qu'on le demande au téléphone et il y va en gardant ses cartes à la main.

— C'est toi, Maigret ?

Sa femme. Car sa femme n'a jamais pu s'habituer à l'appeler autrement que par son nom de famille.

— Il y a ici quelqu'un qui vient de Paris pour te voir…

Il s'y rend, bien entendu. Devant chez lui stationne une voiture d'ancien modèle, bien astiquée, avec un chauffeur en uniforme sur le siège. Maigret jette un coup d'œil à l'intérieur et a l'impression d'apercevoir un vieux monsieur enveloppé d'un plaid.

Il entre. Mme Maigret, comme toujours dans ces cas-là, l'attend derrière la porte.

Elle chuchote :

— C'est un jeune homme… Je l'ai introduit au salon… Il y a un vieux monsieur dans l'auto, peut-être son père… J'ai voulu qu'il le prie d'entrer, mais il a répondu que ce n'était pas la peine…

Et voilà comment, bêtement, alors qu'on est bien tranquille à jouer aux cartes, on se laisse embarquer pour l'Amérique !

Toujours la même chanson pour commencer avec la même nervosité, les mains qui se crispent, les petits coups d'œil en coin :

— … Je connais la plupart de vos enquêtes… Je sais que vous êtes le seul homme qui… et que… et patati et patata…

Les gens ont invariablement la conviction que le drame qu'ils vivent est le plus extraordinaire du monde.

— Je ne suis qu'un jeune homme… Vous allez sans doute vous moquer de moi…

Tous aussi ont la certitude qu'on va se moquer d'eux, que leur cas est tellement unique que personne ne pourra le comprendre.

— On m'appelle Jean Maura… Je suis étudiant à la Faculté de droit… Mon père est John Maura…

Et après ? Le gamin a dit ça comme si l'univers entier se devait de connaître John Maura.

— John Maura, de New York.

Maigret grogne en fumant sa pipe.

— On parle souvent de lui dans les journaux… C'est un homme fort riche, fort connu en Amérique, excusez-moi de vous dire ça… C'est nécessaire pour que vous compreniez…

Et le voilà qui raconte une histoire compliquée. À un Maigret qui bâille, que cela n'intéresse pas du tout, qui pense toujours à sa belote et qui se sert machinalement un verre de marc. On entend Mme Maigret aller et venir dans la cuisine. Le chat se frotte aux jambes du commissaire. À travers les rideaux, on aperçoit un vieux monsieur qui a l'air de sommeiller dans le fond de l'auto.

— Mon père et moi, voyez-vous, ce n'est pas comme les autres pères et les autres fils… Il n'a que moi au monde… Il n'y a que moi qui compte… Malgré ses affaires, il m'écrit chaque semaine une longue lettre… Et chaque année, à l'époque des vacances, nous passons deux ou trois mois ensemble, en Italie, en Grèce, en Égypte, aux Indes… Je vous ai apporté ses dernières lettres pour que vous compreniez… Ne croyez pas, parce qu'elles sont tapées à la machine, qu'il les ait dictées… Mon père a l'habitude d'écrire lui-même ses lettres personnelles avec une petite machine portative.

« Mon chéri… »

Le ton est presque celui que l'on emploierait avec une femme aimée. Le papa d'Amérique s'inquiète de tout, de la santé de son fils, de son sommeil, de ses sorties, de ses humeurs, voire de ses rêves. Il se réjouit d'être aux prochaines vacances. Où iront-ils cette année tous les deux ?

C'est très tendre, à la fois maternel et câlin.

— Ce dont je voudrais vous convaincre, c'est que je ne suis pas un gamin nerveux qui se forge des idées… Depuis six mois environ, il se passe quelque chose de grave… Je ne sais pas quoi, mais j'en ai la certitude… On sent que mon père a peur, qu'il n'est plus le même, qu'il a conscience d'un danger.

» D'ailleurs, son genre de vie a changé tout à coup. Pendant les derniers mois, il a voyagé sans cesse, allant du Mexique en Californie et de la Californie au Canada à un rythme si précipité que cela me laisse une impression de cauchemar.

» Je pensais bien que vous ne me croiriez pas… J'ai souligné le passage de ses lettres où il parle de l'avenir avec une sorte de terreur inexprimée…

» Vous verrez que certains mots reviennent sans cesse, qu'il n'employait jamais auparavant :

» *S'il t'arrivait d'être seul…*

» *Si je venais à te manquer…*

» *Quand tu seras seul…*

» *Quand je ne serai plus là…*

» Ces mots sont de plus en plus fréquents, comme une hantise, et pourtant je sais que mon père a une santé de fer. J'ai câblé à son médecin pour me rassurer. J'ai sa réponse. Il se moque de moi et m'affirme qu'à moins d'un accident fortuit mon père en a pour trente ans à vivre…

» Comprenez-vous ?

Le mot qu'ils disent tous : *Comprenez-vous ?*

— Je suis allé voir mon notaire, M. d'Hoquélus, que vous connaissez sans doute de réputation… C'est un vieillard, vous le savez, un homme d'expérience… Je lui ai montré les dernières lettres… Je l'ai trouvé presque aussi inquiet que moi.

» Et, hier, il m'a confié que mon père l'a chargé d'opérations inexplicables.

» M. d'Hoquélus est le correspondant de mon père en France, son homme de confiance… C'est lui qui était mandaté pour me donner tout l'argent dont je pouvais avoir besoin… Or, ces derniers temps, mon père l'a chargé de faire à diverses personnes des donations considérables entre vifs.

» Non pas pour me déshériter, vous pouvez me croire… Au contraire… Car, par des actes sous seing privé, il est convenu que ces sommes me seront remises plus tard de la main à la main…

» Pourquoi, puisque je suis son seul héritier ?

» Parce qu'il craint, n'est-ce pas, que sa fortune ne puisse pas m'être normalement transmise…

» J'ai amené M. d'Hoquélus avec moi. Il est dans la voiture. Si vous désirez lui parler…

Comment ne pas être impressionné par la gravité du vieux notaire ? Et celui-ci parle presque comme le jeune homme.

— Je suis persuadé, dit-il en pesant ses mots, qu'un événement important s'est produit dans la vie de Joachim Maura.

— Pourquoi l'appelez-vous Joachim ?

— C'est son véritable prénom. Aux États-Unis, il a pris celui plus courant de John... Je suis persuadé, moi aussi, qu'il se sent menacé par un danger sérieux... Quand Jean m'a avoué son intention d'aller là-bas, je n'ai pas eu le courage de l'en dissuader, mais je lui ai conseillé de se faire accompagner par une personne d'expérience...

— Pourquoi pas vous ?

— À cause de mon âge, d'abord... Puis pour des raisons que vous comprendrez peut-être plus tard... J'ai la conviction que, ce qu'il faut à New York, c'est un homme qui ait l'expérience des choses de police... J'ajoute que mes instructions ont toujours été de donner à Jean Maura tout l'argent qu'il pourrait me réclamer et que, dans les circonstances actuelles, je ne peux qu'approuver son désir de...

La conversation avait duré deux heures, à mi-voix, et M. d'Hoquélus n'avait pas été insensible au vieux marc de Maigret. De temps en temps, celui-ci entendait sa femme qui venait écouter derrière la porte, non par curiosité, mais pour savoir si elle pouvait enfin mettre la table.

Quelle stupeur quand, la voiture partie, il lui avait annoncé, pas très fier de s'être laissé persuader, en somme :

— Je pars pour l'Amérique.

— Comment dis-tu ?

Et maintenant un taxi jaune l'emmenait à travers des rues qu'il ne connaissait pas, sous une pluie fine qui rendait le décor maussade.

Pourquoi Jean Maura avait-il disparu au moment précis où ils atteignaient New York ? Fallait-il croire qu'il avait rencontré quelqu'un, ou que, dans sa hâte de revoir son père, il avait cavalièrement laissé son compagnon en plan ?

Les rues devenaient plus élégantes. On s'arrêtait au coin d'une avenue que Maigret ne savait pas encore être la fameuse Cinquième Avenue et un portier se précipitait vers lui.

Nouvel embarras pour payer le chauffeur avec cette monnaie inconnue. Puis c'était le hall de l'hôtel Saint-Régis, le bureau de la réception où il trouvait enfin quelqu'un parlant le français.

— Je voudrais voir M. John Maura.

— Un instant, s'il vous plaît…

— Pouvez-vous me dire si son fils est arrivé ?

— Personne n'a demandé M. Maura ce matin…

— Il est chez lui ?

Froidement poli, l'employé lui répondait, en décrochant un téléphone :

— Je vais le demander à son secrétaire.

Puis à l'appareil :

— Allô… M. Mac Gill ?… Ici, le *desk*… Il y a une personne qui demande à voir M. Maura… Vous dites ?… Je le lui demande… Voulez-vous me donner votre nom, monsieur ?

— Maigret…

— Allô… M. Maigret… Bien… Un instant.

Et, raccrochant :

— M. Mac Gill me prie de vous dire que M. Maura ne reçoit que sur rendez-vous… Si vous voulez lui écrire et lui laisser votre adresse, il ne manquera pas de vous répondre.

— Ayez l'amabilité d'annoncer à ce monsieur Mac Gill que j'arrive de France tout exprès pour rencontrer M. Maura et que j'ai des choses importantes à lui dire.

— Je regrette… Ces messieurs ne me pardonneraient pas de les déranger à nouveau… Mais, si vous vous donnez la peine d'écrire un mot ici, dans le salon, je le ferai monter par un chasseur.

Maigret était furieux. Plus encore contre lui que contre ce Mac Gill qu'il ne connaissait pas, mais qu'il commençait déjà à détester.

Comme il détestait, en bloc et d'avance, tout ce qui l'entourait, le hall chargé de dorures, les chasseurs qui le regardaient avec ironie, les jolies femmes qui allaient et venaient, les hommes trop sûrs d'eux qui le bousculaient sans daigner s'excuser.

Monsieur,
Je viens d'arriver de France, chargé d'une mission importante par votre fils et par M. d'Hoquélus. Comme mon temps est aussi précieux que le vôtre, je vous serais obligé de bien vouloir me recevoir sur-le-champ.
Salutations.

Maigret.

On le laissa se morfondre un bon quart d'heure dans son coin et, de rage, il fumait sa pipe, bien qu'il se rendît compte que ce n'était pas l'endroit. Un chasseur vint enfin le chercher et pénétra avec lui dans un ascenseur, le pilota le long d'un couloir, frappa à une porte et l'abandonna.

— Entrez !

Pourquoi s'était-il figuré le Mac Gill comme un monsieur entre deux âges et de mine rébarbative ? C'était un grand jeune homme bien découplé, très élégant, qui s'avançait vers lui la main tendue.

— Excusez-moi, monsieur, mais M. Maura est tellement assailli par des solliciteurs de toutes sortes que nous sommes obligés de dresser autour de lui un barrage sévère. Vous me dites que vous arrivez de France... Dois-je comprendre que vous êtes le... l'ex... enfin le...

— L'ex-commissaire Maigret, oui.

— Asseyez-vous, je vous en prie... Un cigare ?

Il y en avait plusieurs boîtes sur un meuble. La pièce était vaste. C'était un salon qu'un immense bureau d'acajou transformait sans lui donner cependant l'aspect d'un cabinet d'affaires.

Maigret, dédaignant le cigare de La Havane, avait à nouveau bourré sa pipe et examinait son interlocuteur sans bienveillance.

— Vous nous apportez, avez-vous écrit, des nouvelles de M. Jean ?

— Si vous le permettez, j'en parlerai personnellement à M. Maura quand vous aurez l'obligeance de m'introduire auprès de celui-ci.

Mac Gill montra toutes ses dents, qui étaient fort belles, dans un sourire.

— On voit bien, cher monsieur, que vous venez d'Europe. Sinon, vous sauriez que John Maura est un des hommes les plus occupés de New York, que moi-même, à ce moment, j'ignore absolument où il se trouve, et enfin que je suis chargé de toutes ses affaires, y compris les plus personnelles... Vous pouvez donc me parler sans crainte et me dire...

— J'attendrai que M. Maura consente à me recevoir.

— Encore faudrait-il qu'il sache de quoi il s'agit.

— Je vous l'ai dit, de son fils...

— Dois-je, étant donné votre qualité, m'imaginer que celui-ci a fait quelque bêtise ?

Maigret ne broncha pas, ne répondit rien, continua d'examiner froidement son interlocuteur.

— Excusez-moi d'insister, monsieur le commissaire... Je suppose que, bien que vous soyez à la retraite, à ce que j'ai appris par les journaux, on continue à vous donner votre titre... Excusez-moi, dis-je, de vous rappeler que nous sommes aux États-Unis et non en France et que les minutes de John Maura sont comptées... Jean est un charmant garçon, un peu trop sensible peut-être, mais je me demande en quoi il a pu...

Maigret se leva tranquillement, ramassa son chapeau qu'il avait posé sur le tapis à côté de sa chaise.

— Je vais prendre une chambre dans cet hôtel... Lorsque M. Maura aura décidé de me recevoir...

— Il ne sera pas à New York avant une quinzaine de jours.

— Pouvez-vous me dire où il se trouve en ce moment ?

— C'est difficile. Il se déplace en avion et, avant-hier, il se trouvait à Panama… Peut-être aujourd'hui a-t-il atterri à Rio ou au Venezuela…

— Je vous remercie…

— Vous avez des amis à New York, monsieur le commissaire ?

— Personne en dehors de quelques chefs de la police avec qui il m'est arrivé de travailler.

— Voulez-vous m'autoriser à vous inviter à déjeuner ?

— Je pense que je déjeunerai plutôt avec l'un d'entre eux…

— Si j'insistais ?… Je suis désolé du rôle que ma fonction m'oblige à jouer et j'aimerais que vous ne m'en teniez pas rigueur… Je suis l'aîné de Jean, mais pas de beaucoup, et j'ai une grande affection pour lui. Vous ne m'avez même pas donné de ses nouvelles…

— Pardon… Puis-je savoir depuis combien de temps vous êtes le secrétaire particulier de M. Maura ?

— Six mois environ… Je veux dire six mois que je suis avec lui, mais je le connais depuis longtemps pour ne pas dire toujours…

On marchait dans la pièce voisine. Maigret vit le visage de Mac Gill qui changeait de couleur. Le secrétaire écoutait avec anxiété les pas qui se rappro-chaient, regardait le bouton doré de la porte de communication qui tournait lentement, puis l'huis qui s'entrouvrait.

— Venez un instant, Jos…

Un visage maigre, nerveux, sous des cheveux encore blonds bien qu'entremêlés de fils blancs. Un

regard qui se posait sur Maigret, un front qui se plis-
sait. Le secrétaire se précipitait, mais déjà le nouveau
venu s'était ravisé et pénétrait dans le bureau, le
regard toujours fixé sur Maigret.

— Il me semble… commençait-il, comme quand
on croit reconnaître quelqu'un et qu'on cherche dans
sa mémoire.

— Commissaire Maigret, de la Police judiciaire…
Plus exactement, ex-commissaire Maigret, puisque
voilà un an que je suis à la retraite.

John Maura était petit, d'une taille inférieure à la
moyenne, très sec, mais doué apparemment d'une
énergie peu commune.

— C'est à moi que vous désirez parler ?

Il se tourna vers Mac Gill sans attendre la réponse.

— Qu'est-ce que c'est, Jos ?

— Je ne sais pas, patron… Le commissaire…

— Si cela ne vous fait rien, monsieur Maura,
j'aimerais vous parler seul à seul. Il s'agit de votre
fils…

Or pas un trait du visage de l'homme qui écrivait
des lettres si tendres ne tressaillit.

— Vous pouvez parler devant mon secrétaire.

— Fort bien… Votre fils est à New York.

Et Maigret ne quittait pas les deux hommes des
yeux. Se trompait-il ? Il eut l'impression très nette
que Mac Gill marquait le coup, tandis qu'au contraire
Maura restait imperturbable, laissait simplement
tomber du bout des lèvres :

— Ah !

— Cela ne vous étonne pas ?

— Vous savez sans doute que mon fils est absolument libre ?…

— Cela ne vous surprend-il pas tout au moins qu'il ne soit pas encore venu vous voir ?

— Étant donné que j'ignore quand il a pu arriver…

— Il est arrivé ce matin, en ma compagnie…

— Dans ce cas, vous devez savoir…

— Je ne sais rien justement. Dans la bousculade du débarquement et des formalités, je l'ai perdu de vue… La dernière fois que je l'ai aperçu et que je lui ai parlé, le bateau se trouvait encore à l'ancre à la Quarantaine.

— Vraisemblablement aura-t-il rencontré des amis.

Et John Maura alluma lentement un long cigare marqué à son chiffre.

— Je regrette, monsieur le commissaire, mais je ne vois pas en quoi l'arrivée de mon fils…

— À un rapport quelconque avec ma visite ?

— C'est à peu près ce que je voulais dire. Je suis très pris ce matin. Si vous le permettez, je vais vous laisser avec mon secrétaire à qui vous pouvez parler en toute liberté… Excusez-moi, monsieur le commissaire.

Un salut assez sec. Il fit demi-tour et disparut par où il était entré. Mac Gill hésita un instant, murmura :

— Vous permettez ?

Et il disparut sur les talons de son patron, referma la porte. Maigret était tout seul dans le bureau, tout seul et pas fier. Il entendait chuchoter dans la pièce voisine. Il allait sortir, furieux, quand le secrétaire reparut, alerte et souriant.

— Vous voyez, cher monsieur, que vous avez eu tort de vous méfier de moi.

— Je pensais que M. Maura était au Venezuela ou à Rio…

L'autre rit.

— Cela ne vous est-il pas arrivé, au Quai des Orfèvres, où vous aviez de lourdes responsabilités, d'user d'un petit mensonge pour vous débarrasser d'un visiteur ?

— Je vous remercie quand même de m'avoir rendu la pareille !

— Allons… Ne me gardez pas rancune… Quelle heure est-il ?… Onze heures et demie… Si vous n'y voyez pas d'inconvénient, je vais téléphoner au *desk* pour qu'on vous retienne une chambre, car vous auriez de la peine à en obtenir autrement… Le *Saint-Régis* est un des hôtels les plus recherchés de New York… Je vous laisserai le temps de prendre un bain et de vous changer et, si vous le voulez, nous nous retrouverons à une heure au bar, après quoi nous déjeunerons tous les deux.

Maigret fut tenté de refuser et de s'en aller en gardant son air le plus renfrogné. Il aurait bien été capable, s'il y avait eu un bateau le soir même pour l'Europe, de rembarquer sans faire davantage la connaissance de cette ville qui lui réservait un accueil si revêche.

— Allô… Le *desk*… Ici, Mac Gill… Allô, oui… Vous serez bien aimable de réserver un appartement pour un ami de M. Maura… Oui… M. Maigret. Je vous remercie.

Et, tourné vers le commissaire :

— Vous parlez un peu l'anglais ?

— Comme tous ceux qui l'ont appris au collège et qui l'ont oublié.

— Dans ce cas, vous aurez quelques difficultés dans les débuts… C'est votre premier voyage aux États-Unis ?… Croyez que je me mettrai dans la mesure du possible à votre disposition.

Il y avait quelqu'un derrière la porte, John Maura sans doute. Mac Gill le savait aussi, mais cela ne paraissait pas l'incommoder.

— Vous n'avez qu'à suivre le chasseur… À tout à l'heure, monsieur le commissaire. Et sans doute Jean Maura aura-t-il fait sa réapparition à temps pour déjeuner avec nous. Je vous fais monter vos bagages.

Un ascenseur encore. Un salon, une chambre, une salle de bains, un porteur qui attendait son pour-boire et que Maigret regardait sans comprendre, parce qu'il avait rarement été aussi ahuri, voire aussi humilié de sa vie.

Dire que, dix jours auparavant, il jouait tranquille-ment à la belote avec le maire de Meung, le docteur et le marchand d'engrais, dans la salle chaude et tou-jours un peu sombre du *Cheval-Blanc* !

2

Cet homme roux n'était-il pas une sorte de génie bienfaisant ? Dans la 49e Rue, à deux pas de Broadway, de ses lumières, de son vacarme, il poussait une porte, après avoir descendu quelques marches comme pour s'enfoncer dans une cave. Sur la vitre de cette porte, déjà, il y avait un rideau à petits carreaux rouges. Ces mêmes carreaux démocratiques, qui rappelaient les caboulots de Montmartre et de la banlieue parisienne, on les retrouvait sur les tables et on retrouvait le zinc aussi, une odeur de cuisine familière, une patronne un peu grasse, un tantinet faubourienne, qui venait demander :

— Qu'est-ce que vous allez manger, mes enfants ? Il y a toujours du steak, bien entendu, mais, aujourd'hui, j'ai un de ces coqs au vin…

Le démiurge, ou plutôt le capitaine O'Brien, souriait d'un sourire très doux et comme timide.

— Vous voyez, disait-il à Maigret, non sans une pointe d'ironie, que New York n'est pas ce que l'on croit.

Et bientôt, il y avait sur la table un authentique beaujolais accompagnant le coq au vin qui fumait dans les assiettes.

— Vous ne me direz pas, capitaine, que les Américains ont l'habitude…

— De manger comme nous le faisons ce soir ? Peut-être pas tous les jours. Peut-être pas tous. Mais, ma foi, nous sommes un certain nombre à ne pas détester la vieille cuisine et je vous trouverai cent restaurants dans le genre de celui-ci… Vous avez débarqué ce matin… Cela vous fait douze heures à peine et vous voilà comme chez vous, n'est-ce pas ?… Maintenant, continuez votre histoire.

— Ce Mac Gill, je vous l'ai dit, m'attendait au bar du *Saint-Régis*… J'ai tout de suite compris qu'il avait décidé de changer d'attitude à mon égard.

C'était à six heures seulement que Maigret, débarrassé de Mac Gill, qui s'était accroché à lui tout l'après-midi, avait pu téléphoner au capitaine O'Brien, de la Police fédérale, qu'il avait connu en France, quelques années plus tôt, à l'occasion d'une importante affaire internationale.

Rien de plus doux, de plus calme que ce grand homme roux qui avait une tête de mouton et que la timidité faisait encore rougir à quarante-six ans. Il avait donné rendez-vous au commissaire dans le hall du *Saint-Régis*. Dès que celui-ci avait parlé de Maura, il avait conduit son collègue dans un petit bar proche de Broadway.

— Je suppose que vous n'aimez ni le whisky, ni les cocktails ?

— J'avoue que s'il y a moyen d'avoir de la bière…

C'était un bar quelconque. Quelques hommes au comptoir et des amoureux aux quatre ou cinq tables noyées de pénombre. N'était-ce pas une curieuse idée de l'avoir introduit dans un endroit pareil où il n'avait que faire ?

N'était-ce pas plus étrange encore de voir le capitaine O'Brien chercher une pièce de monnaie dans sa poche et la glisser gravement dans la fente d'un phonographe automatique qui se mettait à jouer en sourdine quelque chose de mollement sentimental ?

Et l'homme roux souriait en épiant son collègue d'un œil amusé.

— Vous n'aimez pas la musique ?

Maigret n'avait pas encore eu le temps d'user toute sa mauvaise humeur et il fut incapable de ne pas la laisser sentir.

— Allons… Je ne vous ferai pas languir… Vous voyez cette machine à débiter de la musique… Je viens de mettre une pièce de cinq *cents* dans la fente et cela me donne droit à une rengaine d'une minute et demie environ… Il y a quelques milliers de machines de ce genre dans les bars, les brasseries et les restaurants de New York… Il y en a des dizaines de milliers dans les autres villes des États-Unis et jusqu'au fond des campagnes… À l'instant même, à la minute où nous parlons, la moitié au moins de ces instruments qui vous paraissent barbares fonctionnent, autrement dit des gens y mettent chacun cinq *cents*, ce qui fait des milliers et des milliers de fois cinq *cents*, ce qui fait… Mais je ne suis pas très fort en calcul.

» Or savez-vous à qui vont ces *nickels*, comme nous disons ? À votre ami John Maura, plus connu aux

États-Unis sous le nom de Little John, à cause de sa petite taille.

» Et Little John a installé des instruments identiques, dont il a en quelque sorte le monopole, dans la plupart des républiques sud-américaines.

» Comprenez-vous maintenant que Little John soit un personnage considérable ?

Toujours cette pointe à peine perceptible d'ironie, au point que Maigret, qui n'y était pas habitué, se demandait encore si son interlocuteur était un naïf ou s'il se moquait de lui.

— Maintenant, nous pouvons aller dîner et vous me raconterez votre histoire.

Ils étaient à table à présent, bien au chaud, tandis que le vent soufflait dehors par rafales si fortes que les passants marchaient penchés en avant, que des gens couraient après leur chapeau et que les femmes devaient tenir leur robe à deux mains. La tempête, celle-là sans doute que Maigret avait essuyée en mer, avait rejoint la côte, et New York en était secoué : des enseignes se décrochaient de temps en temps, ou des choses tombaient du haut des immeubles, les taxis jaunes eux-mêmes semblaient avoir de la peine à se frayer un chemin dans le vent.

Cela avait commencé juste après le déjeuner, alors que Mac Gill et Maigret quittaient le *Saint-Régis*.

— Vous connaissez le secrétaire de Maura ? demandait-il maintenant à O'Brien.

— Pas particulièrement. Voyez-vous, mon cher commissaire, la police, chez nous, n'est pas tout à fait la même qu'en France. Je le regrette, d'ailleurs, car notre tâche serait beaucoup plus facile. Nous avons un sens très poussé de la liberté individuelle et, si je me permettais de me renseigner, fût-ce discrètement, sur un monsieur à qui je n'ai rien de précis à reprocher, je me mettrais dans un très mauvais cas.

» Or, Little John, je m'empresse de vous le dire, n'est pas un gangster. C'est un homme d'affaires considérable et considéré, qui occupe à l'année un appartement somptueux au *Saint-Régis*, un de nos meilleurs hôtels.

» Nous n'avons donc pas à nous occuper de lui ni de son secrétaire.

Pourquoi ce sourire diffus et pourtant malicieux qui semblait apporter comme une restriction aux paroles prononcées ? Maigret s'en irritait un peu. Il se sentait étranger et, comme tout étranger, il avait facilement l'impression qu'on se moquait de lui.

— Je ne suis pas un lecteur de romans policiers et je ne m'attends pas à trouver une Amérique peuplée de gangsters, répliqua-t-il avec un peu d'humeur.

» Pour en revenir à ce Mac Gill qui, malgré son nom, m'a tout l'air d'être d'origine française...

Et l'autre, à nouveau, avec sa douceur exaspérante :

— Il est difficile, à New York, de démêler l'origine exacte des gens !

— Je disais que, dès l'apéritif, il s'est mis en frais pour se montrer aussi empressé qu'il l'avait été peu le matin. Il m'a annoncé qu'on n'avait toujours pas de nouvelles du jeune Maura, que son père ne s'en inquiétait pas encore, parce qu'il supposait qu'il y avait une femme sous cette fugue, et il m'a questionné sur les passagères...

» Or il est exact que Jean Maura, pendant la traversée, a paru ému par une des voyageuses, une jeune Chilienne qui doit s'embarquer demain pour l'Amérique du Sud à bord d'un bateau de la *Grace Line*.

On parlait français à la plupart des tables et la patronne allait de client en client, familière, un peu vulgaire, pour demander avec un savoureux accent de Toulouse :

— Ça va, les enfants ?… Qu'est-ce que vous pensez de ce coq au vin ?… Et après, si le cœur vous en dit, il y a un gâteau au moka fait à la maison…

Le déjeuner avait été tout autre, dans la grande salle à manger du *Saint-Régis* où Mac Gill saluait des tas de gens. En même temps, il s'empressait auprès de Maigret à qui il parlait d'abondance. Que disait-il encore ? Que John Maura était un homme très occupé, d'un caractère assez original, un homme qui avait horreur des nouveaux visages et qui se méfiait de tout le monde.

Comment n'aurait-il pas été surpris, le matin, en voyant arriver chez lui un personnage comme Maigret ?

— Il n'aime pas qu'on s'occupe de ses affaires, vous comprenez ? À plus forte raison de ses affaires de famille. Tenez ! Je suis sûr qu'il adore son fils, et cependant, il ne m'en dit jamais un mot, à moi qui suis son collaborateur le plus intime.

Où voulait-il en venir ? C'était facile à deviner. Il essayait évidemment de savoir pourquoi Maigret avait fait la traversée de l'Atlantique en compagnie de Jean Maura.

Mac Gill continuait :

— J'ai eu une longue conversation avec le patron.
Il m'a chargé de me renseigner sur son fils. Tout à
l'heure, j'ai rendez-vous, ici même, avec un détective
privé que nous avons déjà employé pour de petites
affaires, un homme épatant, qui connaît New York
presque aussi bien que vous connaissez Paris… Si la
chose vous chante, vous pourrez venir avec nous, et
cela m'étonnerait que ce soir nous n'ayons pas
retrouvé notre garçon.

Tout cela, Maigret le racontait à présent au capitaine O'Brien, qui l'écoutait en dégustant son dîner
avec une lenteur un peu exaspérante.

— Un homme nous attendait, en effet, dans le hall
quand nous avons quitté la salle à manger.

— Vous connaissez son nom ?

— On me l'a présenté, mais j'avoue que je n'ai
retenu que le prénom… Bill… Oui, c'est bien Bill…
J'ai vu tant de gens aujourd'hui, que Mac Gill appelait tous par leur prénom, que j'avoue que je m'y
perds un peu.

Toujours ce sourire.

— Vous vous y habituerez… C'est une habitude
américaine… Comment est-il, votre Bill ?

— Assez grand, assez gros… Ma corpulence à peu
près… Le nez cassé et une cicatrice qui lui coupe le
menton.

O'Brien le connaissait certainement, car il avait un
léger battement de paupières, mais il ne dit rien.

— Nous avons pris un taxi et nous sommes allés
jusqu'aux docks de la *French Line*.

C'était au plus fort de la tempête. Le vent n'avait
pas encore chassé la pluie, qu'on recevait par rafales

chaque fois qu'on sortait du taxi. Bill conduisait les opérations en mâchant du *chewing-gum* avec énergie, le chapeau un peu en arrière comme dans les films les plus traditionnels. Au fait, avait-il une seule fois retiré ce chapeau de tout l'après-midi ? Probablement pas. Il était peut-être chauve, après tout !

Il s'adressait aux gens, douaniers, stewards, employés de la compagnie, avec une égale familiarité, s'asseyait sur un coin de table ou de bureau, laissait tomber quelques phrases d'un même accent traînant. Et si Maigret ne comprenait pas tout ce qu'il disait, il en comprenait assez pour constater que c'était du travail bien fait, du vrai travail de professionnel.

La douane d'abord… Les bagages de Jean Maura avaient été retirés… À quelle heure ?… On feuilletait les fiches… Un peu avant midi… Non, ils n'avaient pas été expédiés en ville par une des compagnies se chargeant de ce genre de transports, et dont les bureaux se trouvaient dans le hall… On les avait donc emmenés en taxi ou dans une voiture particulière.

La personne qui avait retiré les bagages en possédait les clefs… Était-ce Jean Maura en personne ? Impossible de s'en assurer. Il était passé quelques centaines de voyageurs ce matin-là et il y en avait encore qui venaient dédouaner leurs bagages.

Le commissaire du bateau, ensuite. C'était une sensation curieuse de monter à bord d'un bateau vide, de le retrouver désert après l'avoir connu en pleine effervescence, d'assister au grand nettoyage et aux préparatifs en vue d'une nouvelle traversée.

Aucun doute possible, Maura avait quitté le navire et il avait remis ses feuilles au départ… À quelle heure ?... Personne ne s'en souvenait... Probablement dans les premiers, au plus fort de la bousculade.

Le steward... Celui-ci se rappelait parfaitement que, vers huit heures du matin, peu après l'arrivée de la police et de la santé, le jeune Maura lui avait remis son pourboire... Et le steward, à ce moment-là, avait déposé sa valise à main près de la coupée... Non, le jeune homme n'était pas nerveux du tout... Un peu fatigué... Il devait avoir mal à la tête, car il avait pris un cachet d'aspirine. Le tube vide était resté sur la tablette de la salle de bains.

L'imperturbable Bill au *chewing-gum* exaspérant les entraînait toujours. À la *French Line*, dans la Cinquième Avenue, il s'accoudait au comptoir d'acajou et étudiait méticuleusement la liste des passagers.

Puis, d'un *drug-store*, il téléphonait à la police du port.

Mac Gill devenait nerveux, c'était l'impression de Maigret. Il ne voulait pas le laisser voir, mais, à mesure que ces démarches se poursuivaient, il était évident qu'il s'impatientait.

Il y avait quelque chose qui clochait, quelque chose qui ne devait pas cadrer avec ce qu'il avait prévu, car, de temps en temps, Bill et lui échangeaient un rapide coup d'œil.

Or maintenant, tandis que le commissaire racontait leurs allées et venues au capitaine O'Brien, celui-ci, lui aussi, devenait plus grave et restait parfois la fourchette en l'air en oubliant de manger.

— Ils ont retrouvé, sur la liste des passagers, le nom de la jeune Chilienne et ils sont parvenus à connaître le nom de l'hôtel où elle est descendue en

attendant son bateau. C'est un hôtel de la 66ᵉ Rue…
Nous y sommes allés… Bill a questionné le portier,
l'employé du *desk*, les préposés aux ascenseurs et il
n'a relevé aucune trace de Jean Maura.

» Alors, Bill a donné au chauffeur l'adresse d'un
bar, près de Broadway… En chemin il a parlé à Mac
Gill assez vite pour qu'il me soit impossible de
comprendre… J'ai noté le nom du bar : *Le Donkey
Bar…* Pourquoi souriez-vous ?

— Pour rien, répliquait lentement le capitaine. En
somme, pour votre première journée à New York,
vous avez fait du chemin… Vous avez même fait la
connaissance du *Donkey Bar*, ce qui n'est pas si mal…
Qu'est-ce que vous en pensez ?

Toujours cette impression qu'on se moquait de lui,
amicalement, mais qu'on s'en moquait quand même.

— Très film américain, laissa-t-il tomber avec un
grognement.

Une longue salle enfumée, un comptoir intermi-
nable avec les inévitables tabourets et les bouteilles
multicolores, un barman nègre et un barman chinois,
le phono mécanique et les distributeurs automatiques de cigarettes, de *chewing-gum* et de cacahuètes
grillées.

Tout le monde, là-dedans, se connaissait ou avait
l'air de se connaître. Tout le monde s'interpellait par
des Bob, des Dick, des Tom, des Tony et deux ou
trois femmes se montraient aussi à l'aise que les
hommes.

— Il paraît, dit Maigret, que c'est le lieu de réunion d'un certain nombre de journalistes, de gens de
théâtre…

Et l'autre de murmurer en souriant :

— À peu près…

— Notre détective voulait rencontrer un reporter de sa connaissance qui fait les arrivées de bateaux et qui devait être le matin à bord… Nous l'avons rencontré en effet, ivre mort ou presque… C'est son habitude, m'a-t-on affirmé, dès les trois ou quatre heures de l'après-midi…

— Vous savez son nom ?

— Vaguement… Quelque chose comme Parson… Jim Parson, si je ne me trompe… Il a les cheveux filasse et les yeux rouges, avec des bavures de nicotine tout autour des lèvres…

Le capitaine O'Brien avait beau prétendre que la police américaine n'avait pas le droit de s'occuper des gens qui n'ont rien sur la conscience, il était quand même assez curieux qu'à chaque nom que Maigret prononçait, à chaque nouvelle description d'un individu, l'homme roux parût parfaitement le connaître.

Aussi le commissaire ne put-il s'empêcher de remarquer :

— Vous êtes sûr que la police de chez vous soit tellement différente de la nôtre ?

— Très ! Qu'est-ce que Jim a raconté ?

— Je n'ai compris que des bribes de phrases. Tout ivre qu'il était, il a paru très intéressé. Il faut dire que le détective l'avait poussé dans un coin et lui parlait durement, dans le nez, comme nous disons en argot, en le maintenant solidement contre le mur. L'autre promettait, cherchait dans sa mémoire. Puis il est entré en titubant dans la cabine téléphonique et je l'ai vu à travers la vitre demander quatre numéros différents.

» Pendant ce temps-là, Mac Gill m'expliquait :

» — Vous comprenez, c'est encore par les journalistes qui étaient à bord que nous avons le plus de chances de savoir quelque chose. Ces gens-là ont l'habitude d'observer. Ils connaissent tout le monde…

» Toujours est-il que Jim Parson est sorti bredouille de la cabine et qu'il s'est précipité vers un double whisky.

» Il est censé continuer à se renseigner… Si c'est dans les bars, il doit être raide à l'heure qu'il est, car je n'ai jamais vu personne avaler des verres d'alcool à une telle cadence…

— Vous en verrez d'autres… En somme, si je comprends bien, Jos Mac Gill vous a paru, cet après-midi, fort désireux de retrouver le fils de son patron.

— Alors que, le matin, il ne voulait pas en entendre parler.

O'Brien était assez préoccupé, malgré tout.

— Qu'est-ce que vous comptez faire ?

— J'avoue que je ne serais pas fâché de retrouver le gamin.

— Et vous n'avez pas l'air d'être le seul…

— Vous avez une idée, n'est-ce pas ?

— Je me souviens, mon cher commissaire, d'un mot que vous m'avez dit à Paris, lors d'un de nos entretiens à la *Brasserie Dauphine*… Vous vous souvenez ?

— De nos entretiens, oui, mais pas du mot auquel vous faites allusion…

— Je vous posais à peu près la question que vous venez de me poser et vous m'avez répondu en tirant sur votre pipe :

» — *Moi je n'ai jamais d'idées.*

» Eh bien ! mon cher Maigret, si vous permettez que je vous appelle ainsi, je suis comme vous, en ce moment tout au moins, ce qui prouve que toutes les polices du monde ont certains points communs.

» Je ne sais rien. Je ne connais rien, ou à peu près rien – juste ce que tout le monde en sait – des affaires de Little John et de son entourage.

» J'ignorais jusqu'à l'existence de son fils.

» Et, par-dessus le marché, j'appartiens à la Police fédérale qui n'a à s'occuper que de certains crimes nettement déterminés. Autrement dit, si j'avais le malheur de mettre le nez dans cette histoire, j'aurais toutes les chances de me faire rappeler sévèrement à l'ordre.

» Je suppose que ce n'est pas un conseil que vous désirez de moi ?

Maigret grommela en allumant sa pipe :

— Non.

— Parce que, si c'était un conseil, je vous dirais ceci :

» Ma femme est en ce moment en Floride, elle supporte mal l'hiver à New York… Je suis donc seul, car mon fils, de son côté, est dans son université et voilà deux ans que ma fille est mariée… J'ai donc un certain nombre de soirées libres… Je les mets à votre disposition pour vous faire connaître un peu de New York comme vous m'avez jadis fait connaître Paris.

» Pour le reste, voyez-vous… Comment dites-vous encore ?… Attendez… Non, ne me soufflez pas… Il y a un certain nombre d'expressions de vous que j'ai retenues et que je répète souvent à mes collègues… Ah ! oui… Pour le reste, *laissez tomber*.

» Je sais bien que vous ne le ferez pas. Alors, si le cœur vous en dit, vous pourrez de temps en temps venir bavarder avec moi.

» Je ne peux pas empêcher un homme comme vous de me poser des questions, n'est-ce pas ?

» Et il y a des questions auxquelles il est bien difficile de ne pas répondre.

» Tenez ! Par exemple, je suis persuadé que vous aimeriez voir mon bureau… Je me souviens du vôtre, dont les fenêtres donnaient sur la Seine. Le mien donne plus prosaïquement sur un grand mur noir et sur un parc à autos.

» Avouez que l'armagnac est excellent et que ce petit bistrot, comme on dit chez vous, n'est pas trop désagréable.

Il fallut, comme dans certains restaurants de Paris, féliciter la patronne et même le chef qu'elle était allée chercher, promettre de revenir, boire un dernier verre et enfin signer un livre d'or assez graisseux.

Les deux hommes, un peu plus tard, s'engouffraient dans un taxi et le capitaine jetait une adresse au chauffeur.

Chacun fumait sa pipe dans le fond, et il y eut un assez long silence. Chacun, comme par hasard, ouvrit la bouche au même instant et ils se tournèrent l'un vers l'autre en souriant de cette coïncidence.

— Qu'est-ce que vous alliez dire ?

— Et vous ?

— Probablement la même chose que vous.

— J'allais dire, commença l'Américain, que Mac Gill, d'après ce que vous m'avez raconté, n'avait aucun désir de vous voir rencontrer son patron.

— Je le pensais à la minute. Et pourtant, contre mon attente, Little John ne m'a pas paru plus anxieux que son secrétaire d'avoir des nouvelles de son fils. Vous saisissez ma pensée ?

— Et c'est Mac Gill, ensuite, qui s'est démené ou a feint de se démener pour retrouver le jeune homme.

— Et qui s'est mis en frais pour moi… Il m'a annoncé qu'il me téléphonerait dès demain matin afin de me donner des nouvelles.

— Il sait que nous nous rencontrons ce soir ?

— Je ne lui en ai pas parlé.

— Il s'en doute. Non pas que vous me rencontrez, moi, mais quelqu'un de la police. Étant donné les relations que vous avez eues avec la police américaine, c'est fatal… Et, dans ce cas…

— Dans ce cas ?

— Rien… Nous sommes arrivés.

Ils pénétrèrent dans un grand immeuble et quelques instants plus tard l'ascenseur les déposait dans un couloir aux portes numérotées. O'Brien en ouvrit une avec sa clef, tourna le commutateur.

— Asseyez-vous… Je vous ferai un autre jour les honneurs de la maison, car, à cette heure-ci, vous ne la verriez pas à son avantage… Vous permettez que je vous laisse seul quelques minutes ?

Les quelques minutes furent un long quart d'heure et pendant tout ce temps Maigret se surprit à ne penser qu'à Little John. C'était curieux : il n'avait vu celui-ci que pendant d'assez courts instants. Leur entretien avait été, en somme, assez banal. Et pourtant le commissaire constatait soudain que Maura avait fait sur lui une forte impression.

Il le revoyait, petit et maigre, vêtu avec une correction presque excessive. Son visage n'avait rien de saillant. Qu'était-ce alors qui avait pu frapper Maigret de la sorte ?

Cela l'intriguait. Il s'imposait un effort de mémoire, évoquait les moindres gestes du petit homme sec et nerveux.

Et soudain il se souvenait de son regard, de son premier regard surtout, quand Maura ne se savait pas encore observé, quand il avait entrouvert la porte du salon.

Little John avait les yeux froids !

Maigret aurait été bien en peine d'expliquer ce qu'il entendait par ces mots, mais il se comprenait. Quatre ou cinq fois dans sa vie, il avait rencontré des gens qui avaient les yeux froids, ces yeux qui peuvent vous fixer sans établir aucun contact humain, sans que l'on sente ce besoin qu'éprouve tout homme de communiquer avec son semblable.

Le commissaire venait lui parler de son fils, de ce gamin à qui il envoyait des lettres aussi tendres qu'à une femme aimée, et Little John l'observait sans curiosité, sans aucune émotion, comme il eût contemplé la chaise, ou une tache sur le mur.

— Vous m'en voulez de vous avoir laissé seul si longtemps ?

— Non, car je crois que je viens de faire une découverte.

— Ah !…

— J'ai découvert que Little John a les yeux froids…

Maigret s'attendait à un nouveau sourire de son confrère américain. Il allait, presque agressif, au-devant de ce sourire. Le capitaine O'Brien, au contraire, le regarda gravement.

— C'est ennuyeux… articula-t-il.

Et c'était comme s'ils avaient eu une longue conversation. Il y avait soudain quelque chose entre eux, qui ressemblait à une inquiétude partagée. O'Brien tendit une boîte de tabac.

— Je préfère le mien, si cela ne vous fait rien.

Ils allumèrent leur pipe et ils se turent une fois de plus. Le bureau était banal et assez nu. Il n'y avait que la fumée des deux pipes pour lui conférer un semblant d'intimité.

— Je suppose qu'après votre traversée mouvementée vous devez être fatigué et sans doute avez-vous envie de vous coucher ?

— Parce que vous m'auriez proposé un autre emploi du temps ?

— Mon Dieu, tout simplement d'aller prendre un *night-cap*… Un bonnet de nuit, si l'on traduit littéralement… Autrement dit, un dernier whisky.

Pourquoi s'était-il donné la peine d'amener Maigret à son bureau, où il s'était contenté de le laisser seul pendant un quart d'heure ?

— Vous ne trouvez pas qu'il fait plutôt froid ici ?

— Allons où vous voudrez.

— Je vous déposerai près de votre hôtel... Non, je n'y entrerai pas... Les gens du *desk* s'inquiéteraient en me voyant pénétrer chez eux... Mais je connais un petit bar...

Encore un petit bar, avec un phono mécanique dans un coin et une rangée d'hommes accoudés au comptoir, seul à seul, buvant avec une morne obstination.

— Essayez un whisky quand même avant de vous coucher... Vous verrez que c'est moins mauvais que vous ne l'imaginez... Et cela a l'avantage de faire travailler les reins... À propos...

Maigret comprit qu'O'Brien en arrivait enfin à l'objet de cette dernière balade nocturne.

— Figurez-vous que, tout à l'heure, dans les couloirs, j'ai rencontré un camarade du service... Et, comme par hasard, il m'a parlé de Little John...

» Remarquez qu'il n'a jamais eu affaire à lui officiellement... Ni ce camarade, ni aucun d'entre nous... Vous comprenez ?... Je vous assure que le respect de la liberté individuelle est une belle chose... Quand vous aurez compris cela, vous ne serez pas loin de comprendre l'Amérique et les Américains.

» Tenez... Un homme entre chez nous, un étranger, un émigrant... Vous vous indignez, vous autres, Européens, ou vous vous moquez de nous, parce que nous lui posons un tas de questions écrites, parce que nous lui demandons, par exemple, s'il souffre de troubles mentaux ou s'il est venu aux États-Unis avec l'intention d'attenter à la vie du président de la République.

» Nous exigeons sa signature sous cette déclaration qui vous paraît loufoque.

» Seulement, par la suite, nous ne lui demandons plus rien… Les formalités pour entrer aux États-Unis ont peut-être été longues et tatillonnes, mais du moins, une fois terminées, notre homme est absolument libre.

» Saisissez-vous ?

» Tellement libre qu'à moins qu'il tue, qu'il vole ou qu'il viole, nous n'avons plus le droit de nous occuper de lui.

» Qu'est-ce que je disais ?

Il y avait des moments où Maigret l'aurait giflé, à cause de cette fausse candeur, de cet humour dont il se sentait incapable de saisir les nuances.

— Ah ! oui… Un exemple… C'est mon collègue, justement, qui, tout à l'heure, pendant que nous nous lavions tous les deux les mains, me racontait l'histoire… Il y a une trentaine d'années, deux hommes débarquaient d'un bateau venant d'Europe, comme vous l'avez fait ce matin… À cette époque-là, il en débarquait beaucoup plus qu'aujourd'hui, parce que nous avions besoin de main-d'œuvre… Il en venait dans la cale des bateaux, sur le pont… Ils sortaient surtout d'Europe centrale et orientale… Certains étaient si sales, si couverts de vermine, que nos services d'immigration étaient obligés de les passer à la lance de pompier… Je parie que vous allez prendre un autre *night-cap* ?

Maigret était trop intéressé pour avoir seulement l'idée de refuser et il se contenta de bourrer une nouvelle pipe et de se reculer un peu, parce que son voisin de gauche lui enfonçait un coude dans les côtes.

— Il y en avait de toutes les sortes, voilà... Et ils ont eu des sorts différents. Certains, parmi ceux-là, sont aujourd'hui de grands magnats d'Hollywood... On en retrouve quelques-uns à Sing-Sing, mais il y en a aussi dans les bureaux du gouvernement, à Washington... Avouez que nous sommes réellement un très grand pays pour assimiler de la sorte le tout-venant que nous absorbons.

Était-ce le whisky ? Maigret commençait à voir John Maura, non plus sous les espèces d'un petit homme nerveux et volontaire, mais comme un symbole de l'assimilation américaine dont son interlocuteur lui parlait d'une voix lente et douce.

— Mon camarade me racontait donc...

But-il trois, quatre whiskies ? Ils avaient déjà bu de l'armagnac, et avant l'armagnac deux bouteilles de beaujolais, et avant le beaujolais un certain nombre d'apéritifs.

« *J and J.* »

C'est ce dont il se souvenait le mieux quand il sombra enfin au plus profond de son lit, dans son appartement trop somptueux du *Saint-Régis.*

Deux Français, à une époque où l'on portait des faux cols raides à pointes cassées, des manchettes empesées et des souliers vernis, deux Français tout jeunes, qui avaient encore « le duvet » et qui débarquaient sans un sou, pleins d'espérance, l'un avec un violon sous le bras, l'autre avec une clarinette.

Lequel des deux avait une clarinette ? Il ne parvenait plus à s'en souvenir. O'Brien à tête de mouton,

O'Brien qui n'en était pas moins malicieux comme un singe, le lui avait dit.

Le violon, cela devait être Maura.

Et tous les deux étaient originaires de Bayonne ou des alentours. Et tous les deux avaient environ vingt ans.

Et ils avaient signé une déclaration sur la question du président des États-Unis qu'ils s'engageaient à ne pas assassiner.

Drôle d'homme que le capitaine O'Brien qui l'emmenait dans un petit bar pour lui raconter tout cela, avec l'air de ne pas y toucher, de bavarder de choses absolument étrangères à son métier.

— L'un s'appelait Joseph et l'autre Joachim. C'est ce que mon camarade m'a raconté… Vous savez, il ne faut pas trop se fier aux histoires qu'on raconte… Nous, à la Police fédérale, cela ne nous regarde pas… C'était l'époque des cafés-concerts, de ce que vous appelez à Paris les *bastringues…* Alors, pour gagner leur vie, et bien qu'ils eussent tous les deux passé par le Conservatoire, bien qu'ils eussent l'impression d'être de grands musiciens, ils ont monté un numéro comique sous le nom de *J and J.* Joseph et Joachim. Et tous les deux espéraient se faire un jour une carrière de virtuose ou de compositeur.

» C'est mon ami qui m'a expliqué cela. C'est sans intérêt, évidemment. Seulement, je sais que vous vous intéressez à la personnalité de Little John… Je crois maintenant que ce n'était pas lui la clarinette…

» Barman… La même chose…

Est-ce que le capitaine O'Brien était ivre ?

— *J and J...* répétait-il. Moi, mon prénom est Michael... Vous savez, vous pouvez m'appeler Michael... Ce n'est pas pour cela que je vous appellerai Jules, car je sais que c'est votre prénom, mais que vous ne l'aimez pas...

Que dit-il encore ce soir-là ?

— Vous ne connaissez pas le Bronx, Maigret... Il faudra que vous connaissiez le Bronx... C'est un endroit passionnant... Pas beau... Mais passionnant... Je n'ai pas eu le temps de vous y conduire... Nous sommes très occupés, vous savez. Findlay... 169e Rue... Vous verrez... C'est un quartier curieux... Il paraît qu'il y a encore aujourd'hui, juste en face de la maison, une boutique de tailleur... Ce sont des bavardages... Des bavardages de mon collègue, et je me demande encore pourquoi il m'a parlé de cela puisque cela ne nous regarde pas... *J and J...* Ils faisaient un numéro moitié comique, moitié musical, dans les cafés... Les cafés chantants comme on disait alors... Et ce serait curieux de savoir qui était le comique. Vous ne trouvez pas ?

Maigret n'avait peut-être pas l'habitude du whisky, mais il avait encore moins celle d'être pris pour un enfant et il se sentit furieux quand il vit un chasseur prendre place avec lui dans l'escalier du *Saint-Régis* et s'assurer avec trop de sollicitude qu'il ne manquait de rien avant de se retirer.

C'était encore un coup de l'O'Brien à tête de mouton et au sourire terriblement ironique.

3

Maigret dormait, tout au fond d'un puits dans l'ouverture duquel un géant roux se penchait en souriant et en fumant un énorme cigare – pourquoi un cigare ? – quand une sonnerie sournoise, méchante, amena d'abord quelques froncements sur son visage, comme la brise matinale sur un lac trop uni. Tout le corps, par deux fois, chavira d'un bord sur l'autre en entraînant les couvertures et enfin un bras se tendit, saisit la carafe avant d'atteindre le téléphone, une voix grogna :

— Allô...

Assis sur son lit, mal assis, car il n'avait pas eu le temps d'arranger l'oreiller et il était obligé de tenir ce sacré téléphone, il avait déjà une certitude, une certitude humiliante : c'est qu'en dépit des discours sans doute ironiques du capitaine O'Brien sur les vertus diurétiques du whisky, il avait mal à la tête.

— Maigret, oui... Qui est à l'appareil ?... Comment ?

C'était Mac Gill et cela n'avait rien d'agréable non plus de se faire éveiller par ce type envers qui il ne se

sentait aucune sympathie. Surtout que l'autre reconnaissait à sa voix qu'il était encore au lit et se permet-
tait de lui lancer :

— Couché tard, je parie ? Est-ce qu'au moins…
vous avez passé une bonne soirée ?

Maigret cherchait des yeux sa montre qu'il avait
l'habitude de poser sur la table de nuit et qui ne s'y
trouvait pas. Il finit par apercevoir une horloge électrique encastrée dans la cloison et il écarquilla les
yeux en constatant qu'elle marquait onze heures.

— Dites-moi, monsieur le commissaire… C'est de
la part du patron que je vous téléphone… Il serait très
heureux si vous pouviez passer le voir ce matin… Dès
maintenant, oui… Je veux dire dès que vous aurez fait
votre toilette. À tout de suite… Vous vous souvenez
de l'étage, n'est-ce pas ? Septième, tout au fond du
couloir B… À tout de suite.

Il chercha partout un bouton de sonnette, comme
en France, pour appeler le maître d'hôtel, le valet de
chambre, n'importe qui, mais il ne trouva rien qui y
ressemblât et un instant il eut le sentiment d'être
perdu dans cet appartement ridiculement grand. Il
pensa enfin au téléphone, dut répéter trois fois, dans
son anglais approximatif :

— Je voudrais mon petit déjeuner, mademoiselle… Petit déjeuner, oui… Hein ?… Vous ne
comprenez pas ?… Café…

Elle lui disait quelque chose qu'il n'arrivait pas à
saisir.

— Je vous demande mon petit déjeuner !

Il crut qu'elle raccrochait, mais c'était pour le bran-
cher sur une autre ligne où une nouvelle voix récitait :

— *Room-service…*

C'était tout simple, évidemment, mais encore fallait-il le savoir et, sur le moment, il en voulut à toute l'Amérique de n'avoir pas eu l'idée élémentaire d'installer des boutons de sonnerie dans les chambres d'hôtel.

Pour comble, il était dans son bain quand on frappa à la porte et il eut beau gueuler : « Entrez », on frappait toujours. Force lui fut, tout mouillé qu'il était, d'enfiler sa robe de chambre, d'aller ouvrir, car il avait mis le verrou. Qu'est-ce que le maître d'hôtel attendait ? Bon, il lui fallait signer une fiche. Mais quoi encore ? Car l'autre attendait toujours et Maigret finit par comprendre que c'était son pourboire qu'il voulait. Et ses vêtements étaient en tas par terre !

Il était à cran quand, une demi-heure plus tard, il frappait à la porte de l'appartement de Little John. Mac Gill l'accueillait, toujours aussi élégant, tiré à quatre épingles, mais le commissaire eut l'impression qu'il n'avait pas beaucoup dormi, lui non plus.

— Entrez… Asseyez-vous un instant… Je vais avertir le patron que vous êtes ici.

On le sentait préoccupé. Il ne se donnait pas la peine de se mettre en frais. Il ne prenait pas garde à Maigret et il sortait de la pièce en laissant la porte grande ouverte.

La seconde pièce était un salon qu'il traversait. Puis une chambre très vaste. Et Mac Gill marchait toujours, frappait à une dernière porte. Maigret n'eut pas le temps de bien voir. Ce qui le frappa, pourtant, après l'enfilade de chambres luxueuses, ce fut une impression de pauvreté. C'est surtout par la suite qu'il y pensa, qu'il s'efforça de reconstituer le spectacle qu'il avait eu un instant sous les yeux.

Il aurait juré que la chambre dans laquelle le secrétaire pénétrait en dernier lieu ressemblait davantage à une chambre de domestique qu'à une chambre du *Saint-Régis*. Est-ce que Little John n'était pas assis devant une table en bois blanc et n'était-ce pas un lit de fer que Maigret apercevait derrière lui ?

Quelques mots échangés à mi-voix et les deux hommes s'en venaient l'un derrière l'autre, Little John toujours nerveux, les mouvements nets, avec, eût-on dit, en réserve, une prodigieuse énergie qu'il était obligé de contenir.

Lui non plus, en entrant dans le bureau, ne se mit pas en frais, et, cette fois, il n'eut pas l'idée d'offrir un de ses fameux cigares à son visiteur.

Il alla s'asseoir devant la table d'acajou, à la place que Mac Gill occupait tout à l'heure, et celui-ci, désinvolte, s'installa dans un fauteuil et croisa les jambes.

— Je m'excuse, monsieur le commissaire, de vous avoir dérangé, mais j'ai pensé qu'une conversation entre nous était nécessaire.

Il leva enfin les yeux sur Maigret, des yeux qui n'exprimaient rien, ni sympathie, ni antipathie, ni impatience. Sa main, qu'il avait fine et d'une blancheur étonnante chez un homme, jouait avec un coupe-papier d'écaille.

Il portait un costume bleu marine de coupe anglaise, une cravate sombre sur du linge blanc. Cela mettait en valeur ses traits fins, très dessinés, et

Maigret remarqua qu'il aurait été difficile de lui donner un âge.

— Je suppose que vous n'avez aucune nouvelle de mon fils ?

Il n'attendait pas la réponse et poursuivait d'une voix neutre, comme on parle à un subalterne :

— Lorsque vous êtes venu me voir hier, je n'ai pas eu la curiosité de vous poser certaines questions. Si j'ai bien compris, vous êtes venu de France en compagnie de Jean et vous m'avez donné à entendre que c'était mon fils qui vous avait prié de faire la traversée.

Mac Gill fumait une cigarette et regardait tranquillement la fumée monter vers le plafond. Little John jouait toujours avec le coupe-papier, fixant Maigret comme sans le voir.

— Je ne pense pas qu'après avoir quitté la Police judiciaire vous ayez ouvert une agence de police privée. D'autre part, étant donné ce que tout le monde sait de votre caractère, il m'est difficile de croire que vous vous soyez embarqué à la légère dans une aventure de ce genre. Je suppose, monsieur le commissaire, que vous me comprenez ? Nous sommes des hommes libres dans un pays libre. Hier, vous vous êtes introduit ici pour me parler de mon fils. Le soir même, vous preniez contact avec un fonctionnaire de la Police fédérale afin de vous renseigner à mon sujet…

Autrement dit, les deux hommes étaient déjà au courant de ses allées et venues et de son entrevue avec O'Brien. Est-ce qu'ils l'avaient fait suivre ?

— Permettez-moi de vous poser une première question : sous quel prétexte mon fils vous a-t-il demandé votre aide ?

Et, comme Maigret ne répondait pas, comme Mac Gill paraissait sourire avec ironie, Little John poursuivait, nerveux, coupant :

— Les commissaires à la retraite n'ont pas pour habitude de servir de chaperons aux jeunes gens en voyage. Je vous demande encore une fois : qu'est-ce que mon fils vous a raconté pour vous décider à quitter la France et à traverser l'Atlantique avec lui ?

Ne le faisait-il pas exprès de se montrer méprisant, et n'espérait-il pas ainsi mettre Maigret hors de ses gonds ?

Seulement, il se passait ceci : c'est que Maigret devenait plus calme et plus lourd à mesure que l'autre parlait. Plus lucide aussi.

Si lucide – et cela se sentait tellement dans son regard – que la main qui tenait le coupe-papier commençait à manier celui-ci avec des mouvements saccadés. Mac Gill, qui avait tourné la tête vers le commissaire, oubliait sa cigarette et attendait.

— Si vous le permettez, je répondrai à votre question par une autre question. Savez-vous où est votre fils ?

— Je l'ignore et ce n'est pas ce qui importe à présent. Mon fils est libre de faire ce qui lui plaît, comprenez-vous ?

— Donc, vous savez où il se trouve.

Ce fut Mac Gill qui tressaillit et qui se tourna vivement vers Little John avec une expression dure dans le regard.

— Je vous répète que je n'en sais rien et que cela ne vous regarde pas…

— Dans ce cas, nous n'avons plus rien à nous dire.

— Un instant…

Le petit homme s'était levé précipitamment et, tenant toujours le coupe-papier à la main, s'était élancé entre Maigret et la porte.

— Vous semblez oublier, monsieur le commissaire, que vous êtes ici en quelque sorte à mes frais… Mon fils est mineur… Je ne suppose pas qu'il vous ait laissé faire les frais du voyage que vous avez entrepris sur sa demande…

Pourquoi Mac Gill paraissait-il furieux contre son patron ? Il était évident que la tournure de l'entretien ne lui plaisait pas. Et, d'ailleurs, il ne se gêna pas pour intervenir.

— Je crois que la question n'est pas là et que vous blessez inutilement le commissaire…

Les deux hommes échangeaient un regard que Maigret notait à tout hasard, incapable qu'il était de l'analyser sur-le-champ, mais en se promettant bien de le comprendre plus tard.

— Il est évident, continuait Mac Gill, qui se levait à son tour et qui arpentait la pièce avec plus de calme que Little John, il est évident que votre fils, pour une raison que nous ignorons, que vous n'ignorez peut-être pas…

Tiens ! tiens ! C'était à son patron qu'il lançait ces mots lourds de sous-entendus ?

— … a cru devoir faire appel à une personnalité connue pour sa perspicacité en matière criminelle…

Maigret restait assis. C'était curieux de les voir tous les deux, si différents l'un de l'autre. À croire, par instants, que c'était entre eux deux et non avec Maigret que la partie se jouait.

Car Little John, si coupant au début, laissait parler son secrétaire de trente ans plus jeune que lui. Et il ne paraissait pas le faire de bon cœur. Il était humilié, c'était évident. Il cédait la place à regret.

— Étant donné que votre fils ne se préoccupe que d'une seule et unique personne, de son père, étant donné qu'il est accouru à New York sans vous prévenir... du moins je le suppose...

Une flèche, à n'en pas douter.

— ... il y a tout lieu de croire qu'il a reçu à votre sujet des nouvelles inquiétantes. Reste à savoir qui lui a mis cette inquiétude dans la tête. Ne trouvez-vous pas, monsieur le commissaire, que c'est tout le problème ? Résumons la question avec le plus de simplicité possible... Vous vous alarmez de la disparition assez inexplicable d'un jeune homme au moment de son débarquement à New York. Sans être versé dans les questions policières, en n'usant que de mon simple bon sens, je dis :

» — *Lorsque nous saurons qui a fait venir Jean Maura à New York, autrement dit qui lui a câblé je ne sais quoi au sujet des dangers courus par son père – car, autrement, il n'était pas besoin de se faire accompagner par un policier, veuillez excuser le mot –, lorsque cela sera établi, il ne sera sans doute pas difficile de savoir qui l'a fait disparaître...*

Little John, pendant cette tirade, était allé se camper devant la fenêtre et, écartant le rideau d'une main, il regardait dehors. Sa silhouette présentait des lignes sèches comme son visage. Et Maigret se surprit à penser : clarinette ? violon ?... Lequel des deux *J* représentait cet homme dans le numéro de burlesque de jadis ?

— Dois-je comprendre, monsieur le commissaire, que vous refusez de répondre ?

Alors, Maigret, à tout hasard :

— J'aimerais avoir un entretien en tête à tête avec M. Maura.

Celui-ci tressaillit et se retourna tout d'une pièce. Son premier regard fut pour son secrétaire qui paraissait suprêmement indifférent.

— Je vous ai déjà dit, je pense, que vous pouviez parler devant Mac Gill...

— Dans ce cas, veuillez m'excuser si je n'ai rien à vous dire.

Or Mac Gill ne proposait pas de sortir. Il restait là, sûr de lui, comme un homme qui se sait à sa place.

Est-ce que c'était le petit homme qui allait perdre son sang-froid ? Il y avait quelque chose dans ses yeux froids qui ressemblait à de l'exaspération, mais qui ressemblait aussi à autre chose.

— Écoutez-moi, monsieur Maigret... Il faut en finir et nous allons le faire en quelques mots... Parlez ou ne parlez pas, cela m'est égal, car ce que vous pourriez avoir à me dire ne m'intéresse que médiocrement... Un gamin, inquiet pour des raisons que j'ignore, est allé vous voir et vous vous êtes jeté tête baissée dans une aventure où vous n'aviez que faire... Ce gamin est mon fils... Il est mineur. S'il a disparu, cela ne regarde que moi, et, si j'ai à faire appel à quelqu'un pour le rechercher, ce sera à la police de ce pays… Je suppose que je parle assez net ?

» Nous ne sommes pas en France et, jusqu'à nouvel ordre, mes allées et venues ne regardent personne… Je ne permettrai donc à personne de s'occuper de moi et, s'il le faut, je ferai le nécessaire pour que ma liberté pleine et entière soit respectée.

» J'ignore si mon fils vous a laissé ce que l'on appelle des provisions. Au cas où il n'y aurait pas pensé, veuillez me le dire et mon secrétaire vous remettra un chèque couvrant vos frais de déplacement jusqu'en France.

Pourquoi lançait-il un petit coup d'œil à Mac Gill comme pour savoir si celui-ci approuvait ?

— J'attends votre réponse.

— À quel sujet ?

— Au sujet du chèque.

— Je vous remercie.

— Un dernier mot, si vous le permettez… Il vous est loisible, évidemment, de rester le temps qu'il vous plaira dans cet hôtel, où je ne suis qu'un client comme les autres. Qu'il me suffise de vous dire que cela me serait extrêmement désagréable de vous rencontrer à tout moment dans le hall, dans les couloirs ou dans les ascenseurs… Je vous salue, monsieur le commissaire.

Celui-ci, toujours assis, vida lentement sa pipe dans un cendrier qui se trouvait sur un guéridon à portée de sa main. Puis il prit le temps de bourrer une nouvelle pipe froide qu'il prit dans sa poche, de l'allumer, en regardant tour à tour les deux hommes.

Enfin, il se leva, il eut l'air de déployer sa taille, sa stature, et il paraissait plus grand, plus large que d'habitude.

— Je vous salue, dit-il simplement, d'une voix si inattendue que le coupe-papier se brisa net entre les doigts de Little John.

Il lui sembla que Mac Gill avait l'intention de parler encore, de l'empêcher de sortir tout de suite, mais il tourna le dos, tranquillement, marcha vers la porte et s'éloigna le long du couloir.

C'est seulement quand il se trouva dans l'ascenseur que son mal de tête lui revint et que le whisky de la veille se rappela à lui sous forme de nausée.

— Allô… Le capitaine O'Brien ?… Ici, Maigret.

Il souriait. Il fumait sa pipe à petites bouffées tout en regardant autour de lui le papier à fleurs un peu fané qui recouvrait les murs de la chambre.

— Comment ?… Non, je ne suis plus au *Saint-Régis…* Pourquoi ?… Pour plusieurs raisons, dont la plus importante est que je ne m'y sentais pas très à mon aise. Vous comprenez ça ? Tant mieux. Mais oui, j'ai trouvé un hôtel. Le *Berwick*. Vous ne connaissez pas ? Je ne sais plus le numéro de la rue. Je n'ai jamais eu la mémoire des chiffres et vous êtes ennuyeux comme tout avec vos rues numérotées. Comme si vous ne pouviez pas dire rue Victor-Hugo, rue Pigalle ou rue du Président je ne sais qui…

» Allô !… Vous voyez Broadway ? Je ne sais pas à quelle hauteur, il y a un cinéma qui s'appelle le *Capitol.* Bon. Eh bien ! c'est la première ou la seconde rue à gauche. Un petit hôtel qui ne paie pas de mine et où je soupçonne qu'on ne loue pas seulement des chambres à la nuit... Vous dites ? C'est interdit à New York ? Tant pis !

Il était de bonne humeur, et même d'humeur enjouée, sans raison bien précise, peut-être simplement parce qu'il se retrouvait dans une atmosphère qui lui était familière.

D'abord, il aimait ce coin bruyant et un peu vulgaire de Broadway qui lui rappelait à la fois Montmartre et les Grands Boulevards de Paris. Le bureau de l'hôtel était presque miteux et il n'y avait qu'un seul ascenseur. Encore le préposé était-il un petit bonhomme boiteux !

Par la fenêtre, on voyait les enseignes lumineuses s'allumer et s'éteindre.

— Allô !... O'Brien ?... Figurez-vous que j'ai encore besoin de vous... N'ayez pas peur... Je respecte scrupuleusement toutes les libertés de la libre Amérique... Comment ?... Mais non... Je vous assure que je suis tout à fait incapable d'ironie... Figurez-vous que je voudrais recourir, moi aussi, aux services d'un policier privé...

Le capitaine, à l'autre bout du fil, se demandait s'il plaisantait et, après avoir grommelé quelques syllabes, prenait le parti d'éclater de rire.

— Ne riez pas... Je suis tout à fait sérieux... J'ai bien un détective à ma disposition... Je veux dire que j'en ai un, depuis midi, sur les talons... Mais non, cher ami, je ne mets pas en cause la police officielle... Qu'est-ce que vous avez aujourd'hui à être si chatouilleux ?... Je parle du prénommé Bill... Oui, cette espèce de boxeur au menton fendu qui nous a accompagnés hier, Mac Gill et moi, dans nos pérégrinations… Eh bien, il est toujours là, à cette différence que, comme les valets de l'ancien temps, il marche à dix mètres derrière moi… Si je me penchais à la fenêtre, je l'apercevrais certainement devant la porte de l'hôtel… Il ne se cache pas, non… Il me suit, c'est tout… J'ai même l'impression qu'il est un peu gêné et que parfois il a envie de me saluer…

» Comment ?… Pourquoi je veux un détective ?… Riez tant que vous voudrez… J'admets que c'est assez drôle… N'empêche que, dans votre satané pays où les gens ne daignent comprendre mon anglais que quand je leur ai répété quatre ou cinq fois la même phrase et complété mon explication par des gestes, je ne serais pas fâché d'avoir l'aide de quelqu'un pour quelques petites recherches que je désire entreprendre…

» Surtout, de grâce, que votre homme parle le français !… Vous avez ça sous la main ?… Vous allez téléphoner ?… Mais oui, dès ce soir… Je suis d'attaque, parfaitement, malgré vos whiskies… Il est vrai que j'ai inauguré ma nouvelle chambre du *Berwick* en m'offrant près de deux heures de sieste…

» Dans quels milieux je veux faire des recherches ?… Je croyais que vous l'auriez deviné… Mais oui… C'est ça…

» J'attends votre coup de téléphone… À tout de suite…

Il alla ouvrir la fenêtre et aperçut, comme il le prévoyait, le prénommé Bill qui mâchait son *chewing-gum* à une vingtaine de mètres de l'hôtel et qui n'avait pas l'air de s'amuser.

La chambre était banale à souhait, avec tout ce qu'il faut de vieilleries et de tapis douteux pour qu'on pût se croire dans un meublé de n'importe quelle ville du monde.

Dix minutes ne s'étaient pas écoulées que la sonnerie du téléphone se faisait entendre. C'était O'Brien qui annonçait à Maigret qu'il lui avait trouvé un détective, un certain Ronald Dexter, et qui lui recommandait de ne pas trop le laisser boire.

— Parce qu'il a le whisky mauvais ? questionnait le commissaire.

Et O'Brien de répondre avec une douceur angélique :

— Parce qu'il pleure…

Et ce n'était pas une boutade de l'homme roux à tête de mouton. Même quand il n'avait pas bu, Dexter donnait l'impression d'un homme qui promène dans la vie un chagrin incommensurable.

Il vint à l'hôtel à sept heures du soir. Maigret le rencontra dans le hall au moment où le détective s'informait de lui au bureau.

— Ronald Dexter ?

— C'est moi…

Et il avait l'air de prononcer :

« Hélas ! »

— Mon ami O'Brien vous a mis au courant ?

— Chut !

— Pardon ?

— Pas de noms propres, s'il vous plaît… Je suis à votre disposition… Où voulez-vous que nous allions ?

— Dehors, pour commencer… Vous connaissez ce monsieur qui a l'air de s'intéresser vivement aux passants et qui mâche de la gomme ?… C'est Bill… Bill qui ? je n'en sais rien… Je ne connais que son prénom, mais ce que je sais, c'est que c'est un de vos confrères qu'on a chargé de me suivre… Ceci dit pour que vous ne vous inquiétiez pas de ses allées et venues… Cela n'a aucune importance, vous comprenez ?… Il peut nous suivre autant qu'il le voudra…

Dexter comprenait ou ne comprenait pas. En tout cas, il prenait un air résigné et semblait dire au ciel :

« Cela ou autre chose ! »

Il devait avoir une cinquantaine d'années et ses vêtements gris, son *trench-coat* plus que fatigué ne plaidaient pas en faveur de sa prospérité.

Les deux hommes marchaient vers Broadway, dont ils n'étaient éloignés que d'une centaine de mètres, et Bill leur emboîtait imperturbablement le pas.

— Vous connaissez les milieux de théâtre ?

— Un peu.

— Plus exactement les milieux de music-hall et de café-concert ?

Alors, Maigret eut la mesure de l'humour en même temps que du sens pratique d'O'Brien, car son interlocuteur soupira :

— J'ai été clown pendant vingt ans.

— Un clown triste, sans doute ? Si vous voulez, nous allons entrer dans un bar et prendre un verre.

— Je veux bien.

Puis, avec une simplicité désarmante :

— Je croyais qu'on vous avait prévenu ?

— De quoi ?

— Je supporte mal la boisson. Enfin ! Un seul verre, n'est-ce pas ?

Ils s'assirent dans un coin, tandis que Bill pénétrait lui aussi dans le bar et s'installait au comptoir.

Maigret expliquait :

— Si nous étions à Paris, je trouverais tout de suite le renseignement que je cherche, car nous avons, aux environs de la Porte Saint-Martin, un certain nombre de boutiques qui datent d'une autre époque... Dans les unes, on vend des chansons populaires et on peut encore s'y procurer aujourd'hui celles qui se chantaient à tous les carrefours en 1900 ou en 1910... Dans une autre que je connais, celle d'un posticheur, on trouve tous les modèles de barbes, de moustaches, de perruques qu'ont portés les acteurs depuis les temps les plus reculés... Et il y a enfin, dans des endroits miteux, des bureaux où des impresarios invraisemblables organisent des tournées pour petites villes de province...

Pendant qu'il parlait, Ronald Dexter regardait son verre d'un œil profondément mélancolique.

— Vous me comprenez ?

— Oui, monsieur.

— Bon. Sur les murs de ces bureaux, il ne serait pas difficile de retrouver les affiches de numéros de café-concert qui ont eu la vogue il y a trente ou quarante ans... Et sur les banquettes des salles d'attente, dix vieux cabots ou anciennes gommeuses...

Il s'interrompit. Il dit :

— Je vous demande pardon.

— De rien.

— Je veux dire que des acteurs, des chanteurs, des chanteuses qui ont aujourd'hui soixante-dix ans et plus viennent encore solliciter un engagement. Ces gens-là ont une mémoire prodigieuse, surtout en ce qui concerne l'époque de leurs succès. Eh bien ! monsieur Dexter…

— Tout le monde m'appelle Ronald.

— Eh bien ! je me demande s'il existe à New York l'équivalent de ce que je viens de vous expliquer.

L'ancien clown prit le temps de réfléchir, les yeux toujours fixés sur son verre auquel il n'avait pas encore touché. Enfin, il questionna avec le plus grand sérieux :

— Il faut qu'ils soient vraiment très vieux ?

— Que voulez-vous dire ?

— Il faut que ce soient vraiment de très vieux cabots ? Vous avez parlé de soixante-dix ans et plus. Pour ici, c'est beaucoup, parce que, voyez-vous, on meurt plus vite.

Sa main se tendit vers le verre, revint, se tendit à nouveau et, enfin, il avala l'alcool d'un trait.

— Il existe des endroits… Je vous montrerai…

— Il ne s'agit de remonter qu'à une trentaine d'années. À cette époque-là, deux Français, sous le nom de *J and J*, faisaient un numéro musical dans les cafés-concerts.

— Vous dites trente ans ? Je crois que c'est possible. Et vous voudriez savoir ?

— Tout ce que vous pourrez apprendre sur leur compte. J'aimerais aussi obtenir une photographie. Les artistes se font beaucoup photographier. Leur image paraît sur les affiches, sur les programmes.

— Et vous avez l'intention de m'accompagner ?

— Pas ce soir. Pas tout de suite.

— Cela vaut mieux. Parce que, n'est-ce pas ? vous risquez d'effaroucher les gens. Ils sont très susceptibles, vous savez. Si vous voulez, j'irai vous voir demain à votre hôtel, ou bien je vous téléphonerai. Est-ce que c'est très pressé ? Je peux commencer dès ce soir. Mais il faudrait…

Il hésita, baissa la voix.

— Il faudrait que vous me donniez de quoi payer quelques tournées, entrer dans certains endroits.

Maigret tira son portefeuille de sa poche.

— Oh ! J'aurai assez avec dix dollars. Parce que, si vous m'en donnez davantage, je les dépenserai. Et quand j'aurai fini votre travail, il ne me restera plus rien… Vous n'avez plus besoin de moi, maintenant ?

Le commissaire secoua la tête. Il avait pensé un instant dîner en compagnie de son clown, mais celui-ci se révélait par trop irrémédiablement lugubre.

— Cela ne vous ennuie pas que ce type-là vous suive ?

— Qu'est-ce que vous feriez, si cela m'ennuyait ?

— Je pense qu'en lui offrant un peu plus que ceux qui l'emploient…

— Il ne me gêne pas.

Et c'était vrai. C'était presque une distraction pour Maigret de sentir l'ancien boxeur sur ses talons.

Il dîna ce soir-là, dans une cafétéria brillamment éclairée de Broadway où on lui servit d'excellentes saucisses, mais où il fut vexé de n'obtenir que du Coca-Cola en guise de bière.

Puis, vers neuf heures, il héla un taxi.

— Au coin de Findlay et de la 169ᵉ Rue.

Le chauffeur soupira, baissa son drapeau d'un air résigné et Maigret ne comprit son attitude qu'un peu plus tard, quand la voiture quitta les quartiers brillamment éclairés pour pénétrer dans un monde nouveau.

Bientôt, le long des rues rectilignes, interminables, on ne vit plus guère circuler que des gens de couleur. C'était Harlem qu'on traversait, avec ses maisons toutes pareilles les unes aux autres, ses blocs de briques sombres qu'enlaidissaient par surcroît, zigzaguant sur les façades, les escaliers de fer pour les cas d'incendie.

On franchissait un pont, beaucoup plus tard, on frôlait des entrepôts ou des usines – il était difficile de distinguer dans l'obscurité —, et c'était, dans le Bronx, de nouvelles avenues désolées, avec parfois les lumières jaunes, rouges ou violettes d'un cinéma de quartier, les vitrines d'un grand magasin encombrées de mannequins de cire aux poses figées.

On roula plus d'une demi-heure et les rues devenaient toujours plus sombres, plus désertes, jusqu'à ce qu'enfin le chauffeur arrêtât sa machine et se retournât en laissant tomber d'un ton dédaigneux :

— Findlay.

La 169ᵉ Rue était là, sur la droite. Mais il fallut parlementer longtemps pour décider le chauffeur à attendre. Encore ne se résigna-t-il pas à rester au carrefour, mais, quand Maigret se mit en marche le long du trottoir, roula-t-il tout doucement derrière lui.

Et un second taxi roulait de même au ralenti, le taxi
de Bill, le détective-boxeur, sans doute, qui, lui, ne se
donnait pas la peine de descendre de voiture.

Dans la perspective noire, on voyait se découper le
rectangle de quelques boutiques comme il en existe
dans les quartiers pauvres de Paris et de toutes les
capitales.

Qu'est-ce que Maigret était venu faire ici ? Rien de
précis. Est-ce qu'il savait seulement ce qu'il était venu
faire à New York ? Et pourtant, depuis quelques
heures, depuis le moment, en somme, où il avait
quitté le *Saint-Régis*, il ne se sentait plus dépaysé. Le
Berwick, déjà, l'avait réconcilié avec l'Amérique,
peut-être à cause de son odeur d'humanité, et maintenant, il imaginait toutes les vies tapies dans les
alvéoles de ces cubes de briques, toutes les scènes qui
se déroulaient derrière les stores.

Little John ne l'avait pas impressionné, ce n'était
pas le mot, mais Little John n'en était pas moins
comme une entité, quelque chose, en tout cas, de
fabriqué, d'artificiel.

Mac Gill aussi, peut-être encore davantage.

Et même le jeune homme, Jean Maura, avec ses
frayeurs et l'approbation du vieux monsieur
d'Hoquélus.

Et la disparition au moment où le paquebot touchait enfin à New York…

Tout cela, en somme, n'avait pas d'importance.
C'est le mot que Maigret eût prononcé si O'Brien eût
été là en ce moment, avec son sourire épars sur son
visage de roux criblé de petite vérole.

Une réflexion, en passant, tandis qu'il marchait les mains dans les poches, la pipe aux dents. Pourquoi sont-ce le plus souvent les roux qui sont marqués de petite vérole et pourquoi, presque invariablement, sont-ce des gens sympathiques ?

Il reniflait. Il humait l'air où traînaient comme de vagues relents de mazout et de médiocrité. Est-ce qu'il y avait de nouveaux *J and J* dans quelques-unes de ces alvéoles ? Sûrement oui ! Des jeunes gens débarqués de quelques semaines à peine et qui attendaient, les dents serrées, l'heure glorieuse du *Saint-Régis*.

Il cherchait une boutique de tailleur. Deux taxis le suivaient comme une procession. Et il était sensible à ce que cette situation avait de cocasse.

Deux jeunes gens, un jour, à une époque où l'on portait encore des faux cols raides et des manchettes en forme de cylindre – Maigret en avait eu de lavables, en caoutchouc ou en toile caoutchoutée, il s'en souvenait encore —, deux jeunes gens avaient habité cette rue, en face d'une boutique de tailleur.

Or un autre jeune homme, voilà quelques jours, avait eu peur pour la vie de son père.

Et ce jeune homme, avec qui Maigret conversait quelques minutes plus tôt sur le pont du navire, avait disparu.

Le commissaire cherchait la boutique du tailleur. Il regardait les fenêtres des maisons, souvent barrées par ces ignobles escaliers de fer qui s'arrêtaient en haut du rez-de-chaussée.

Une clarinette et un violon…

Pourquoi collait-il le nez, comme quand il était gosse, à la vitrine d'une de ces boutiques où l'on vend de tout, des légumes, de l'épicerie et des bonbons ? Juste à côté de cette boutique, il y en avait une autre, qui n'était pas éclairée, mais qui n'avait pas de volets et à travers la vitre de laquelle on voyait, grâce aux rayons d'un réverbère proche, une machine à presser et des complets qui pendaient sur des cintres.

« Arturo Giacomi. »

Les deux taxis le suivaient toujours, stoppaient à quelques mètres de lui et ni les chauffeurs, ni cette brute épaisse de Bill ne se doutaient du contact que cet homme au lourd pardessus, à la pipe vissée entre les dents, prenait, en se retournant vers la maison d'en face, avec deux Français de vingt ans qui avaient débarqué jadis, l'un avec son violon sous le bras, l'autre avec sa clarinette.

4

Il s'en fallait de peu, ce matin-là, pour qu'un homme vive ou meure, pour qu'un crime répugnant ne soit pas commis, et ce peu c'était une question de quelques minutes en plus ou en moins dans l'emploi du temps de Maigret.

Malheureusement, il l'ignorait. Pendant les trente années passées à la Police judiciaire, il avait l'habitude, lorsqu'une enquête ne le retenait pas la nuit dehors, de se lever vers sept heures du matin et il aimait parcourir à pied le chemin assez long séparant le boulevard Richard-Lenoir, où il habitait, du Quai des Orfèvres.

Au fond malgré son activité, il avait toujours été un flâneur. Et, une fois à la retraite, dans sa maison de Meung-sur-Loire, il s'était levé plus tôt encore, souvent, l'été, avant le soleil qui le trouvait debout dans son jardin.

À bord, aussi, il était presque toujours le premier à arpenter le pont, alors que les matelots s'activaient à laver celui-ci à grande eau et à astiquer les cuivres des rembardes.

Or, le premier matin de New York, parce qu'il avait trop bu avec le capitaine O'Brien, il s'était levé à onze heures.

Le second jour, dans sa chambre du *Berwick*, il commença par s'éveiller de bonne heure, parce que c'était son habitude. Mais, justement parce qu'il était trop tôt, parce qu'il sentait les rues vides, les volets encore clos, il décida de se rendormir.

Et il se rendormit pesamment. Lorsqu'il ouvrit les yeux, il était passé dix heures du matin. Pourquoi se trouva-t-il dans l'état d'esprit des gens qui ont travaillé toute la semaine et pour qui le grand bonheur du dimanche est de faire la grasse matinée ?

Il traîna. Il mit une éternité à déguster son petit déjeuner. Il alla fumer, en robe de chambre, une première pipe à sa fenêtre et il fut étonné de ne pas apercevoir Bill dans la rue.

Il est vrai que le détective-boxeur avait dû dormir lui aussi. S'était-il fait remplacer pendant ces heures-là ? Étaient-ils deux à se relayer derrière Maigret ?

Il se rasa minutieusement et consacra encore un bout de temps à mettre de l'ordre dans ses affaires.

Or c'était de toutes ces minutes-là, si banalement gaspillées, que la vie d'un homme dépendait.

Au moment où Maigret descendait dans la rue, il était encore temps, à la rigueur. Bill n'était décidément pas là et le commissaire n'apercevait personne paraissant chargé de le suivre. Un taxi passait à vide. Il leva le bras machinalement. Le chauffeur ne le vit pas et, au lieu de chercher un autre taxi, Maigret décida de marcher un peu.

C'est ainsi qu'il découvrit la Cinquième Avenue et ses magasins de luxe aux vitrines desquels il s'arrêta. Il resta longtemps à contempler des pipes, se décida à en acheter une, bien qu'à l'ordinaire ce fût le cadeau de Mme Maigret à chaque fête et à chaque anniversaire.

Un détail ridicule encore, saugrenu. La pipe coûtait très cher. En sortant du magasin, Maigret se souvint du prix qu'il avait payé le taxi la veille au soir et il se promit d'économiser cette somme ce matin-là.

Voilà pourquoi il prit le *subway* dans lequel il perdit un temps considérable avant de trouver le carrefour de Findlay.

Le ciel était d'un gris dur, lumineux. Le vent soufflait encore, mais plus en tempête. Maigret tourna l'angle de la 169e Rue et eut aussitôt le sentiment de la catastrophe.

Là-bas, à deux cents mètres de lui environ, il y avait un rassemblement devant une porte et, bien qu'il connût mal l'endroit, bien qu'il ne l'eût vu que de nuit, il avait la quasi-certitude que c'était en face de la boutique du tailleur italien.

Tout ou presque tout, d'ailleurs, dans la rue, dans le quartier, était italien. Les enfants qu'on voyait jouer sur les seuils des maisons avaient les cheveux noirs et ces visages trop éveillés, ces longues jambes bronzées des gamins de Naples ou de Florence.

Sur la plupart des boutiques, c'étaient des noms italiens qui s'étalaient et les vitrines étaient remplies de mortadelles, de pâtes et de salaisons qui venaient des bords de la Méditerranée.

Il allongeait le pas. Vingt ou trente personnes formaient grappe sur le seuil du tailleur qu'un constable défendait contre l'envahissement et toute une marmaille plus ou moins pouilleuse grouillait autour de ce groupe.

Cela sentait l'accident, le drame sordide qui éclate tout à coup dans la rue et qui burine le visage des passants.

— Que s'est-il passé ? demanda-t-il à un gros homme en chapeau melon qui se tenait au dernier rang et se hissait sur la pointe des pieds.

Bien qu'il eût employé l'anglais, l'homme se contenta de l'examiner curieusement, puis de détourner la tête en haussant les épaules.

Il entendait des bribes de phrases, les unes en italien, les autres en anglais.

— … Juste au moment où il traversait la rue…

— … tous les matins, à la même heure, depuis des années et des années, il faisait sa promenade… Voilà quinze ans que je suis dans le quartier et je l'ai toujours vu…

— … Sa chaise est encore là…

À travers la vitre du magasin, on apercevait la presse à vapeur sur laquelle un complet restait étalé et, plus près, contre la glace, une chaise à fond de paille, à siège assez bas, qui était celle du vieil Angelino.

Car Maigret commençait à comprendre. Patiemment, avec cette adresse des gros, il se faufilait peu à peu au cœur de la foule et il raccordait ensemble les bribes de phrases qu'il surprenait.

Il y avait cinquante ans et sans doute davantage qu'Angelino Giacomi était venu de Naples et s'était installé dans cette boutique, bien avant l'invention des presses à vapeur. C'était presque l'ancêtre de la rue, du quartier, et, lors des élections municipales, il n'y avait pas un candidat qui ne lui rendît visite.

Son fils Arturo, maintenant, avait pris sa suite et ce fils avait près de soixante ans, était lui-même père de sept ou huit enfants dont la plupart étaient mariés.

En hiver, le vieil Angelino passait ses journées assis sur cette chaise à fond de paille, dans la devanture dont il avait l'air de faire partie, à fumer du matin au soir de ces cigares italiens mal façonnés, en tabac noir, qui répandent une odeur âcre.

Et, dès le printemps, de même qu'on assiste au retour des hirondelles, on voyait, d'un bout de la rue à l'autre, le vieil Angelino installer sa chaise sur le trottoir, à côté de la porte.

À présent, il était mort ou mourant, Maigret ne savait pas encore au juste. Différentes versions circulaient à ce sujet autour de lui, mais bientôt on entendit la sirène caractéristique des voitures d'ambulance et une auto à croix rouge stoppa au bord du trottoir.

Il y eut des remous dans la foule qui se fendit lentement et que deux hommes en blouse blanche traversèrent pour entrer dans la boutique, d'où ils ressortirent quelques instants plus tard, portant une civière sur laquelle on ne voyait rien qu'un corps recouvert d'un drap.

Puis la portière arrière se referma. Un homme sans faux col, Giacomi le fils, sans doute, qui s'était contenté de passer un veston sur ses vêtements de travail, monta à côté du chauffeur et l'ambulance s'éloigna.

— Il est mort ? demandait-on au constable toujours en faction.

Celui-ci n'en savait rien. Cela lui était égal. Ce n'était pas son métier de s'occuper de ces détails.

Une femme pleurait dans la boutique, ses cheveux gris défaits lui tombant sur le visage, et parfois elle poussait de tels gémissements qu'on les entendait de la rue.

Une personne, deux, trois, se décidaient à s'éloigner. Des ménagères cherchaient leur marmaille autour d'elles pour aller continuer leur marché dans les boutiques du quartier.

Le groupe diminuait peu à peu, mais il en restait assez pour boucher la porte.

C'était un coiffeur, maintenant, le peigne sur l'oreille, qui expliquait avec un fort accent génois :

— J'ai tout vu comme je vous vois, car c'est l'heure creuse et je me trouvais justement sur le seuil de mon salon.

On apercevait, en effet, quelques maisons plus loin, le cylindre aux bandes bleues et rouges qui annonce les salons de coiffure.

— Presque tous les matins, il s'arrêtait un petit moment devant chez moi pour bavarder. C'est moi qui lui faisais la barbe, le mercredi et le samedi... Je lui ai toujours fait la barbe... Pas mon commis, mais moi-même... Et je l'ai toujours connu tel qu'il était ce matin encore... Il devait pourtant avoir quatre-vingt-deux ans... Attendez... Non... Quatre-vingt-trois...

Quand Maria, sa dernière petite-fille, s'est mariée, il y a quatre ans, je me souviens qu'il m'a dit…

Et le coiffeur se livrait à des calculs pour établir l'âge exact du vieil Angelino qu'on venait d'emporter brutalement loin de la rue où il avait vécu si long-temps.

— Il y a une chose qu'il n'aurait pas consenti à avouer pour quoi que ce soit au monde : c'est qu'il n'y voyait pour ainsi dire plus… Il portait toujours ses verres, des verres épais dans une ancienne monture en argent… Il passait son temps à les essuyer avec son grand mouchoir rouge et à les remettre sur ses yeux. Mais la vérité, c'est qu'ils ne lui servaient pas à grand-chose… C'est pour cela et non parce qu'il avait de mauvaises jambes – car il a toujours gardé ses jambes de vingt ans – qu'il avait pris l'habitude de marcher avec une canne…

» Chaque matin à dix heures et demie exacte-ment…

Or, logiquement, Maigret aurait dû être dans la boutique vers cette heure-là. Il se l'était promis la veille. C'était le vieil Angelino qu'il voulait voir et questionner.

Que se serait-il produit si Maigret était arrivé à temps, s'il ne s'était pas rendormi, s'il n'avait pas traîné à la fenêtre, si le taxi qu'il avait hélé s'était arrêté, s'il n'avait pas acheté de pipe dans la Cin-quième Avenue ?

— On lui nouait autour du cou une grosse écharpe de laine tricotée, une écharpe rouge… Tout à l'heure, j'ai vu un gamin, le fils de la légumière, qui la rappor-tait… Il ne portait jamais de pardessus, fût-ce au cœur de l'hiver… Il s'en allait à petits pas bien réguliers, en rasant les maisons, et moi je savais que sa canne lui servait à se diriger…

Ils n'étaient plus que cinq ou six autour du coiffeur et, comme Maigret paraissait le plus sérieux, le plus intéressé du groupe, c'était à lui que l'homme avait fini par s'adresser.

— Devant chaque boutique, ou à peu près, il saluait d'un geste de la main, car il connaissait tout le monde. Au coin de la rue, il s'arrêtait un instant au bord du trottoir avant de traverser, car sa promenade comportait invariablement trois blocs de maisons…

» Ce matin, il a fait comme les autres jours… Je l'ai vu… J'affirme que je l'ai vu faire les premiers pas sur la chaussée… Pourquoi me suis-je retourné à ce moment-là ? Je n'en sais rien… Peut-être mon commis, dans le salon dont la porte était restée ouverte, m'a-t-il adressé la parole ?… Il faudra que je lui demande, car cela m'intrigue…

» J'ai nettement entendu l'auto arriver… Cela se passait à moins de cent mètres de chez moi… Puis un drôle de bruit… Un bruit mou… C'est difficile à décrire… Un bruit, en tout cas, qui vous fait comprendre tout de suite qu'il s'est produit un accident.

» Je me suis retourné et j'ai vu l'auto qui continuait sa route à toute vitesse… Elle passait déjà devant moi… En même temps, je regardais le corps par terre.

» Si je ne m'étais pas occupé des deux choses à la fois, j'aurais mieux examiné les deux hommes qui étaient à l'avant de la voiture… Une grosse auto grise… D'un gris plutôt sombre… Je serais presque

tenté de dire noire, mais je crois qu'elle était grise…
Ou alors elle était couverte de poussière…

» Des gens s'étaient déjà précipités… Je suis
d'abord venu ici pour avertir Arturo… Il était en train
de presser un pantalon. On a ramené le vieil Angelino
avec un filet de sang qui lui sortait de la bouche et un
bras qui pendait, une épaule de son veston déchirée…
On ne constatait rien d'autre à première vue, mais j'ai
tout de suite compris qu'il était mort…

C'était dans le bureau du capitaine O'Brien.
Celui-ci, qui avait renversé sa chaise en arrière, à
cause de ses longues jambes, fumait sa pipe à très
petites bouffées, en caressait le tuyau de ses lèvres et
regardait, la paupière lourde, Maigret, qui parlait.

— Je suppose, disait celui-ci en terminant, que
vous n'allez plus prétendre que la liberté individuelle
vous interdit de vous occuper de ces salauds-là ?

Car Maigret, après plus de trente ans de police,
pendant lesquels il avait tout vu des bassesses, des
cruautés, des lâchetés humaines, en était encore à
s'indigner comme au premier jour de certains actes.

La coïncidence de la visite projetée ce matin-là au
vieux Giacomi, le fait que cette visite, rendue à temps,
aurait sans doute sauvé la vie du tailleur, jusqu'à cet
achat d'une pipe qu'il évitait maintenant de fumer lui
donnaient l'humeur encore plus sombre.

— Ce n'est malheureusement pas la Police fédérale que cela regarde, mais, jusqu'à nouvel ordre, la
police de New York.

— Ils l'ont tué salement, crapuleusement… gron-
dait l'ancien commissaire.

Et O'Brien de murmurer, rêveur :

— Ce n'est pas tant la façon dont ils l'ont tué qui me frappe, que le fait qu'ils l'ont tué juste à temps…

Maigret y avait déjà pensé et il était difficile d'y voir une coïncidence.

Pendant des années et des années, personne ne s'était occupé du vieil Angelino, qui avait pu passer ses journées sur sa chaise, à la vue des passants, et faire chaque matin, comme un bon gros chien, son petit tour de piste familier.

La veille, la nuit même, Maigret s'était arrêté quelques instants devant la boutique du tailleur. Il s'était promis, sans en parler à personne, d'y revenir dès le matin et de questionner le bonhomme.

Or, quand il arrivait, on avait pris soin de mettre définitivement celui-ci dans l'impossibilité de parler.

— Il a fallu faire vite… grommela-t-il en regardant O'Brien avec une involontaire rancune.

— Il ne faut pas longtemps pour organiser un accident de ce genre, quand on est à l'avance au courant de tous les détails indispensables… Je n'irai pas jusqu'à dire qu'il y a des agences qui se chargent de cette sorte de travail, mais presque… Il suffit, en somme, de savoir à qui s'adresser, de donner confiance et d'y mettre le prix, comprenez-vous ?… C'est ce qu'on appelle les tueurs… Seulement, les tueurs ne pouvaient pas savoir que le vieil Angelino traversait la 169e Rue chaque matin, à la même heure, au même endroit…

» Quelqu'un a dû les renseigner, vraisemblablement celui qui leur a commandé le travail.

» Et ce quelqu'un était renseigné de longue date.

Ils se regardèrent gravement, car ils tiraient tous les deux des conclusions identiques des événements.

Quelqu'un, depuis un temps indéterminé, savait qu'Angelino avait quelque chose à dire et que ce quelque chose constituait une menace pour sa tranquillité.

Malgré lui, Maigret évoquait la silhouette nerveuse, mais presque fluette de Little John, ses yeux clairs et froids où on ne sentait aucune flamme humaine.

N'était-ce pas exactement l'homme capable de commander à des tueurs, sans sourciller, la besogne qu'ils avaient accomplie le matin ?

Et Little John avait habité la 169ᵉ Rue, juste en face de la maison du tailleur !

Au surplus, si l'on devait en croire ses lettres à son fils – et elles rendaient un son troublant de sincérité – c'était Little John qui se sentait menacé, qui craignait sans doute pour sa vie !

Et c'était son fils qui avait disparu avant de mettre les pieds sur le sol américain !

— Ils tuent… dit Maigret, après un long silence, comme si c'était le résumé de ses pensées.

Et c'était à peu près cela. Il venait d'évoquer Jean Maura et, maintenant qu'il savait qu'il s'agissait de gens capables de tuer, il n'était pas sans remords.

N'aurait-il pas dû monter meilleure garde auprès du jeune homme qui lui avait demandé son aide ? N'avait-il pas eu le tort de ne pas prendre ses alarmes très au sérieux, malgré les avis de M. d'Hoquélus ?

— En somme, disait à son tour l'homme roux de la Police fédérale, nous nous trouvons en présence de gens qui se défendent, ou plus exactement qui attaquent pour se défendre... Je me demande, mon cher Maigret, ce que vous allez pouvoir faire... La police de New York n'aura aucun désir de vous voir vous mêler à son enquête... À quel titre, d'ailleurs ?... Il s'agit d'un crime commis en territoire américain... Les assassins aussi, sans doute. Maura est naturalisé... Mac Gill, je me suis renseigné, est né à New York... Et, d'ailleurs, vous verrez que ces deux-là ne seront pas mêlés à l'affaire... Quant au jeune Maura, personne n'a porté plainte et son père ne paraît pas désireux de le faire.

Il se leva en soupirant.

— Voilà tout ce que je peux vous dire.

— Vous savez que mon bouledogue n'était pas à son poste ce matin ?

L'autre comprit qu'il parlait de Bill.

— Vous ne me l'aviez pas encore dit, mais je l'aurais parié... Il a bien fallu, n'est-ce pas, qu'entre hier soir et ce matin quelqu'un soit mis au courant de votre visite dans la 169ᵉ Rue.

— ... Afin que, désormais, je puisse y retourner sans danger pour personne.

— Savez-vous qu'à votre place je prendrais quelques précautions en traversant les rues ?... Je crois, parbleu, que j'éviterais, surtout le soir, les endroits déserts... On n'a pas toujours besoin d'écraser les gens... Il est facile, en passant en voiture, de leur envoyer une rafale de mitraillette.

— Je pensais que les gangsters n'existaient que dans les romans et dans les films. N'est-ce pas ce que vous m'avez dit ?

— Je ne vous parle pas des gangsters. Je vous donne un conseil. À part ça, qu'est-ce que vous avez fait de mon clown pleureur ?

— Je l'ai mis au travail et il doit me téléphoner ou venir me voir au *Berwick* dans la journée.

— À moins qu'il lui arrive un accident, à lui aussi.

— Vous croyez ?

— Je ne sais rien. Je n'ai le droit de me mêler de rien. J'ai bonne envie de vous dire d'en faire autant, mais ce serait évidemment inutile.

— Oui…

— Bonne chance. Téléphonez-moi si vous avez du nouveau. Il est possible que je rencontre, tout à fait par hasard, mon collègue de la police de New York chargé de cette affaire. Je ne sais pas encore qui on a choisi. Il est possible aussi que, dans la conversation, il me confie certaines petites choses susceptibles de vous intéresser. Je ne vous invite pas à déjeuner, car j'ai un lunch tout à l'heure avec deux de mes chefs.

Cela ressemblait peu à leur première rencontre et à leur entretien marqué de bonne humeur et d'un humour léger.

Ils avaient l'un comme l'autre un poids sur le cœur. Cette rue du Bronx, avec ses boutiques italiennes, sa marmaille, sa vie faubourienne, où un vieillard faisait sa promenade à petits pas et où une auto s'élançait sauvagement…

Maigret faillit entrer dans une cafétéria pour manger un morceau, puis, comme il n'était pas loin du *Saint-Régis*, l'idée lui vint d'entrer au bar. Il n'espérait rien, sinon peut-être d'apercevoir Mac Gill qui semblait avoir l'habitude d'y prendre l'apéritif.

Et il s'y trouvait en effet, en compagnie d'une fort jolie femme. Il aperçut le commissaire et se leva à demi pour le saluer.

Puis il dut parler de lui à sa compagne, car celle-ci se mit à dévisager Maigret avec curiosité tout en fumant sa cigarette marquée de rouge à lèvres.

Ou bien Mac Gill ne savait rien, ou il possédait un sang-froid remarquable, car il se montrait très à son aise. Comme Maigret restait toujours seul au bar devant un cocktail, il se décida soudain à se lever, en s'excusant auprès de son amie, et il vint vers le commissaire, la main tendue.

— Je ne suis pas fâché de vous rencontrer, car, après ce qui s'est passé hier, j'avais l'intention de vous parler.

Maigret avait feint de ne pas voir la main qu'on lui offrait et que le secrétaire finit par glisser dans sa poche.

— Little John s'est conduit avec vous d'une façon brutale et encore plus maladroite. C'est justement ce que je voulais vous dire : qu'il y a plus de maladresse chez lui que de méchanceté. Il est habitué depuis longtemps à ce que tout le monde lui obéisse. Le moindre obstacle, la moindre opposition l'irritent. Et enfin, en ce qui concerne son fils, il a un sentiment bien particulier. C'est, si vous voulez, la partie intime, la partie secrète de sa vie, qu'il garde jalousement pour lui. C'est pourquoi il s'est fâché en vous voyant vous occuper, malgré lui, de cette affaire.

» Je peux vous dire en confidence que, depuis votre arrivée, il remue ciel et terre pour retrouver Jean Maura.

» Il le retrouvera, car il en a les moyens.

» Sans doute, en France, où vous pourriez lui être de quelque secours, accepterait-il votre concours. Ici, dans une ville que vous ne connaissez pas…

Maigret était immobile, aussi insensible en apparence qu'un mur.

— Bref, je vous demande…

— … d'accepter vos excuses, laissa-t-il tomber.

— … et les siennes.

— C'est lui qui vous a chargé de me les présenter ?

— C'est-à-dire que…

— … que vous avez hâte, l'un comme l'autre, pour les mêmes raisons ou pour des raisons différentes, de me voir ailleurs.

— Si vous le prenez comme ça…

Et Maigret, bourru, en se retournant vers le bar pour saisir son verre :

— Je le prends comme il me plaît.

Quand il regarda à nouveau vers la salle, Mac Gill était assis auprès de la blonde Américaine qui lui posait des questions auxquelles il était visible qu'il n'avait nullement le désir de répondre.

Il était sombre et, au moment de sortir, le commissaire se sentit suivi par un regard où il y avait de l'angoisse et de la rancune.

Tant mieux !

Un câble l'attendait au *Berwick*, qu'on avait fait suivre du *Saint-Régis*. Ronald Dexter était là aussi, qui l'attendait patiemment sur une banquette du hall.

La dépêche disait :

*Reçois par câble excellentes nouvelles Jean Maura
stop vous expliquerai situation retour stop enquête
désormais sans objet stop compte sur votre arrivée par
prochain bateau.*

Sincères salutations.
François d'Hoquélus.

Maigret plia menu le papier jaune qu'il glissa en
soupirant dans son portefeuille. Puis il se tourna vers
le clown triste.

— Vous avez mangé ? lui demanda-t-il.

— C'est-à-dire que j'ai avalé un *hot dog* tout à
l'heure. Mais, si vous tenez à ce que je vous accom-
pagne…

Et cela permit au commissaire de découvrir une
autre caractéristique inattendue de son étrange détective. Dexter, qui était maigre au point que les vêtements les plus étriqués flottaient autour de ses
membres, avait un estomac d'une capacité prodigieuse.

Il était à peine assis au comptoir d'une cafétéria que
ses yeux brillaient comme ceux d'un homme qui
serait resté plusieurs jours sans manger et il murmurait, en désignant des sandwiches au fromage et au
jambon :

— Vous permettez ?

Ce n'était pas un sandwich qu'il demandait la permission de manger, mais toute la pile, et, tandis qu'il
absorbait de la sorte, il lançait autour de lui des
regards anxieux, comme s'il craignait qu'on vînt
l'empêcher de poursuivre son repas.

Il mangeait sans boire. D'énormes bouchées se suc-
cédaient dans sa bouche d'une élasticité prodigieuse
et chaque bouchée poussait l'autre sans qu'il en fût le
moins du monde incommodé.

— J'ai déjà trouvé quelque chose… parvenait-il
malgré tout à prononcer.

Et, de sa main libre, il fouillait dans la poche de son
trench-coat qu'il n'avait pas pris le temps de retirer. Il
posait sur le comptoir une feuille de papier pliée.
Pendant que le commissaire la dépliait, il demandait :

— Cela ne vous fait rien que je commande quelque
chose de chaud ? Ici, ce n'est pas cher, vous savez…

Le papier était un prospectus comme les acteurs en
vendaient jadis, dans la salle, leur numéro terminé.

Demandez la photographie des artistes.

Et Maigret qui, à cette époque-là, était un assidu du
Petit Casino, à la Porte Saint-Martin, entendait encore
le sempiternel :

— *Il me coûte dix centimes.*

Ce n'était même pas une carte postale comme
s'offraient le luxe d'en faire imprimer les numéros
importants, mais un simple papier fort, d'un jaune
maintenant déteint.

*J and J, les célèbres fantaisistes musicaux qui ont eu
l'honneur de jouer devant tous les souverains d'Europe
et devant le shah de Perse.*

— Je vous demanderai de ne pas trop le salir,
disait le clown en commençant à dévorer des œufs

frits au lard. On ne me l'a pas donné, mais seulement prêté.

C'était tellement cocasse, l'idée de prêter un papier de ce genre que personne ne se serait donné la peine de ramasser dans la rue...

— C'est un ami à moi... Enfin, un homme que j'ai beaucoup connu, qui tenait dans les cirques le rôle de M. Loyal. C'est beaucoup plus difficile qu'on ne croit, vous savez. Il l'a tenu pendant plus de quarante ans, et maintenant il ne quitte plus son fauteuil, il est très vieux, je suis allé le voir la nuit dernière, car il ne dort à peu près plus.

Il parlait toujours la bouche pleine et il louchait vers les saucisses qu'un de ses voisins venait de commander. Il en mangerait, bien sûr, et sans doute aussi un de ces énormes morceaux de gâteau laqués d'une crème livide qui soulevait le cœur de Maigret.

— Mon ami n'a pas connu personnellement *J and J*... Lui ne s'occupait que du cirque, vous comprenez ? Mais il possède une collection unique d'affiches, de programmes et d'articles de journaux traitant des familles du cirque ou du music-hall. Il peut vous dire que tel acrobate, qui a trente ans aujourd'hui, est le fils de tel trapéziste qui a épousé lui-même la petite-fille du porteur de tel numéro de force qui s'est tué au *Palladium* de Londres en 1905.

Maigret écoutait d'une oreille distraite et regardait la photographie sur le papier jaune et glacé. Pouvait-on parler de photographie ? La reproduction, en photogravure à trame trop grosse, était si mauvaise que l'on reconnaissait à peine les visages.

Deux hommes, jeunes tous les deux, maigres tous les deux. Ce qui les différenciait le plus, c'est que l'un portait les cheveux très longs. C'était le violoniste, et Maigret était persuadé que celui-là était devenu Little John.

L'autre, le cheveu plus rare, avec déjà, tout jeune, des signes de calvitie, portait des lunettes, et, roulant les yeux, soufflait dans une clarinette.

— Mais oui, mais oui, commandez donc des saucisses, disait Maigret sans que Ronald Dexter ait eu le temps de parler.

— Vous devez penser que j'ai eu faim toute ma vie, n'est-ce pas ?

— Pourquoi ?

— Parce que c'est vrai… J'ai toujours eu faim. Même quand je gagnais de l'argent, car je n'en avais jamais assez pour manger autant que je l'aurais voulu. Il faudra que vous me rendiez ce papier, car j'ai promis à mon ami de le lui rapporter.

— Je le ferai photographier tout à l'heure.

— Ah ! j'aurai d'autres renseignements, mais pas tout de suite. Déjà pour ce prospectus, j'ai dû insister afin que mon ami le cherche sur-le-champ. Il vit dans son fauteuil monté sur roues et il va et vient tout seul dans son logement encombré de papiers. Il m'a affirmé qu'il connaissait des gens qui pourraient nous renseigner, mais il n'a pas voulu me dire qui… Parce qu'il ne se souvient pas au juste, j'en suis sûr. Il a besoin de fouiller dans ses fatras…

» Il n'a pas le téléphone. Comme il ne peut pas sortir, cela ne facilite pas les choses.

» — Ne craignez rien… On vient me voir… On vient me voir… m'a-t-il répété. Il y a assez d'artistes qui se souviennent du vieux Germain et qui sont bien contents de venir bavarder dans ce taudis…

» J'ai entre autres une vieille amie qui a été danseuse de corde, puis voyante dans un numéro diabolique, et qui a fini par dire la bonne aventure. Elle vient tous les mercredis.

» Passez de temps en temps. Lorsque j'aurai quelque chose pour vous, je vous le dirai. Mais vous allez m'avouer la vérité. Il s'agit d'un livre sur le café-concert, n'est-ce pas ? On en a déjà écrit sur les gens du cirque. On venait me trouver, on me tirait les vers du nez, on m'emportait mes documents, puis, quand le livre paraissait, mon nom n'y figurait même pas…

Maigret comprenait de quel genre d'homme il s'agissait et il savait qu'il ne servirait de rien de le bousculer.

— Vous retournerez là-bas chaque jour… dit-il.

— J'ai d'autres endroits à visiter aussi. Vous verrez que je vous trouverai tous les renseignements que vous cherchez. Seulement, il faut que je vous demande encore une petite provision. Hier, vous m'avez remis dix dollars et je vous les ai portés en compte. Tenez ! Mais si… Je veux que vous le voyiez…

Et il exhibait un calepin crasseux sur une des pages duquel il avait tracé au crayon :

Reçu provision pour enquête J and J : dix dollars.

— Aujourd'hui, j'aime mieux que vous ne m'en remettiez que cinq, parce que je dépenserais quand même tout et que cela irait trop vite. Alors, je n'oserais plus rien vous demander et, sans argent, je serais incapable de vous aider. C'est trop ? Voulez-vous quatre ?

Maigret lui en remit cinq et, sans raison, au moment de les lui tendre, il enveloppa le clown d'un regard insistant.

Repu, l'homme en *trench-coat*, un ruban vert acide en guise de cravate, ne paraissait pas plus gai, mais son regard exprimait une infinie reconnaissance, une infinie soumission dans laquelle il y avait quelque chose d'anxieux, de tremblant. C'était comme un chien qui vient de trouver enfin un bon maître et qui mendie un signe de satisfaction sur son visage.

Or, à cet instant, Maigret se souvenait des paroles du capitaine O'Brien. Il se souvenait aussi du vieil Angelino, qui, le matin, était parti comme les autres jours pour faire sa promenade et qu'on avait salement tué.

Il se demanda s'il avait le droit…

Cela fut bref, une émotion d'un moment. Est-ce qu'il n'employait pas l'ancien clown dans un secteur de tout repos ?

« Si jamais on me le tue… », pensa-t-il.

Et il évoquait le bureau du *Saint-Régis*, le coupe-papier qui s'était brisé entre les doigts nerveux de Little John, puis Mac Gill, au bar, occupé à parler de lui à son Américaine.

Jamais il n'avait commencé une enquête dans des conditions aussi vagues, presque aussi loufoques. En réalité, il n'était chargé d'aucune enquête, par personne. Jusqu'au vieux M. d'Hoquélus, si pressant dans sa maison de Meung-sur-Loire, qui le priait poliment de rentrer en France et de se mêler de ce qui le regardait. Jusqu'à O'Brien.

— Je passerai vous voir demain vers la même heure... disait Ronald Dexter en saisissant son chapeau. N'oubliez pas que je dois rendre le prospectus. *J and J...*

Maigret se retrouva tout seul, sur le trottoir, dans une avenue qu'il ne connaissait pas, et il fut un bon moment à errer les mains dans les poches, la pipe aux dents, avant d'apercevoir les lumières d'un cinéma de Broadway qu'il reconnaissait et qui le mirent dans la bonne voie.

Soudain, comme cela, sans raison, l'envie lui prit d'écrire à Mme Maigret et il rentra à son hôtel.

5

C'est entre le deuxième et le troisième étage que Maigret pensa, sans y attacher autrement d'importance, qu'il n'aimerait pas qu'un homme comme le capitaine O'Brien, par exemple, le vît dans ses occupations de ce matin-là.

Même des gens qui avaient travaillé avec lui pendant des années et des années, comme le brigadier Lucas, ne comprenaient pas toujours quand il était dans cet état.

Et lui-même savait-il exactement ce qu'il cherchait ? Par exemple, au moment où il s'arrêtait sans raison sur une marche d'escalier, entre deux étages, en regardant devant lui de ses gros yeux qui devenaient sans expression, il devait avoir l'air du monsieur qu'une maladie de cœur oblige à s'immobiliser n'importe où et qui s'efforce de prendre un air innocent pour ne pas apitoyer les passants.

À en juger par le nombre d'enfants en dessous de sept ans qu'il voyait dans les escaliers, sur les paliers, dans les cuisines et dans les chambres, la maison, en dehors des heures de classe, devait être une véritable

fourmilière de gosses. Et, d'ailleurs, des jouets traînaient dans tous les coins, des trottinettes cassées, de
vieilles caisses à savon auxquelles étaient, tant bien
que mal, appliquées des roues, des assemblages
d'objets hétéroclites qui ne représentaient aucun sens
pour les grandes personnes, mais qui, pour leurs
auteurs, devaient constituer des trésors.

Il n'y avait pas de concierge dans la maison, comme
dans les maisons françaises, et c'est ce qui compli-
quait la tâche du commissaire. Rien que des boîtes à
lettres, dans le corridor du rez-de-chaussée, peintes
en brun, avec un numéro, quelques-unes avec une
carte de visite jaunie ou avec un nom mal gravé sur
une bande de métal.

Il était dix heures du matin et c'était sans doute à
cette heure-là que cette sorte de caserne vivait sa vie
la plus caractéristique. Une porte sur deux ou trois
était ouverte. On voyait des femmes aux cheveux non
encore peignés vaquer à leur ménage, débarbouiller
des mioches, secouer de douteuses carpettes par la
fenêtre.

— Pardon, madame…

On le regardait avec méfiance. Pour qui pouvait-on le prendre, avec sa haute stature, son gros par-
dessus, son chapeau qu'il retirait toujours pour parler
aux femmes, quelles qu'elles fussent ? Sans doute
pour quelqu'un qui venait proposer une assurance,
ou un aspirateur électrique nouveau modèle ?

Il y avait son accent par surcroît, mais ici cela ne
frappait pas, car on trouvait non seulement des Italiens fraîchement débarqués, mais des Polonais, des
Tchèques aussi, lui sembla-t-il.

— Savez-vous si, dans la maison, il y a encore des locataires qui s'y trouvaient déjà il y a une trentaine d'années ?

On fronçait les sourcils, car c'était bien là la question à laquelle on s'attendait le moins. À Paris, à Montmartre, par exemple, ou bien dans le quartier qu'il habitait, entre la République et la Bastille, il n'existait peut-être pas un immeuble de quelque importance où il n'eût trouvé aussitôt une vieille femme, un vieil homme, un couple installé dans la maison depuis trente ou quarante ans.

Ici, on lui répondait :

— Il n'y a que six mois que nous sommes arrivés...

Ou un an, ou deux. Le maximum était quatre ans.

Instinctivement, sans s'en rendre compte, il restait un bon moment devant les portes ouvertes, à regarder une cuisine pauvre encombrée d'un lit, ou bien une chambre dans laquelle vivaient quatre ou cinq personnes.

Rares étaient les gens qui se connaissaient d'étage à étage. Trois enfants, dont l'aîné, un garçon, pouvait avoir huit ans – il avait sans doute les oreillons, car il portait une grosse compresse autour de la tête —, s'étaient mis à le suivre. Puis le garçonnet s'était enhardi et, maintenant, c'était lui qui se précipitait en avant de Maigret.

— Le monsieur veut savoir si vous étiez ici il y a trente ans.

Quelques vieux, pourtant, dans des fauteuils, près des fenêtres, souvent près d'une cage contenant un canari, les ancêtres qu'on avait fait venir d'Europe une fois qu'on avait trouvé un *job*. Et, parmi ceux-là, certains ne comprenaient pas un mot d'anglais.

— Je voudrais savoir…

Les paliers, qui étaient vastes, constituaient en quelque sorte des terrains neutres où l'on entassait tout ce qui ne servait pas dans les logements ; sur celui du deuxième étage, une femme maigre, aux cheveux jaunes, faisait sa lessive.

C'était ici, dans une de ces alvéoles, que *J and J* s'étaient installés lors de leur arrivée à New York, ici que Little John, qui occupait à présent un somptueux appartement au *Saint-Régis*, passa des mois, peut-être des années.

Il était difficile de concentrer plus de vies humaines dans aussi peu d'espace et pourtant on ne sentait aucune chaleur, on éprouvait plus que nulle part ailleurs un sentiment d'irrémédiable isolement.

Les bouteilles de lait le prouvaient. Au troisième, Maigret était tombé en arrêt devant une porte, car, sur le paillasson, huit bouteilles de lait intactes s'alignaient.

Il faillit questionner l'enfant qui s'était fait son cicerone bénévole, mais un homme d'une cinquantaine d'années sortait justement de la chambre voisine.

— Vous savez qui habite là ?

L'homme haussa les épaules sans répondre, comme pour dire que cela ne le regardait pas.

— Vous ignorez s'il y a quelqu'un dans le logement ?

— Comment voulez-vous que je le sache ?

— C'est un homme, une femme ?

— Un homme, je crois.

— Vieux ?

— Cela dépend de ce que vous appelez vieux. Peut-être de mon âge… Je ne sais pas. Il n'y a qu'un mois qu'il est arrivé dans la maison.

De quelle nationalité il était, d'où il venait, nul ne s'en souciait, et son voisin, sans être intrigué par les bouteilles de lait, descendait l'escalier, se retournait, le front soucieux, vers cet étrange visiteur qui posait des questions saugrenues, puis s'en allait à ses affaires.

Est-ce que le locataire de la chambre était parti en voyage en oubliant d'avertir le livreur de lait ? C'était possible. Mais les gens qui habitent pareille caserne sont des gens pauvres pour qui un sou est un sou. Il était peut-être derrière cette porte ? Vivant ou mort, malade ou mourant, il pouvait y rester longtemps sans que nul ne songeât à s'inquiéter de son sort.

Même s'il avait crié, appelé au secours, est-ce que quelqu'un se serait dérangé ?

Un petit garçon, quelque part, apprenait le violon. C'était presque lancinant d'entendre la même phrase maladroite répétée à l'infini, de deviner l'archet malhabile qui ne parvenait à tirer de l'instrument qu'un son lamentable.

Dernier étage.

— Pardon, madame, connaissez-vous dans la maison quelqu'un qui…

On lui parla d'une vieille femme que personne ne connaissait, qui passait pour avoir habité longtemps l'immeuble et qui était morte deux mois plus tôt, alors qu'elle gravissait l'escalier avec son filet à provisions. Mais peut-être n'y avait-il pas trente ans qu'elle était là ?

Cela finissait par devenir gênant d'être précédé par ce gamin plein de bonne volonté et qui regardait sans cesse Maigret avec des yeux scrutateurs, comme s'il essayait de deviner le mystère de cet étranger survenu dans son univers.

Allons ! Il pouvait redescendre. Il s'arrêta pour rallumer sa pipe et il continuait à renifler l'atmosphère autour de lui ; il imaginait un jeune homme blond et fluet montant ce même escalier avec une boîte à violon sous le bras, un autre, au cheveu déjà rare, jouant de la clarinette près d'une fenêtre en regardant dans la rue.

— *Hello !*

Il se renfrogna instantanément. Son expression de physionomie dut être assez inattendue, car l'homme qui montait à sa rencontre, et qui n'était autre que le capitaine O'Brien, ne put s'empêcher non de sourire de son sourire doux et nuancé d'homme roux, mais d'éclater d'un rire sonore.

C'était par une sorte de pudeur que Maigret se troublait de la sorte et grommelait maladroitement :

— Je croyais que vous ne vous occupiez pas de cette affaire.

— Et qui vous dit que je m'en occupe ?

— Allez-vous me dire que vous venez voir de la famille ?

— *Primo*, cela n'aurait rien d'impossible, car nous avons tous de la famille de toutes sortes.

Il était de bonne humeur. Avait-il compris ce que Maigret était venu chercher dans la maison ? Il avait compris, en tout cas, que son collègue français éprouvait ce matin-là une certaine qualité d'émotion qui n'était pas sans le toucher, et son regard exprimait plus d'amitié que d'habitude.

— Je ne veux pas jouer au plus fin avec vous. C'est vous que je cherchais. Sortons, voulez-vous ?

Maigret avait déjà descendu un étage quand il se ravisa et remonta quelques marches pour donner une pièce blanche au petit garçon qui regarda la pièce sans penser à dire merci.

— Est-ce que vous commencez à comprendre New York ? Je parie que vous en avez appris davantage ce matin que vous n'en auriez appris en un mois passé au *Saint-Régis* ou au *Waldorf.*

Ils s'étaient arrêtés machinalement sur le seuil et tous deux regardaient la boutique d'en face, et le tailleur, le fils du vieil Angelino, qui travaillait à sa presse, car les pauvres n'ont pas le temps de s'attarder à leur douleur.

Une voiture qui portait la cocarde de la police était arrêtée à quelques mètres.

— Je suis passé à votre hôtel. Quand on m'a annoncé que vous étiez parti de bonne heure, j'ai bien pensé que je vous trouverais ici. Ce que je ne savais pas, c'est qu'il me faudrait monter jusqu'au quatrième étage.

Une toute petite pointe d'ironie, une allusion à certaine sensibilité – peut-être à certaine sentimentalité – qu'il venait de découvrir chez ce gros commissaire français.

— Si vous aviez des concierges, comme chez nous, je n'aurais pas eu besoin de gravir toutes ces marches.

— Vous croyez que vous ne l'auriez pas fait malgré tout ?

Ils pénétraient dans la voiture.

— Où allons-nous ?

— Où vous voudrez. À présent, cela n'a plus aucune importance. Je vous déposerai simplement dans un quartier un peu plus central et qui assombrisse moins votre humeur.

Il alluma une pipe. Un chauffeur conduisait.

— J'ai une mauvaise nouvelle à vous annoncer, mon cher commissaire.

Pourquoi, dans ce cas, disait-il cela d'une voix pleine de douce satisfaction ?

— Jean Maura est retrouvé.

Les sourcils froncés, Maigret se tourna vers lui et le regarda fixement.

— Vous ne voulez pas dire que ce sont vos hommes qui…

— Allons ! Ne soyez pas jaloux.

— Ce n'est pas jalousie de ma part, mais…

— Mais ?

— Cela ne cadrerait pas avec le reste, acheva-t-il à mi-voix, comme pour lui-même. Non. Cela clocherait.

— Tiens ! Tiens !

— Qu'est-ce qui vous étonne ?

— Rien. Dites-moi ce que vous pensez ?

— Je ne pense pas. Mais si Jean Maura a fait sa réapparition, s'il est vivant…

O'Brien fit un signe de tête affirmatif.

— Je parie qu'on l'a simplement trouvé installé avec son père et Mac Gill au *Saint-Régis*.

— Bravo, Maigret ! C'est exactement ce qui s'est passé. Malgré la liberté individuelle dont je vous ai parlé, en exagérant peut-être un tout petit peu pour vous taquiner, nous avons quelques petits moyens d'investigation, surtout dans un hôtel comme le *Saint-Régis*. Or, ce matin, un petit déjeuner de plus a été commandé pour l'appartement de Little John. Jean Maura était là, installé dans la grande chambre à coucher qui précède la chambre-bureau de son père.

— Il n'a pas été questionné ?

— Vous oubliez que nous n'avons pas de raisons de le questionner. Aucune loi fédérale ou autre n'oblige les passagers qui débarquent à se précipiter sur-le-champ dans les bras de leur père, et celui-ci n'a jamais porté plainte, ni signalé la disparition de son fils à la police.

— Une question.

— À condition qu'elle soit discrète.

— Pourquoi Little John, qui fait les frais d'une *suite* luxueuse au *Saint-Régis*, comme vous dites, d'un appartement de quatre ou cinq pièces, occupe-t-il personnellement une chambre qui ressemble à une chambre de bonne chez nous et travaille-t-il sur une table en bois blanc alors que son secrétaire trône derrière un riche bureau d'acajou ?

— Cela vous étonne vraiment ?

— Un peu.

— Ici, voyez-vous, cela n'étonne personne, pas plus que de savoir que certain fils de milliardaire s'obstine à habiter le Bronx, dont nous sortons, et à se rendre chaque jour par le *subway* à son bureau, alors qu'il pourrait disposer d'autant de voitures de luxe qu'il le voudrait.

» Le détail dont vous me parlez au sujet de Little John est connu. Cela fait partie de sa légende. Tous ceux qui sont arrivés ont une légende, et celle-là fait très bien, les magazines populaires en parlent volontiers.

» L'homme devenu riche et puissant qui a reconstitué, au *Saint-Régis*, la chambre de ses débuts et qui y vit simplement, dédaigneux du luxe des autres pièces.

» Quant à savoir si Little John est sincère ou s'il soigne sa publicité, c'est une autre question.

Pourquoi Maigret se surprit-il à répondre sans aucune hésitation :

— Il est sincère.

— Ah !

Puis ils se turent un bon moment.

— Peut-être aimeriez-vous connaître le pedigree de Mac Gill, que vous ne semblez pas porter dans votre cœur ? Ce sont des choses que l'on m'a racontées par hasard, ne l'oubliez pas, et non des renseignements de police.

Cette duplicité perpétuelle, même si elle procédait de la plaisanterie, exaspérait Maigret.

— Je vous écoute.

— Il est né à New York, voilà vingt-huit ans, dans le Bronx probablement, de père et mère inconnus. Pendant quelques mois, je ne sais pas au juste combien, il a été élevé par une œuvre d'enfants assistés dans la banlieue de New York.

» Il en a été retiré par un monsieur qui a déclaré vouloir s'occuper de lui et qui a donné les garanties morales et financières exigées en pareil cas.

— Little John…

— Qu'on n'appelait pas encore Little John et qui venait de monter une modeste affaire de phonographes d'occasion. L'enfant a été confié à une certaine dame Mac Gill, une Écossaise, veuve d'un employé des pompes funèbres. Cette dame et l'enfant ont quitté le pays pour aller vivre au Canada, à Saint-Jérôme. Jeune homme, Mac Gill a fait ses études à Montréal, ce qui explique qu'il parle aussi bien le français que l'anglais. Ensuite, vers la vingtième année, il a disparu de la circulation pour reparaître voilà six mois comme secrétaire particulier de Little John. C'est tout ce que je sais et je ne vous garantis pas l'exactitude de ces racontars.

» Et maintenant, qu'est-ce que vous allez faire ?

Il avait son sourire le plus mou et le plus crispant, sa tête de mouton la moins expressive.

— Allez-vous rendre visite à votre client ? Car enfin, c'est le jeune Maura qui a fait appel à vous et qui…

— Je n'en sais rien.

Maigret était furieux. Parce que, en réalité, ce n'était plus Jean Maura et ses craintes qui l'intéressaient, mais son père, Little John, et la maison de la 169e Rue, et certain programme de café-concert, et enfin un vieil Italien du nom d'Angelino Giacomi qu'on avait écrasé comme un chien alors qu'il traversait la rue.

Il irait au *Saint-Régis*, évidemment, parce qu'il ne pouvait pas faire autrement. On lui répéterait sans aucun doute qu'on n'avait pas besoin de lui, on lui offrirait un chèque et un billet de passage pour la France.

Le plus sage, c'était d'y retourner comme il en était venu, quitte à se méfier pendant le restant de ses jours de tous les jeunes gens et de tous les Hoquélus de la création.

— Je vous y dépose ?

— Où ?

— Au *Saint-Régis.*

— Si vous voulez.

— Je vous revois ce soir ? Je pense que je serai libre à dîner. Si vous l'êtes de votre côté, passez-moi un coup de téléphone et j'irai vous prendre à votre hôtel ou ailleurs. Aujourd'hui est un jour faste, puisque je dispose d'une des autos de l'administration. Je me demande si nous boirons à votre départ ?

Et ses yeux disaient non. Il avait si bien compris Maigret ! Mais c'était un besoin pour lui d'échapper à la moindre émotion par une plaisanterie.

— Bonne chance !

C'était le plus mauvais moment à passer, une véritable corvée. Maigret aurait pu annoncer presque exactement ce qui allait se produire. C'était sans imprévu, sans intérêt, mais il ne se sentait pas le droit de l'éviter.

Il s'adressait au *desk*, comme il l'avait fait en arrivant.

— Voulez-vous, s'il vous plaît, m'annoncer à M. Jean Maura ?

L'employé du *desk* était déjà au courant, puisqu'il saisissait tout naturellement le téléphone.

— Monsieur Mac Gill ? Il y a ici quelqu'un qui demande M. Jean Maura. Je crois, oui. Attendez que je m'assure. De la part de qui, s'il vous plaît ?

Et, quand le commissaire eut dit son nom :

— C'est cela. Entendu. Je fais monter.

Ainsi, Mac Gill avait compris dès le premier instant que c'était lui qui était là.

Un chasseur le conduisait une fois de plus. Il reconnaissait l'étage, le couloir, l'appartement.

— Entrez !

Et un Mac Gill souriant, sans la moindre trace de ressentiment dans son attitude, un Mac Gill qui paraissait soulagé d'un grand poids, venait vers lui et tendait la main sans avoir l'air de se souvenir que Maigret l'avait refusé la veille.

Comme il la refusait à nouveau, il s'exclama sans mauvaise humeur :

— Toujours fâché, mon cher commissaire ?

Tiens ! Les autres jours, il disait « monsieur le commissaire », et cette pointe de familiarité n'était peut-être pas sans signification.

— Vous voyez que nous avions raison, le patron et moi, et que vous aviez tort. Au fait ! Que je vous félicite tout d'abord de votre police. Car vous avez été rapidement au courant du retour de l'enfant prodigue.

Il alla ouvrir la porte de communication. Jean Maura se tenait dans la pièce voisine, en compagnie de son père. Le premier, il aperçut le commissaire et il rougit.

— Votre ami Maigret, annonçait Mac Gill, serait heureux de vous parler. Vous permettez, patron ?

Little John, lui aussi, passa dans le bureau, mais se contenta d'un vague signe de tête à l'adresse du commissaire. Quant au jeune homme, il vint lui serrer la main, l'air gêné, contraint. Il balbutia en détournant la tête :

— Je vous demande pardon.

Mac Gill se montrait toujours plein de désinvolture joyeuse tandis que Little John, au contraire, semblait soucieux, fatigué. Il ne devait pas avoir dormi de la nuit. Son regard, pour la première fois, était fuyant, et il éprouva le besoin, pour se donner une contenance, d'allumer un de ces gros cigares fabriqués spécialement pour lui et marqués de son chiffre.

Sa main tremblait un peu en frottant l'allumette. Il devait avoir hâte, lui aussi, que cette comédie inévitable fût terminée.

— De quoi vous excusez-vous ? questionnait Maigret, qui savait bien qu'on attendait cette question.

— De vous avoir lâché aussi vilainement. Voyez-vous, parmi les journalistes qui sont montés à bord, j'ai aperçu un garçon que j'ai connu l'année dernière. Il avait un flacon de whisky dans la poche et il prétendait fêter à tout prix mon arrivée.

Maigret ne demanda pas à quel endroit du bateau se passait cette scène, car il savait qu'elle était purement imaginaire, qu'elle avait été suggérée au jeune homme par Little John ou par Mac Gill.

Par celui-ci plutôt, qui prenait un air trop détaché, trop indifférent pendant la récitation de son élève, comme un professeur qui se défend de souffler à son candidat préféré.

— Il avait des amies avec lui dans le taxi.

Comme c'était plausible, ce journaliste qui se rendait à son travail, à dix heures du matin, avec des femmes dans sa voiture ! On ne se donnait pas la peine de soigner la vraisemblance. On lui jetait une explication quelconque en pâture, sans se soucier de savoir s'il y croirait ou non. À quoi bon ? N'était-il pas désormais en dehors du circuit ?

Chose curieuse, Jean Maura était beaucoup moins fatigué que son père. Il avait la tête d'un jeune homme qui a passé une bonne nuit et il se montrait plus gêné qu'inquiet.

— J'aurais dû vous avertir. Je vous ai cherché sur le pont.

— Non !

Pourquoi Maigret avait-il dit ça ?

— C'est vrai, je ne vous ai pas cherché. J'avais été trop longtemps sérieux à bord. Devant vous, je n'osais pas boire, sauf la dernière nuit. Vous vous souvenez ? Je ne vous ai même pas demandé pardon.

Little John, comme la veille, était allé se camper devant la fenêtre dont il écartait le rideau de la main, d'un geste qui devait lui être familier.

Mac Gill, lui, affectait d'aller et venir en homme que la conversation n'intéresse que médiocrement et il s'offrit le luxe de donner un coup de téléphone banal.

— Un cocktail, commissaire ?

— Je vous remercie. Non.

— Comme vous voudrez.

Jean Maura achevait :

— Je ne sais pas ce qui s'est passé ensuite. C'est la première fois que j'étais tout à fait ivre. Nous sommes allés dans des tas d'endroits, nous avons bu avec des tas de gens que je ne reconnaîtrais pas.

— Au *Donkey Bar* ? questionna Maigret en regardant Mac Gill avec ironie.

— Je ne sais pas… C'est possible… Il y avait une *party* chez des personnes que mon ami connaît…

— À la campagne ?

Cette fois, le jeune homme regarda vivement le secrétaire de son père, mais, comme celui-ci avait le dos tourné, il fut forcé de répondre de son propre chef et il dit :

— Oui… À la campagne… Nous y sommes allés en auto.

— Et vous êtes seulement revenu hier au soir ?

— Oui…

— On vous a ramené ?

— Oui… Non… Je veux dire qu'on m'a ramené en auto jusqu'en ville.

— Mais pas jusqu'à l'hôtel ?

Encore un coup d'œil à Mac Gill.

— Non… Pas jusqu'à l'hôtel… C'est moi qui n'ai pas voulu, parce que j'avais honte.

— Je suppose que vous n'avez plus besoin de moi ?

Cette fois, ce fut son père qu'il regarda comme pour l'appeler à l'aide et c'était étrange de voir Little John, l'homme énergique par excellence, rester là en dehors de l'entretien comme si celui-ci ne le concernait pas. Il s'agissait cependant de son fils, à qui il écrivait des lettres si tendres qu'on aurait pu les prendre pour des lettres d'amour.

— J'ai eu une longue conversation avec mon père…

— Et avec M. Mac Gill ?

Il ne répondit ni oui ni non. Il faillit nier, se ravisa, renchaîna :

— Je suis confus de vous avoir fait venir si loin à cause de mes craintes enfantines. Je sais combien vous avez été inquiet… Je me demande si vous me pardonnerez jamais de vous avoir laissé dans l'ignorance de mon sort.

À mesure qu'il parlait, il paraissait s'étonner, lui aussi, de l'attitude de son père, qu'il appelait du regard à la rescousse.

Et ce fut Mac Gill, une fois encore, qui prit la situation en main.

— Vous ne croyez pas, patron, qu'il serait temps de régler les questions pendantes avec le commissaire ?

Alors Little John se retourna, fit tomber avec le petit doigt la cendre de son cigare, s'avança jusqu'au bureau d'acajou.

— Je pense, dit-il, qu'il n'y a pas grand-chose à régler. Je m'excuse, monsieur le commissaire, de ne pas vous avoir reçu avec toute la cordialité désirable. Je vous remercie de vous être occupé de mon fils avec autant de sollicitude. Je vous prie simplement de bien vouloir accepter le chèque que mon secrétaire va vous remettre et qui n'est qu'une légère compensation pour les ennuis que nous vous avons causés, mon fils et moi.

Il hésita un instant, se demandant sans doute s'il tendrait la main au commissaire. Il finit par incliner le buste assez sèchement et il se dirigea vers la porte de communication en faisant signe à Jean de le suivre.

— Au revoir, monsieur le commissaire… disait le jeune homme en serrant rapidement la main de Maigret.

Il ajouta, avec une sincérité qui semblait totale :

— Je n'ai plus peur, vous savez.

Il sourit. Un sourire encore un peu pâle, comme un sourire de convalescent. Après quoi, il disparut derrière son père dans la pièce voisine.

Le chèque était tout prêt dans le chéquier posé sur le bureau. Sans s'asseoir, Mac Gill le détacha et le tendit à Maigret, s'attendant peut-être à voir celui-ci le refuser.

Or Maigret regarda tranquillement le chiffre qui était inscrit : deux mille dollars. Puis il plia le bout de papier d'un geste méticuleux et le glissa dans son portefeuille en prononçant :

— Je vous remercie.

C'était tout. La corvée était terminée. Il s'en allait. Il n'avait pas salué Mac Gill qui l'avait suivi jusqu'à la porte et finissait par la refermer derrière lui.

Malgré son horreur des cocktails et des endroits bêtement luxueux, Maigret s'arrêta au bar et but coup sur coup deux *manhattans*.

Ensuite, il se dirigea à pied vers son hôtel et il lui arrivait de hocher la tête en marchant, de remuer les lèvres comme quelqu'un qui a engagé un long débat intérieur.

Est-ce que le clown ne lui avait pas promis qu'il serait sans doute au *Berwick* à la même heure que la veille ?

Il y était, sur la banquette, mais il avait le regard si triste, un tel navrement sur le visage, qu'il était évident qu'il avait bu.

— Je sais que vous allez me traiter de lâche, commença-t-il en se levant. Et c'est vrai, voyez-vous, que je suis un lâche. Je savais ce qui allait arriver et pourtant je n'ai pas pu résister.

— Vous avez déjeuné ?

— Pas encore... Mais je n'ai pas faim. Non, si extraordinaire que cela paraisse, je n'ai pas faim, parce que j'ai trop honte de moi. J'aurais mieux fait de ne pas me montrer à vous dans cet état. Et pourtant je n'ai pris que deux petits verres. Du gin... Et remarquez que j'ai choisi le gin parce que c'est l'alcool le moins fort. Sinon, j'aurais bu du *scotch*. J'étais très fatigué et je me suis dit : « Ronald, si tu prends un gin, un seul... »

» Seulement j'en ai pris trois... Est-ce que j'ai dit trois ?... Je ne sais plus... Je suis un dégoûtant, et c'est avec votre argent que j'ai fait ça.

» Mettez-moi à la porte.

» Ou plutôt non, ne m'y mettez pas encore, parce que j'ai quelque chose pour vous... Attendez... Quelque chose d'important qui va me revenir... Si du moins nous étions à l'air... Voulez-vous que nous allions prendre l'air ?

Il reniflait, se mouchait.

— Je mangerai malgré tout un morceau... Pas avant que je vous aie dit... Un instant... Oui... J'ai

revu mon ami, hier soir… Germain… Vous vous souvenez de Germain ?… Pauvre Germain ! Imaginez
un homme qui a eu une vie active, qui a suivi les
cirques à travers le monde entier et qui est cloué dans
un fauteuil à roulettes.

» Avouez qu'il vaudrait mieux être mort…
Qu'est-ce que je dis ?… N'allez pas penser que je sou-
haite sa mort. Mais, si c'était à moi que cela devait
arriver, j'aimerais mieux être mort. Voilà ce que je
voulais dire.

» Eh bien ! j'avais eu raison d'affirmer que Germain ferait tout pour moi… C'est un homme qui se
couperait en petits morceaux pour les autres.

» Il n'a l'air de rien, comme ça… Il grogne… On le
prendrait pour un vieil égoïste. Et pourtant, il a passé
des heures à feuilleter ses dossiers, pour retrouver des
traces de *J and J.* Tenez, j'ai encore un papier.

Il pâlissait, verdissait, fouillait ses poches avec
angoisse et on se demandait s'il n'allait pas éclater en
sanglots.

— Je mérite d'être…

Mais non. Il ne méritait rien du tout, puisqu'il
retrouvait enfin le document sous son mouchoir.

— Ce n'est pas très propre. Mais vous allez
comprendre.

C'était, cette fois, le programme d'une tournée qui
avait parcouru la province américaine trente ans plus
tôt. En grosses lettres, le nom d'une gommeuse dont
on voyait la photographie sur la couverture, puis
d'autres noms, un couple d'équilibristes, un comique,
Robson, la voyante Lucile, et enfin, tout au bout de la
liste, les musiciens fantaisistes *J and J.*

— Lisez bien les noms… Robson est mort dans un accident de chemin de fer, il y a dix ou quinze ans, je ne sais plus… C'est Germain qui me l'a appris. Vous souvenez-vous que je vous ai dit hier que Germain avait une vieille amie qui vient le voir tous les mercredis ? Est-ce que vous ne trouvez pas ça émouvant, vous ?… Et, vous savez, il n'y a jamais rien eu entre eux, pas ça !

Il allait s'attendrir à nouveau.

— Je ne l'ai jamais vue. Il paraît qu'elle était très maigre et très pâle à cette époque-là, si maigre et si pâle qu'on l'appelait l'Ange. Eh bien ! maintenant, elle est si grosse que… Nous allons manger, n'est-ce pas ?… Je ne sais pas si c'est à cause du gin, mais j'ai des crampes… C'est dégoûtant de vous réclamer encore de l'argent… Qu'est-ce que je disais ?… L'Ange, Lucile… La vieille amie de Germain… C'est aujourd'hui mercredi… Sûrement qu'elle sera chez lui vers les cinq heures… Elle apportera un petit gâteau, comme toutes les semaines… Je vous jure que je n'y toucherai pas si nous y allons… Parce que cette vieille femme qu'on a appelée l'Ange et qui apporte chaque semaine à Germain un gâteau…

— Vous avez prévenu votre ami que nous viendrions ?

— Je lui ai dit que peut-être… Je pourrais passer vous prendre à quatre heures et demie… C'est assez loin, surtout par le *subway*, parce que la ligne n'est pas directe.

— Venez !

Maigret avait décidé tout à coup de ne pas lâcher son clown décidément par trop lugubre et, après qu'il l'eut fait manger, il le ramena à son hôtel et le fit coucher sur le canapé de peluche verte.

Ensuite, comme la veille, il écrivit une longue lettre à Mme Maigret.

6

Maigret suivait son clown dans l'escalier dont les marches craquaient et, parce que Dexter, Dieu sait pourquoi, éprouvait le besoin de marcher sur la pointe des pieds, le commissaire se surprenait à en faire autant.

L'homme triste, pourtant, avait cuvé son gin et, s'il gardait les yeux fripés, la langue un peu embarrassée, il avait abandonné le ton de lamentation pour une voix un peu plus ferme.

C'était lui qui avait donné au taxi une adresse dans Greenwich Village et Maigret découvrait, au cœur de New York, à quelques minutes des buildings, une petite ville encastrée dans la ville, une cité quasi provinciale, avec ses maisons pas plus hautes qu'à Bordeaux ou à Dijon, ses boutiques, ses rues calmes où l'on pouvait flâner, ses habitants qui ne paraissaient pas se soucier de la cité monstrueuse qui les entourait.

— C'est là, avait-il annoncé.

Alors, Maigret avait senti comme une crainte dans sa voix, et il avait regardé bien en face son compagnon au *trench-coat* pisseux.

— Vous êtes sûr que vous avez annoncé ma visite ?

— J'ai dit que vous viendriez peut-être.

— Et qu'avez-vous dit que j'étais ?

Il s'y attendait. Le clown se troublait.

— J'allais vous en parler… Je ne savais pas comment m'y prendre, parce que Germain, vous comprenez, est devenu assez sauvage. En plus, quand je suis venu pour le voir la première fois, il m'a fait boire un ou deux petits verres… Je ne sais plus au juste ce que je lui ai raconté, que vous étiez un homme très riche, que vous recherchiez un fils que vous n'aviez jamais vu… Il ne faut pas m'en vouloir… J'ai fait pour le mieux… Au point qu'il en était ému et que c'est pour cela, j'en suis sûr, qu'il s'est dépêché de faire ses recherches.

C'était idiot. Le commissaire imaginait ce que le clown, avec quelques verres dans le nez, avait pu inventer.

Et maintenant Dexter, à mesure qu'on approchait du logement de l'ancien M. Loyal, paraissait hésitant. N'était-il pas capable d'avoir menti sur toute la ligne, même à Maigret ? Non, pourtant, car il y avait la photographie et le programme.

De la lumière sous une porte. Un léger murmure de voix. Dexter qui balbutiait :

— Frappez… il n'y a pas de sonnette.

Maigret frappait. Il y avait un silence. Quelqu'un toussait. Le bruit d'une tasse qu'on pose sur une soucoupe.

— Entrez !

Et on avait l'impression d'accomplir, rien qu'en franchissant l'étroit obstacle d'un paillasson troué, un immense voyage dans l'espace et dans le temps. On n'était plus à New York, à deux pas des gratte-ciel qui, à cette heure, jetaient tous leurs feux dans le ciel de Manhattan. Était-on seulement encore à l'époque de l'électricité ?

À voir l'éclairage de la pièce, on aurait juré qu'il venait d'une lampe à pétrole : cette impression était due à un gros abat-jour de soie rouge plissé qui entourait une lampe à pied.

Il n'y avait qu'un cercle de lumière au milieu de la pièce et, dans ce cercle de lumière, un homme dans un fauteuil roulant, un vieillard, qui avait dû être très gros, était encore volumineux, remplissait entièrement le fauteuil, mais était si flasque qu'il paraissait s'être soudain dégonflé. Quelques cheveux blancs, fort longs, flottaient autour de son crâne nu, et il penchait la tête en avant pour regarder les intrus par-dessus les verres de ses lunettes.

— Je m'excuse de vous déranger, prononçait Maigret derrière qui le clown se cachait.

Il y avait une autre personne dans la pièce, aussi grosse que Germain, le visage mauve, les cheveux d'un blond invraisemblable, et elle souriait d'une petite bouche mal peinte.

N'était-on pas dans quelque coin d'un musée de cires ? Non, puisque les personnages bougeaient, puisque le thé fumait dans les deux tasses posées sur un guéridon à côté d'un gâteau découpé.

— Ronald Dexter m'a dit que, ce soir, je trouverais peut-être ici les renseignements que je cherche.

On ne voyait pas les murs, couverts qu'ils étaient d'affiches, de photographies. Une chambrière d'honneur, au manche encore entouré de rubans multicolores, occupait une place bien en vue.

— Vous voulez donner un siège à ces messieurs, Lucile ?

La voix était restée telle qu'elle était sans doute au temps où l'homme, à l'entrée de la piste, interpellait les clowns et les augustes, et elle détonnait singulièrement dans cette pièce trop petite et si encombrée que la pauvre Lucile était bien en peine de débarrasser deux chaises noires, au fond recouvert de velours rouge.

— Ce jeune homme qui m'a connu jadis… disait le vieillard.

Ce début n'était-il pas tout un poème ? D'abord Dexter, aux yeux du vieil homme de cirque, devenait un jeune homme. Il y avait ensuite le *qui m'a connu jadis* et non *que j'ai connu jadis…*

— M'a mis au courant de votre pénible situation. Si votre fils avait appartenu au monde du cirque, ne fût-ce que pendant quelques semaines, je puis vous jurer que vous n'auriez eu qu'à venir me dire :

» — Germain, c'était en telle année… Il faisait partie de tel numéro… Il était comme ceci et comme ça…

» Et Germain n'aurait pas eu besoin de fouiller ses archives.

Son geste désignait les piles de papiers qu'on voyait partout, sur les meubles et sur le plancher, sur le lit même, car Lucile avait dû en poser là afin de débarrasser deux chaises.

— Germain a tout ça ici.

Il montrait son crâne et le frappait du bout de l'index.

— Mais, du moment qu'il s'agit de café-concert, je vous dis :

» C'est à ma vieille amie Lucile qu'il faut vous adresser. Elle est ici… Elle vous écoute… Donnez-vous la peine de lui parler.

Maigret avait laissé éteindre sa pipe et pourtant il en avait besoin pour reprendre pied dans la réalité. Il la tenait à la main, l'air assez penaud sans doute, puisque la grosse dame lui dit avec un nouveau sourire qui ressemblait, à cause des peintures naïves de son visage, à un sourire de poupée :

— Vous pouvez fumer… Robson fumait la pipe, lui aussi. Je l'ai fumée moi-même, les années qui ont suivi sa mort… Vous ne comprenez peut-être pas, mais c'était encore un peu de lui.

— Vous faisiez un numéro très intéressant, murmura le commissaire par politesse.

— Le meilleur du genre, je ne le cache pas. Tout le monde vous le dira… Robson était unique… La prestance, surtout, et vous ne pouvez vous imaginer combien la prestance compte dans cette spécialité-là. Il portait l'habit à la française, avec les culottes collantes et les bas de soie noire. Ses mollets étaient magnifiques… Attendez !

Elle fouilla non dans un sac à main, mais dans un réticule de soie à fermoir d'argent et elle en tira une photographie, une photographie publicitaire, sur laquelle on voyait le mari, dans la tenue qu'elle venait de décrire, un loup noir sur le visage, les moustaches cirées, le jarret tendu, brandissant une baguette de prestidigitateur vers des spectateurs invisibles.

— Et me voici à la même époque.

Une femme sans âge, mince, triste, diaphane, qui, les mains croisées sous le menton dans une pose aussi artificielle que possible, fixait le vague de ses yeux sans expression.

— Je peux dire que nous avons parcouru le monde entier… Dans certains pays, Robson portait une cape de soie rouge par-dessus son habit et, avec un projecteur rouge, il avait vraiment l'air diabolique dans le numéro du cercueil magique… J'espère que vous croyez à la transmission de la pensée ?

Il faisait étouffant. On avait une envie folle d'un bol d'air, mais d'épais rideaux de peluche déteinte pendaient devant les fenêtres, aussi lourds qu'un rideau de théâtre. Qui sait ? Maigret eut l'intuition que ces rideaux avaient peut-être été découpés dans un ancien rideau de scène.

— Germain m'a appris que vous étiez à la recherche de votre fils ou de votre frère.

— De mon frère, se hâta-t-il d'affirmer en pensant soudain qu'aucun des *J and J* ne pouvait matériellement être son fils.

— C'est bien ce que je pensais… Je n'avais pas bien compris… C'est pourquoi je m'attendais à voir un homme âgé… Lequel des deux était votre frère ? Le violon ou la clarinette ?

— Je ne sais pas, madame.

— Comment, vous ne savez pas ?

— Mon frère a disparu alors qu'il était bébé. C'est tout récemment, par hasard, que nous avons retrouvé sa trace.

C'était ridicule. C'était odieux. Et pourtant, il était impossible de dire la simple vérité à ces deux-là, qui se gargarisaient d'artificiel. C'était presque de la charité chrétienne à leur égard et, le plus fort, c'est que cet imbécile de Dexter, qui savait pourtant que c'était une fable, avait l'air de s'y laisser prendre et commençait déjà à renifler.

— Mettez-vous dans la lumière, que je voie vos traits…

— Je ne crois pas qu'il y ait eu de ressemblance entre mon frère et moi.

— Qu'en savez-vous, puisqu'il a été enlevé tout jeune ?

Eté enlevé !… Enfin !… Maintenant, il fallait aller jusqu'au bout de la comédie.

— À mon avis, ce serait plutôt Joachim… Non, attendez… Il y a quelque chose de Joseph dans le front… Mais, au fait, est-ce que je ne me trompe pas dans les noms ?… Figurez-vous que je me suis toujours trompée… Il y en avait un avec de longs cheveux blonds de fille, des cheveux à peu près de la même couleur que les miens…

— Joachim, je pense, dit Maigret.

— Laissez-moi chercher… Comment le sauriez-vous ?… L'autre était un peu plus râblé et portait des verres… C'est drôle !… Nous avons vécu presque un an ensemble et il y a des choses dont je ne me souviens pas, d'autres que je revois comme si c'était hier… Nous avions tous signé pour une tournée dans les États du Sud, le Mississippi, la Louisiane, le Texas… C'était très dur, parce que les gens, par là-bas, étaient encore presque sauvages… Il y en avait qui venaient à cheval à la représentation… Une fois, ils ont tué un nègre pendant notre numéro, je ne sais plus pourquoi.

» Ce que je me demande, c'est avec lequel des deux était Jessie.

» Était-ce Jessie ou Bessie ?… Plutôt Bessie… Non, Jessie ! Je suis sûre que c'était Jessie, parce que j'ai remarqué une fois que cela faisait trois *J* : Joseph, Joachim et Jessie…

Si seulement Maigret avait pu poser des questions, posément, obtenir des réponses précises ! Mais il fallait la laisser parler, suivre les méandres compliqués de sa pensée de vieille femme qui ne devait jamais avoir été bien raisonnable.

— Pauvre petite Jessie… Elle était touchante… Je l'avais prise sous ma protection, car elle était dans une situation délicate.

Quelle pouvait être cette situation délicate ? Cela viendrait sans doute à son heure.

— Elle était fine et menue… J'étais fine et menue aussi, à cette époque-là, fragile comme une fleur. On m'appelait l'Ange, vous savez ?

— Je sais.

— C'est Robson qui m'avait donné ce nom-là… Il ne disait pas « mon ange » ce qui est banal, mais « l'Ange »… Je ne sais pas si vous saisissez la nuance… Bessie… Non, Jessie était tout jeune… Je me demande si elle avait dix-huit ans. Et on sentait qu'elle avait été malheureuse. Je n'ai jamais su où ils l'avaient trouvée… Je dis « ils », parce que je ne me souviens pas si c'était Joseph ou Joachim. Comme ils ne se quittaient pas tous les trois, on se posait forcément la question.

— Quel rôle jouait-elle dans votre tournée ?

— Aucun rôle. Ce n'était pas une artiste. C'était une orpheline, sûrement, car je ne l'ai jamais vue écrire à personne. Ils ont dû la recueillir au chevet de sa mère.

— Et elle suivait la troupe ?

— Elle nous suivait partout. C'était très fatigant. L'impresario était une brute. Vous l'avez connu, Germain ?

— Son frère est encore à New York… On m'en a parlé la semaine dernière… Il vend des programmes à Madison.

— Il nous traitait comme des chiens… Il n'y avait que Robson à lui tenir tête… Je crois que, si on l'avait laissé faire, il nous aurait donné la pâtée comme à des bêtes pour économiser la nourriture… Nous logions dans des taudis pleins de punaises… Il a fini par nous abandonner, à cinquante milles de La Nouvelle-Orléans, en emportant la caisse, et c'est encore Robson…

Heureusement qu'elle décidait soudain de grignoter un morceau de gâteau. Cela donnait un peu de répit, mais elle reprenait bien vite, en s'essuyant les lèvres d'un mouchoir de dentelles :

— *J and J*, excusez-moi de vous dire ça, puisque l'un des deux frères est votre frère – je parie que c'est Joseph –, *J and J* n'étaient pas des artistes comme nous, passant en vedette, mais ils étaient inscrits tout en fin de programme… Il n'y a pas de déshonneur à cela… Ne m'en veuillez pas si je vous ai froissé…

— Mais non !… Mais non !…

— Ils gagnaient très peu, pour ainsi dire rien, mais leur voyage était payé, et la nourriture, pour autant qu'on puisse appeler cela de la nourriture… Seulement, il y avait Jessie… Il leur fallait payer les billets de chemin de fer pour Jessie… Et les repas… Pas toujours les repas… Tenez, je me souviens… Je parie que je suis en contact avec Robson.

Et son énorme poitrine se soulevait dans son corsage, ses petits doigts boudinés s'agitaient.

— Pardonnez-moi, monsieur. Je suppose que vous croyez à la survie ? Sinon, vous ne mettriez pas tant de passion à rechercher votre frère qui est peut-être mort. Je sens que Robson vient d'entrer en communication avec moi… Je le sais, j'en suis sûre. Laissez-moi me recueillir et il me dira, lui, tout ce que vous avez besoin de savoir.

Le clown était si impressionné qu'il poussa une sorte de gémissement. Mais n'était-ce pas à la vue du gâteau dont on ne pensait pas à lui offrir un morceau ?

Maigret regardait fixement par terre en se demandant combien de temps encore il tiendrait le coup.

— Oui, Robson… J'écoute… Germain, vous ne voulez pas baisser la lumière ?

Ils devaient avoir tous les deux l'habitude de ces séances de spiritisme, car Germain, sans quitter son fauteuil à roulettes, tendit le bras et, tirant sur une chaînette, éteignit une des deux ampoules qui se trouvaient dans le lampadaire de soie rouge.

— Je les vois, oui… Près d'un grand fleuve… Et il y a des plantations de coton partout… Aide-moi encore, Robson, mon chéri… Aide-moi comme tu le faisais jadis… Une grande table… Nous sommes tous là et c'est toi qui es à la place d'honneur… *J and J.* Attends… Elle est entre nous deux. C'est une grosse négresse qui nous sert…

Le clown faisait entendre un nouveau gémissement, mais elle continuait d'une voix monotone qu'elle devait prendre jadis dans son numéro de voyante :

— Jessie est très pâle… Nous avons roulé en train… Nous avons roulé longtemps… Le train s'est arrêté en pleine campagne… Tout le monde est fourbu… L'impresario est parti pour coller les affiches… Et *J and J* coupent chacun un morceau de leur viande pour le donner à Jessie.

Cela aurait été plus simple pour elle, évidemment, de raconter les choses sans ce fatras mystico-théâtral. Maigret avait envie de lui dire :

— Des faits, voulez-vous ?… Et parlez comme tout le monde.

Mais, si une Lucile s'était mise à parler comme tout le monde, si un Germain s'était mis à regarder ses souvenirs en face, auraient-ils eu la force de vivre l'un et l'autre ?

— … Et partout où je les vois c'est la même chose… Ils sont deux auprès d'elle et ils partagent leur repas… Parce qu'ils n'ont pas assez d'argent pour lui payer un vrai dîner.

— Vous disiez que la tournée a duré un an ?

Elle feignit de se débattre, ouvrit péniblement les paupières, balbutia :

— J'ai dit quelque chose ?... Je vous demande pardon... J'étais avec Robson.

— Je vous demandais combien de temps la tournée avait duré.

— Plus d'un an... Nous étions partis pour trois ou quatre mois... Mais il en est toujours ainsi... Il arrive en route des tas d'accidents... Puis il y a la question d'argent... On n'a jamais assez d'argent pour revenir... Alors, on continue, on va de ville en ville et jusque dans les villages.

— Vous ne savez pas lequel des deux était amoureux de Jessie ?

— Je ne sais pas... Peut-être était-ce Joachim ? C'est votre frère, n'est-pas ?... Je suis persuadée que vous avez des traits de Joachim... C'était mon préféré et il jouait du violon à ravir... Pas dans son numéro, car, dans son numéro, il ne faisait que des fantaisies. Mais, quand nous étions par hasard pour un jour ou deux dans le même hôtel...

Il la voyait, dans quelque hôtel en planches du Texas ou de la Louisiane, reprisant les bas de soie noire de son mari... Et cette Jessie qui, aux repas, grignotait humblement un peu de la part des deux hommes.

— Vous n'avez jamais su ce qu'ils étaient devenus ?

— Comme je vous l'ai dit, la troupe s'est disloquée à La Nouvelle-Orléans, parce que l'impresario nous avait laissés en plan... Robson et moi avons tout de suite obtenu un engagement, car notre numéro était connu… Je ne sais pas comment les autres ont gagné l'argent nécessaire à payer le train.

— Vous êtes revenue immédiatement à New York ?

— Je crois… Je ne me souviens plus exactement… Mais je sais qu'une fois j'ai revu un des deux *J* dans le bureau d'un impresario de Broadway… Cela ne devait pas être longtemps après… Ce qui me le fait penser, c'est que j'avais mis une des robes que je portais pendant la tournée… Lequel des deux était-ce ?… Cela m'a frappée de le voir tout seul… On ne les apercevait jamais l'un sans l'autre…

Sans transition, alors que personne ne s'y attendait, Maigret se leva tout d'une pièce. Il avait l'impression qu'il ne pourrait pas tenir cinq minutes de plus dans cette atmosphère étouffante.

— Excusez-moi de mon intrusion chez vous… dit-il, tourné vers le vieux Germain.

— S'il avait été question du cirque au lieu du café-concert… répétait celui-ci, comme un vieux disque.

Et elle :

— Je vais vous laisser mon adresse… Je donne encore des consultations privées… J'ai une petite clientèle de gens très bien, qui ont confiance en moi… Et, à vous, je peux dire la vérité : c'est Robson qui continue à m'aider. Je ne l'avoue pas toujours, parce qu'il y a des gens qui ont peur des esprits.

Elle lui tendait une carte qu'il fourra dans sa poche. Le clown eut un dernier regard au gâteau et saisit son chapeau.

— Je vous remercie encore une fois.

Ouf ! Jamais il ne descendit escalier aussi vite et, une fois dans la rue, il respira à pleins poumons : il lui sembla qu'il reprenait pied sur la terre des hommes, les réverbères devenaient soudain comme des amis que l'on retrouve après une longue absence.

Il y avait des boutiques éclairées, des passants, un gamin en chair et en os qui marchait à cloche-pied au bord du trottoir.

Il est vrai qu'il restait l'autre, le clown, qui trouvait le moyen de murmurer de sa voix lamentable :

— J'ai fait ce que j'ai pu...

Encore cinq dollars, évidemment !

Ils dînaient une fois de plus en tête à tête dans un restaurant français. En rentrant au *Berwick*, Maigret avait trouvé un avis téléphonique d'O'Brien lui demandant de l'appeler dès son retour.

— J'ai ma soirée, comme je l'espérais, lui annonçait-il un peu plus tard. Si vous êtes libre, de votre côté, nous pourrons dîner ensemble et bavarder.

Il y avait déjà plus d'un quart d'heure qu'ils étaient face à face et il n'avait encore rien dit ; il se contentait, tout en commandant son menu, de lancer à Maigret de petits sourires à la fois ironiques et satisfaits.

— Vous n'avez pas remarqué, murmura-t-il enfin en entamant un magnifique châteaubriant, que vous étiez à nouveau suivi ?

Le commissaire fronça les sourcils non parce que cela l'inquiétait sur-le-champ, mais parce qu'il était vexé de ne pas y avoir pris garde.

— Je m'en suis aperçu tout de suite en venant vous prendre au *Berwick*... Cette fois, il ne s'agit plus de

Bill, mais d'un individu qui a écrasé le vieil Angelino… Je parie tout ce que vous voulez qu'il est à la
porte.

— Nous le verrons bien en sortant.

— Je ne sais pas à quelle heure il a pris sa faction…
Avez-vous quitté l'hôtel cet après-midi ?

Et, cette fois, Maigret leva la tête en montrant des
yeux angoissés, resta un moment à réfléchir et finit
par donner un coup de poing sur la table en lâchant
un « Merde ! » qui fit sourire derechef son interlocuteur roux.

— Vous avez accompli des démarches très
compromettantes ?

— Votre homme est brun, évidemment, puisqu'il
est sicilien… Il porte un chapeau gris très clair,
n'est-ce pas ?

— C'est exact.

— Dans ce cas, il se trouvait dans le hall de l'hôtel
lorsque je suis descendu de ma chambre avec mon
clown, vers cinq heures… Nous nous sommes bous-
culés en nous précipitant en même temps vers la
porte.

— Donc, il vous suit depuis cinq heures.

— Et dans ce cas…

Allait-il en être encore, cette fois, comme il en avait
été avec le pauvre Angelino ?

— Vous ne pouvez rien faire, vous autres, de la
police officielle, dit-il avec humeur, pour protéger les
gens ?

— Cela dépend peut-être de la menace qui pèse
sur eux.

— Vous auriez protégé l'ancien tailleur ?

— En sachant ce que je sais maintenant, oui.

— Eh bien ! il y a deux autres personnes à protéger, et je pense que vous feriez bien de faire le
nécessaire avant de terminer ce châteaubriant.

Il donna l'adresse de Germain. Puis il tendit la
carte de la voyante extralucide qu'il avait dans sa
poche.

— Il doit y avoir le téléphone ici.

— Vous permettez ?

Tiens ! Tiens ! L'imperturbable capitaine à tête de
mouton n'ironisait plus, ne mettait plus en avant la
fameuse liberté individuelle !

Il resta très longtemps au téléphone et Maigret en
profita pour aller jeter un coup d'œil dans la rue. Sur
le trottoir d'en face, il reconnut le chapeau gris clair
qu'il avait aperçu dans le hall de son hôtel, et quand
il se rassit, il but coup sur coup deux grands verres de
vin.

O'Brien ne tarda pas à revenir et il eut la politesse
– ou peut-être la malice ? – de ne pas poser une seule
question et de reprendre tranquillement son repas où
il l'avait laissé.

— En somme, grommela Maigret en mangeant
sans appétit, si je n'avais pas été là, le vieil Angelino
ne serait sans doute pas mort.

Il s'attendait à des dénégations, il les espérait, mais
O'Brien se contenta de laisser tomber :

— C'est probable.

— Dans ce cas, si d'autres accidents arrivaient…

— Ce serait par votre faute, n'est-ce pas ? C'est ce
que vous pensez ? Et c'est ce que je pense, moi,

depuis le premier jour. Souvenez-vous du dîner que vous avons fait ensemble le soir de votre arrivée.

— Cela signifie-t-il qu'il faut laisser ces gens-là en paix ?

— Maintenant, il est trop tard...

— Que voulez-vous dire ?

— Il est trop tard, parce que nous nous en occupons aussi, parce que, de toute façon, si même vous abandonnez la partie, si vous embarquez demain pour Le Havre ou Cherbourg, ils continueront de se sentir traqués.

— Little John ?

— Je n'en sais rien.

— Mac Gill ?

— Je l'ignore. J'ajoute tout de suite que ce n'est pas moi qui m'occupe de cette affaire. Demain ou après-demain, quand le moment viendra, quand mon collègue en exprimera le désir, car cela ne me regarde pas et il reste maître de son enquête, je vous présenterai à lui. C'est un homme très bien.

— Dans votre genre ?

— Tout le contraire. C'est pourquoi je dis qu'il est très bien... Je viens de lui téléphoner... Il aimerait que, tout à l'heure, je lui donne quelques précisions sur ces deux personnages qu'il doit protéger.

— C'est une histoire de fous ! grogna Maigret.

— Comment ?

— Je dis que c'est une histoire de fous ! Car il s'agit, sinon de deux fous authentiques, tout au moins de deux pauvres maniaques qui risquent de payer de leur vie les indiscrétions qu'ils ont commises à mon profit... Et, par-dessus le marché, sans le vouloir, à cause de cet imbécile de clown-pleureur, j'ai fait jouer, pour les attendrir, la corde sentimentale.

O'Brien écarquillait les yeux en voyant un Maigret aussi nerveux, qui scandait les syllabes et mâchait les bouchées avec une sorte de rage.

— Vous me direz sans doute que ce que j'ai appris n'est pas grand-chose et que le jeu n'en valait pas la chandelle. Mais nous n'avons peut-être pas tout à fait la même idée sur les enquêtes policières.

Le sourire douceâtre de son interlocuteur l'exaspérait.

— Ma visite de ce matin dans la maison de la 169e Rue vous a amusé aussi, n'est-ce pas, et vous auriez sans doute éclaté de rire si vous m'aviez vu, précédé d'un petit garçon, en train de renifler dans tous les coins et pousser toutes les portes.

» N'empêche que moi, qui ne suis arrivé en Amérique que de quelques jours, je prétends en connaître maintenant plus que vous sur Little John et sur l'autre J.

» Question de tempérament, sans doute... Il vous faut des faits, n'est-il pas vrai, des faits précis, tandis qu'à moi...

Il s'arrêta net, en voyant son interlocuteur sur le point d'éclater de rire, malgré l'effort qu'il faisait sur lui-même, et il préféra rire aussi.

— Je vous demande pardon... J'ai vécu tout à l'heure les minutes les plus idiotes de ma vie... Écoutez...

Et il raconta sa visite au vieux Germain, décrivit la Lucile en transes ou en fausses transes, conclut :

— Comprenez-vous pourquoi je crains pour eux ?… Angelino savait quelque chose et on n'a pas hésité à le supprimer… Est-ce qu'Angelino en savait plus que les autres ? C'est probable… Mais je suis resté une heure entière chez l'ancien M. Loyal. Lucile s'y trouvait.

— Évidemment… Et pourtant, je ne pense pas que le danger soit pareil.

— Parce que vous pensez comme moi, je parie, que c'est dans la 169e Rue que ces gens-là flairent le danger ?

Un signe de tête affirmatif.

— Ce qu'il serait urgent de savoir, c'est si cette Jessie a habité, elle aussi, l'immeuble en face du tailleur… Est-il possible de retrouver, dans les archives de la police, les traces d'un drame ou d'un accident qui se serait produit il y a une trentaine d'années dans la maison ?

— C'est plus compliqué que chez vous… Surtout si le drame n'a pas été ce que je pourrais appeler un drame officiel, s'il n'y a pas eu d'enquête… En France, je m'en souviens, on retrouverait au commissariat la trace de tous les locataires qui ont habité la maison et, s'il y a lieu, la mention de leur décès.

— Parce que vous croyez aussi…

— Je ne crois rien… Je vous répète que ce n'est pas moi qui suis chargé de l'enquête… Je suis sur une affaire toute différente, qui me prendra encore des semaines, sinon des mois… Tout à l'heure, quand nous aurons bu notre fine, je téléphonerai à mon collègue… Au fait, je sais qu'il s'est rendu cet après-midi dans les bureaux de l'Immigration… Là, tout au moins, on tient un registre de toutes les personnes entrées aux États-Unis… Attendez… J'ai noté ça sur un bout de papier.

Toujours les mêmes gestes nonchalants, comme pour minimiser l'importance de ce qu'il faisait. Peut-être, après tout, était-ce davantage une sorte de pudeur vis-à-vis de Maigret que de la prudence administrative ?

— Voici la date de l'entrée de Maura aux États-Unis… *Joachim-Jean-Marie Maura, né à Bayonne, 22 ans, violoniste…* Le nom du navire, qui n'existe plus depuis longtemps : l'*Aquitaine…* Quant au second *J*, il ne peut s'agir que de *Joseph-Ernest-Dominique Daumale, 24 ans, né à Bayonne*, lui aussi… Il ne s'est pas inscrit comme clarinettiste, mais comme compositeur de musique… Je crois que vous saisissez la différence ?

» On m'a donné un autre renseignement qui est peut-être sans importance, mais que je crois devoir vous transmettre… Deux ans et demi après son débarquement, Joachim Maura, qui se faisait déjà appeler John Maura, et qui donnait comme adresse à New York l'immeuble que vous connaissez dans la 169e Rue, a quitté l'Amérique pour l'Europe, où il est resté un peu moins de dix mois.

» On retrouve la trace de son retour, après ce laps de temps, à bord d'un bateau anglais, le *Mooltan*.

» Je ne crois pas que mon collègue se donne la peine de câbler en France à ce sujet. Mais, tel que je vous connais…

Maigret y avait pensé, au moment précis où son interlocuteur lui parlait de Bayonne. Déjà, dans son esprit, se rédigeait le câble pour la police de cette ville :

Prière envoyer urgence tous les détails sur Joachim-Jean-Marie Maura et sur Joseph-Ernest-Dominique Daumale, partis de France le...

Ce fut l'Américain qui eut l'idée de commander deux vieux armagnacs, dans des verres à dégustation. Il fut le premier aussi à allumer sa pipe.

— À quoi pensez-vous ? questionna-t-il comme Maigret restait lourd et rêveur, son verre d'alcool sous les narines.

— À Jessie.

— Et vous vous demandez ?

C'était presque à un jeu qu'ils jouaient, l'un avec son éternel sourire comme passé à la gomme pour être plus discret, l'autre avec une moue de faux bourru.

— Je me demande de qui elle est la maman ?

Un instant, le sourire de l'homme roux s'effaça tandis qu'il murmurait en avalant une gorgée :

— Cela dépendra de l'acte de décès, n'est-ce pas ?

Ils s'étaient compris. Ils n'avaient envie, ni l'un ni l'autre, de préciser davantage leur pensée.

Maigret, pourtant, ne put s'empêcher de grommeler, en feignant une mauvaise humeur qui n'existait déjà plus :

— Si on le retrouve !... Avec votre sacrée liberté individuelle qui vous empêche de tenir un registre de qui vit et de qui meurt !

— La même chose, garçon ! se contenta de commander O'Brien en désignant les verres vides.

Et il ajouta :

— Votre pauvre Sicilien doit crever de soif sur le trottoir.

7

Il était tard, pas loin de dix heures sans doute. La montre de Maigret était arrêtée et le *Berwick* ne poussait pas, comme le *Saint-Régis*, la sollicitude envers ses clients jusqu'à encastrer des horloges électriques dans les cloisons. À quoi bon savoir l'heure, d'ailleurs ? Maigret, ce matin-là, n'était pas pressé. À vrai dire, il n'avait aucun emploi du temps. Pour la première fois, depuis qu'il avait débarqué à New York, il était accueilli à son réveil par un soleil vraiment printanier : il en pénétrait un petit bout dans sa chambre et dans la salle de bains.

À cause de ce soleil, d'ailleurs, il avait accroché son miroir à l'espagnolette de la fenêtre, et c'était là qu'il se rasait, comme à Paris, boulevard Richard-Lenoir, où, le matin, il avait toujours un rayon de soleil sur la joue quand il se faisait la barbe. N'est-ce pas une erreur de croire que les grandes villes sont différentes les unes des autres, même quand il s'agit de New York, que toute une littérature représente comme une sorte de monstrueuse machine à malaxer les hommes ?

Il y était, à New York, lui, Maigret, et il y avait une espagnolette à bonne hauteur pour se raser, un rayon de soleil oblique qui lui faisait cligner de l'œil et, en face, dans des bureaux ou des ateliers, deux jeunes filles en blouse blanche qui riaient de lui.

Or il ne devait, ce matin-là, se raser qu'en trois fois, car, à deux reprises, la sonnerie du téléphone l'interrompit. La première fois, la voix semblait lointaine, une voix qui lui rappelait des souvenirs récents, mais qu'il ne reconnaissait pas.

— Allô… Le commissaire Maigret ?…

— Oui.

— C'est bien le commissaire Maigret ?

— Mais oui.

— C'est le commissaire Maigret qui est à l'appareil ?

— Mais oui, sacrebleu !

Alors la voix, si lamentable qu'elle en devenait tragique :

— Ici, Ronald Dexter.

— Oui. Eh bien ?

— Je suis navré de vous déranger, mais il faut absolument que vous m'accordiez un entretien.

— Vous avez du nouveau ?

— Je vous supplie de m'accorder un entretien le plus tôt possible.

— Vous êtes loin d'ici ?

— Pas très loin.

— C'est urgent ?

— Très urgent.

— Dans ce cas, venez tout de suite à l'hôtel et montez dans ma chambre.

— Je vous remercie.

Maigret avait commencé par sourire. Puis, à la réflexion, il avait trouvé dans l'accent du clown quelque chose qui l'inquiétait.

Il avait à peine recommencé à se savonner les joues que le téléphone l'appelait à nouveau dans la chambre. Il s'essuya tant bien que mal.

— Allô.

— Commissaire Maigret ?

Une voix nette, cette fois, presque trop, avec un accent américain prononcé.

— Lui-même.

— Ici, lieutenant Lewis !

— Je vous écoute.

— Mon collègue O'Brien m'a dit que j'aurais intérêt à me mettre le plus tôt possible en rapport avec vous. Puis-je vous rencontrer ce matin ?

— Pardon, lieutenant, de vous demander ça, mais ma montre est arrêtée. Quelle heure est-il ?

— Dix heures et demie.

— Je serais volontiers passé par votre bureau. Par malheur, il y a un instant, j'ai donné un rendez-vous dans ma chambre. Il est possible, d'ailleurs, et même probable, qu'il s'agisse d'une chose qui vous intéresse. Est-ce que cela ne vous ennuie pas de venir me voir dans ma chambre du *Berwick* ?

— J'y serai dans vingt minutes.

— Il y a du nouveau ?

Maigret était sûr que son interlocuteur était encore au bout du fil quand il avait posé la question, mais le lieutenant feignit de ne pas avoir entendu et raccrocha.

Et de deux ! Il ne lui restait qu'à achever de se raser et de s'habiller. Il venait de téléphoner au *room-service* pour commander son petit déjeuner quand on frappa à la porte.

C'était Dexter. Un Dexter que Maigret, qui commençait pourtant à connaître le phénomène, regarda avec ahurissement.

Jamais de sa vie il n'avait vu un homme aussi pâle et donnant davantage l'impression d'un somnambule lâché en plein jour dans New York.

Le clown n'était pas ivre. D'ailleurs, il n'avait pas son expression pleurnicheuse des moments d'ivresse. Au contraire, il paraissait maître de lui, mais d'une façon spéciale.

Très exactement, il ressemblait, debout dans l'encadrement de la porte, aux acteurs qui, dans les films comiques, viennent de recevoir un coup de matraque sur la tête et qui restent debout un moment, le regard vide, avant de s'écrouler.

— Monsieur le commissaire… commença-t-il, avec une certaine peine à articuler.

— Entrez et fermez la porte.

— Monsieur le commissaire…

Alors Maigret comprit que l'homme n'était pas ivre, mais qu'il avait une gueule de bois carabinée. Il ne tenait debout que par miracle. Le moindre mouvement devait mettre du tangage et du roulis sous son crâne et son visage se crispait de douleur, ses mains, machinalement, cherchaient l'appui de la table.

— Asseyez-vous !

Il fit signe que non. Sans doute, s'il s'était assis aurait-il sombré dans un sommeil comateux ?

— Monsieur le commissaire, je suis une canaille.

Sa main qui tremblait avait, pendant qu'il parlait, fouillé la poche du veston et elle déposait sur la table des billets pliés, des billets de banque américains que le commissaire fixait avec étonnement.

— Il y a cinq cents dollars.

— Je ne comprends pas.

— Cinq gros billets de cent dollars. Ils sont neufs. Ce ne sont pas de faux billets, ne craignez rien. C'est la première fois de ma vie que j'ai possédé cinq cents dollars à la fois. Comprenez-vous ça ? *Cinq cents dollars à la fois dans ma poche.*

Le maître d'hôtel entrait avec un plateau, du café, des œufs au bacon, des confitures, et Dexter le boulimique, Dexter qui avait toujours eu faim, comme il avait toujours eu envie de cinq cents dollars à la fois, Dexter eut une nausée à l'odeur du bacon et des œufs, à la vue de choses à manger. Il détourna la tête, comme prêt à vomir.

— Vous ne voulez pas boire quelque chose ?

— De l'eau.

Et il en but deux, trois, quatre verres coup sur coup, sans reprendre haleine.

— Pardonnez-moi. Tout à l'heure, j'irai me coucher. Il fallait d'abord que je vienne vous voir.

Des gouttes de sueur perlaient sur son front pâle et il se tenait à la table, ce qui n'empêchait pas son grand corps maigre de se balancer dans un mouvement involontaire.

— Vous direz au capitaine O'Brien, qui m'a toujours pris pour un honnête homme et qui m'a recommandé à vous, que Dexter est une canaille.

Il poussait les billets de banque vers Maigret.

— Prenez-les. Faites-en ce que vous voudrez. Ils ne m'appartiennent pas. Cette nuit… cette nuit…

Il avait l'air de prendre son élan pour franchir le cap le plus difficile.

— … cette nuit, je vous ai trahi pour cinq cents dollars.

Téléphone.

— Allô ! Comment ? Vous êtes en bas ? Montez, lieutenant. Je ne suis pas seul, mais cela n'a pas d'importance.

Et le clown questionna avec un sourire amer :

— La police ?

— Ne craignez rien. Vous pouvez parler devant le lieutenant Lewis. C'est un ami d'O'Brien.

— On fera de moi ce qu'on voudra. Cela m'est égal. Seulement, j'aimerais que cela aille vite.

Il oscillait littéralement sur ses jambes.

— Entrez, lieutenant. Je suis heureux de faire votre connaissance. Vous connaissez Dexter ? Peu importe, O'Brien le connaît. Je pense qu'il a des choses fort intéressantes à me dire. Voulez-vous vous asseoir dans ce fauteuil pendant qu'il parle et que je prends mon petit déjeuner ?

La chambre était presque gaie, grâce au soleil qui la traversait de biais et qui y mettait tout un fourmillement de fine poussière dorée.

Maigret, pourtant, se demandait s'il avait bien fait de prier le lieutenant d'assister à la conversation. O'Brien ne lui avait pas menti en lui disant la veille que c'était un homme aussi différent de lui que possible.

— Enchanté de faire votre connaissance, commissaire.

Seulement, il disait cela sans un sourire. On sentait
qu'il était en service commandé et il alla s'asseoir dans
un fauteuil, croisa les jambes, alluma une cigarette et,
alors que Dexter n'avait pas encore ouvert la bouche,
il tirait déjà un carnet et un crayon de sa poche.

Il était de taille moyenne, de corpulence plutôt en
dessous de la moyenne, avec un visage d'intellectuel,
de professeur, par exemple, un long nez, des lunettes
aux verres épais.

— Vous pouvez noter ma déposition si c'est nécessaire… prononçait Dexter comme s'il se voyait par
avance condamné à mort.

Et le lieutenant ne bronchait pas, l'observait d'un
œil parfaitement froid, le crayon en l'air.

— Il était peut-être onze heures du soir. Je ne sais
plus. Peut-être aux environs de minuit. Du côté de
City Hall. Mais je n'étais pas saoul et vous pouvez me
croire.

» Deux hommes se sont accoudés au comptoir à
côté de moi et j'ai tout de suite compris que ce n'était
pas par hasard, mais qu'ils me cherchaient.

— Vous les reconnaîtriez ? questionna le lieutenant.

Dexter le regarda, puis regarda Maigret, comme
pour lui demander à qui il devait s'adresser.

— Ils me cherchaient. Ce sont des choses qui se
sentent. J'ai eu le pressentiment qu'ils étaient de la
bande.

— Quelle bande ?

— Je suis très fatigué, articula-t-il. Si on me coupe tout le temps…

Et Maigret ne pouvait s'empêcher de sourire tout en mangeant ses œufs.

— Ils m'ont offert à boire, et moi je savais que c'était pour me tirer les vers du nez. Vous voyez que je n'essaie pas de mentir, ni de me chercher des excuses. Je savais aussi que, si je buvais, j'étais perdu, et pourtant j'ai accepté les *scotches*, quatre ou cinq, je ne sais plus au juste.

» Ils m'appelaient Ronald, bien que je ne leur aie pas dit mon nom.

» Ils m'ont emmené dans un autre bar. Puis dans un autre encore, mais cette fois en auto. Et, dans ce bar-là, nous sommes montés tous les trois dans une salle de billard où il n'y avait personne.

» Je me demandais s'ils voulaient me tuer.

» — *Assieds-toi, Ronald…* me dit alors le plus gros des deux après avoir fermé la porte à clef. *Tu es un pauvre bougre, n'est-ce pas ? Tu as été toute ta vie un pauvre bougre. Et, si tu n'as jamais rien pu faire de bon, c'est que tu as toujours manqué de capital pour commencer.*

» Vous savez, monsieur le commissaire, comme je suis quand j'ai bu. Je vous l'ai dit moi-même. On ne devrait jamais me laisser boire.

» Je me suis revu tout petit. Je me suis revu à tous les âges de ma vie, toujours le pauvre type, toujours courant après quelques dollars et je me suis mis à pleurer.

Quelles étaient les notes que pouvait prendre le lieutenant Lewis ? Car il écrivait de temps en temps un mot ou deux dans son carnet et il était aussi grave que s'il eût interrogé le plus dangereux des criminels.

— Alors, le plus gros a tiré des billets de banque de sa poche, de beaux billets neufs, des cent dollars. Il y avait une table avec une bouteille de whisky et des sodas. Je ne sais pas qui les avait apportés, car je ne me souviens pas avoir vu entrer le garçon.

» — *Bois, imbécile*, qu'il m'a dit.

» Et j'ai bu. Puis il a plié les billets, après les avoir comptés sous mes yeux, et il les a fourrés dans la poche extérieure de mon veston.

» — *Tu vois que nous sommes gentils avec toi. On aurait pu t'avoir autrement, en te faisant peur, car tu es un froussard. Mais nous, les pauvres types comme toi, on aime mieux les payer. Tu comprends ?*

» *Et maintenant, à table ! Tu vas nous dire tout ce que tu sais. Tout, tu entends ?*

Le clown regarda le commissaire de ses yeux pâles et articula :

— J'ai tout dit.

— Dit quoi ?

— Toute la vérité.

— Quelle vérité ?

— Que vous saviez tout.

Le commissaire ne comprenait pas encore et, les sourcils froncés, allumait sa pipe en réfléchissant. Il se demandait en réalité s'il devait rire ou prendre au sérieux son clown affligé de la pire gueule de bois qu'il ait vue de sa vie.

— Que je savais quoi ?

— D'abord la vérité sur *J and J*.

— Mais quelle vérité, tonnerre de Dieu ?

Le pauvre type le fixait avec ahurissement, comme s'il se fût demandé pourquoi Maigret faisait soudain des cachotteries avec lui.

— Que Joseph, celui à la clarinette, était le mari ou l'amant de Jessie. Vous le savez bien.

— Vraiment ?

— Et qu'ils ont eu un enfant.

— Pardon ?

— Jos Mac Gill. Remarquez d'ailleurs le prénom de Jos. Et les dates correspondent. Je vous ai vu vous-même calculer. Maura, c'est-à-dire Little John, était amoureux aussi et il était jaloux. Il a tué Joseph. Peut-être qu'il a tué Jessie ensuite. À moins qu'elle soit morte de chagrin.

Le commissaire regardait maintenant le clown avec stupeur. Et ce qui l'étonnait le plus, c'était de voir le lieutenant Lewis prendre fébrilement des notes.

— Quand, plus tard, Little John a gagné de l'argent, il a eu des remords et il s'est occupé de l'enfant, mais sans jamais aller le voir. Au contraire, il l'a envoyé au Canada en compagnie d'une certaine Mme Mac Gill. Et le gamin, qui avait pris le nom de la vieille Écossaise, ignorait le nom de celui qui subvenait à son entretien.

— Continue, soupira Maigret avec résignation en tutoyant pour la première fois Dexter.

— Vous savez cela mieux que moi. J'ai tout raconté. Il fallait bien que je gagne les cinq cents dollars, comprenez-vous ? Parce que j'avais quand même encore une certaine honnêteté.

» Little John s'est marié à son tour. En tout cas, il a eu un enfant qu'il a fait élever en Europe.

» Mme Mac Gill est morte. Ou bien Jos s'est enfui de chez elle. Je ne sais pas. Peut-être que vous le savez, mais vous ne me l'avez pas dit. Seulement, cette nuit, j'ai fait comme si vous en étiez sûr.

» Ils continuaient à me servir de grands verres de whisky.

» J'avais tellement honte de moi, vous me croirez si vous voulez, que je préférais aller jusqu'au bout.

» Il y avait, dans la 169ᵉ Rue, un tailleur italien qui était au courant de tout, qui avait peut-être assisté au crime.

» Et Jos Mac Gill a fini par le rencontrer, je ne sais pas comment, sans doute par hasard. Et ainsi il a appris la vérité sur Little John.

Maintenant, Maigret en était arrivé à fumer béatement sa pipe, comme un homme à qui un enfant raconte une savoureuse histoire.

— Continue.

— Mac Gill s'était lié avec des types pas recommandables, des types comme ceux de cette nuit. Et ils ont décidé ensemble de faire chanter Little John.

» Et Little John a eu peur.

» Quand ils ont appris que son fils arrivait d'Europe, ils ont voulu tenir le père davantage encore et ils ont kidnappé Jean Maura à l'arrivée du bateau.

» Je n'ai pas pu leur dire comment Jean Maura était revenu au *Saint-Régis*. Peut-être que Little John a craché la grosse somme ? Peut-être que, pas si bête, il a découvert la cachette où l'on gardait le jeune homme ?

» Je leur ai affirmé que vous saviez tout.

— Et qu'on allait les arrêter ? questionna Maigret en se levant.

— Je ne me le rappelle plus. Je crois que oui. Et que vous n'ignoriez pas non plus que c'étaient eux.

— Qui eux ?

— Ceux qui m'ont donné les cinq cents dollars.

— Que c'était eux qui avaient fait quoi ?

— Qui avaient tué le vieil Angelino avec la voiture. Parce que Mac Gill avait appris que vous alliez tout découvrir. Voilà. On peut m'arrêter.

Maigret dut détourner la tête pour cacher son sourire tandis que le lieutenant Lewis restait sérieux comme un pape.

— Qu'est-ce qu'ils ont répondu ?

— Ils m'ont fait monter dans une auto. Je croyais que c'était pour aller m'abattre quelque part dans un quartier désert. Cela leur aurait donné l'occasion de reprendre les cinq cents dollars. Ils m'ont simplement déposé en face de City Hall et ils m'ont dit...

— Qu'est-ce qu'ils ont dit ?

— *Va dormir, idiot !* Qu'est-ce que vous allez faire ?

— Vous dire la même chose.

— Comment ?

— Je vous dis d'aller dormir. C'est tout.

— Je suppose que je ne dois plus revenir ?

— Au contraire.

— Vous avez encore besoin de moi ?

— Cela pourrait arriver.

— Parce que, dans ce cas...

Et il louchait vers les cinq cents dollars, soupirait :

— Je n'ai pas gardé un *cent*. Je ne pourrais pas même prendre le *subway* pour rentrer chez moi. Aujourd'hui, je ne vous demande pas cinq dollars comme les autres jours, mais seulement un dollar. Maintenant que je suis une canaille...

— Qu'est-ce que vous en pensez, lieutenant ?

Au lieu d'éclater de rire comme Maigret avait envie de le faire, le collègue d'O'Brien contemplait gravement ses notes et disait :

— Ce n'est pas Mac Gill qui a fait enlever Jean Maura.

— Parbleu !

— Vous le savez ?

— J'en ai la conviction.

— Nous, nous en avons la certitude.

Et il avait l'air de marquer un point en faisant cette distinction entre une certitude américaine et une simple conviction française.

— Le jeune Maura a été emmené par un personnage qui lui a remis une lettre de son père.

— Je sais.

— Mais nous, nous savons aussi où il a conduit le jeune homme. Dans un cottage du Connecticut qui appartient à Maura, mais où il n'a pas mis les pieds depuis plusieurs années.

— C'est tout à fait plausible.

— C'est certain. Nous avons les preuves.

— Et c'est son père qui l'a fait ramener auprès de lui au *Saint-Régis*.

— Comment le savez-vous ?

— Je le devine.

— Nous ne devinons pas. Le même personnage est allé deux jours plus tard rechercher le jeune Maura.

— Ce qui signifie, murmura Maigret en tirant sur sa pipe, que pendant deux jours il y a eu des raisons pour que ce jeune homme soit en dehors de la circulation.

Le lieutenant le regarda avec un étonnement comique.

— On pourrait relever une coïncidence, poursuivait le commissaire. C'est que le jeune homme n'a reparu qu'après la mort du vieil Angelino.

— Et vous en déduisez ?

— Rien. Votre collègue O'Brien vous dira que je ne déduis jamais. Il ajoutera sans doute avec une pointe de malice que je ne pense jamais. Vous pensez, vous ?

Maigret se demanda s'il n'était pas allé trop loin, mais Lewis, après un instant de réflexion, répliqua :

— Quelquefois. Quand j'ai en main les éléments suffisants.

— À ce moment-là, ce n'est plus la peine de penser.

— Quelle est votre opinion sur le récit que nous a fait Ronald Dexter ? C'est bien Dexter, n'est-ce pas ?

— Je n'ai pas d'opinion ; cela m'a beaucoup amusé.

— Il est exact que les dates coïncident.

— J'en suis persuadé. Elles coïncident aussi avec le départ de Maura pour l'Europe.

— Que voulez-vous dire ?

— Que Jos Mac Gill est né un mois avant le retour de Little John de Bayonne. Que, d'autre part, il est né huit mois et demi après le départ de celui-ci.

— De sorte ?

— De sorte qu'il peut aussi bien être le fils de l'un que de l'autre. Nous avons le choix, comme vous voyez. C'est très pratique.

Maigret n'y pouvait rien. La scène du clown à la gueule de bois l'avait mis en bonne humeur et l'attitude de pisse-froid du lieutenant Lewis était bien faite pour le maintenir dans cet état d'esprit.

— J'ai donné ordre de rechercher tous les actes de décès de cette époque pouvant se rapporter à Joseph Daumale et à Jessie.

Et Maigret, féroce :

— À condition qu'ils soient morts.

— Où seraient-ils ?

— Où sont les quelque trois cents locataires qui habitaient au même moment l'immeuble de la 169ᵉ Rue ?

— Si Joseph Daumale était vivant…

— Eh bien ?

— Il se serait probablement occupé de son fils.

— À la condition que ce soit le sien.

— On l'aurait retrouvé dans le sillage de Little John.

— Pourquoi ? Est-ce parce que deux jeunes gens, lors de leurs débuts, ont fait ensemble un numéro de music-hall qu'ils sont liés à vie ?

— Et Jessie ?

— Remarquez que je ne prétends pas qu'elle n'est pas morte, ni que Daumale n'est pas mort. Mais l'un

peut fort bien avoir cassé sa pipe l'année dernière à
Paris ou à Carpentras et l'autre se trouver maintenant
dans un asile de vieilles femmes. Le contraire est tout
aussi probable.

— Je suppose, commissaire, que vous plaisantez ?

— À peine.

— Suivez mon raisonnement.

— Parce que vous avez raisonné ?

— Toute la nuit. Nous avons, au départ, voilà
vingt-huit ans exactement, trois personnages.

— Les trois *J*...

— Comment ?

— Je dis : les trois *J*... C'est comme cela que nous
les appelons.

— Qui, vous ?

— La voyante et l'ancien homme de cirque.

— À propos, je les ai fait surveiller comme vous
l'avez demandé. Jusqu'ici, il ne s'est rien produit.

— Et il ne se produira sans doute rien, maintenant que le clown a trahi, selon son expression. Nous
en étions aux trois *J*... Joachim, Joseph et Jessie. Il y
a vingt-huit ans, comme vous dites, il y avait ces trois
personnages-là, et un quatrième qui s'appelait, de son
vivant, Angelino Giacomi.

— Exact.

Il recommençait à prendre des notes. C'était une
manie.

— Et aujourd'hui...

— Aujourd'hui, se hâta d'intervenir l'Américain,
nous nous trouvons à nouveau devant trois personnages.

— Mais ce ne sont plus les mêmes. Joachim d'abord, qui, avec le temps, est devenu Little John, Mac Gill et un autre jeune homme qui, lui, paraît être incontestablement le fils de Maura. Le quatrième personnage, Angelino, existait il y a deux jours encore, mais, sans doute pour simplifier le problème, on l'a supprimé.

— Pour simplifier le problème ?

— Excusez-moi… Trois personnages il y a vingt-huit ans et trois personnages aujourd'hui. Autrement dit, les deux qui manquent de l'ancienne équipe ont été remplacés.

— Et Maura a l'air de vivre dans la terreur de son soi-disant secrétaire Mac Gill.

— Vous croyez ?

— Le capitaine O'Brien m'a appris que c'était votre impression aussi.

— Je crois lui avoir confié que Mac Gill se montrait plein d'assurance et qu'il lui arrivait souvent de prendre la parole à la place de son patron.

— C'est la même chose.

— Pas tout à fait.

— Je croyais, en venant vous voir ce matin, que vous me diriez en toute franchise ce que vous pensez de cette affaire. Le capitaine m'a confié…

— Il a encore parlé de mes impressions ?

— Non, mais des siennes. Il m'a fait part de sa conviction que vous aviez une idée et qu'elle avait des chances d'être la bonne. J'espérais donc qu'en confrontant vos idées à vous et les miennes…

— Nous arriverions à la solution ?… Eh bien ! vous avez entendu mon clown attitré.

— Vous pensez tout ce qu'il a dit ?

— Rien du tout.

— Vous pensez qu'il s'est trompé ?

— Il a bâti un joli roman, qui est presque un roman d'amour… À cette heure-ci, Little John, Mac Gill et peut-être quelques autres doivent être en effervescence.

— J'en ai la preuve.

— Vous pouvez me la donner ?

— Ce matin, Mac Gill a fait retenir une cabine de première classe sur le paquebot qui part à quatre heures pour la France. Au nom de Jean Maura.

— C'est assez naturel, vous ne trouvez pas ? Ce jeune homme, qui est en plein dans ses études, quitte soudain Paris et l'université pour accourir à New York où son papa juge qu'il n'a rien à faire. On le renvoie donc là d'où il vient.

— C'est un point de vue.

— Voyez-vous, mon cher lieutenant, je comprends parfaitement votre déception. On vous a répété, et on a eu tort, que je suis un homme intelligent qui, au cours de sa carrière, a résolu un certain nombre de problèmes criminels. Mon ami O'Brien, qui cultive volontiers l'ironie, a dû exagérer quelque peu. Or, *primo*, je ne suis pas intelligent.

C'était drôle de voir le policier vexé comme si on se fût moqué de lui, alors que Maigret n'avait jamais été aussi sincère.

— *Secundo*, je n'essaie jamais de me faire une idée sur une affaire avant qu'elle soit terminée. Vous êtes marié ?

— Mais oui.

Lewis était interloqué par cette question saugrenue.

— Il y a des années sans doute. Et je suis persuadé que vous avez la conviction que votre femme ne vous comprend pas toujours.

— Il arrive en effet…

— Et votre femme, de son côté, a la même conviction en ce qui vous concerne. Pourtant, vous vivez ensemble, vous passez des soirées ensemble, vous dormez dans le même lit, vous faites des enfants… Il y a quinze jours, je n'avais jamais entendu parler de Jean Maura ni de Little John. Il y a quatre jours, j'ignorais jusqu'à l'existence de Jos Mac Gill et ce n'est qu'hier, chez un vieux monsieur impotent, qu'une voyante m'a parlé d'une certaine Jessie.

» Et vous voudriez que j'aie une idée précise sur chacun d'eux ?

» Je nage, lieutenant… Sans doute nageons-nous tous les deux. Seulement, vous, vous luttez contre le flot, vous prétendez aller dans une direction déterminée, alors que moi je me laisse aller avec le courant en me raccrochant par-ci par-là à une branche qui passe.

» J'attends des câbles de France. O'Brien a dû vous en parler. J'attends aussi, comme vous, les résultats des recherches que vos hommes ont entreprises au sujet des actes de décès, des licences de mariage, etc.

» En attendant, je ne sais rien.

» Au fait, à quelle heure part le bateau pour la France ?

— Vous voulez vous embarquer ?

— Pas le moins du monde, encore que ce serait le plus sage. Il fait beau temps. C'est mon premier jour de soleil à New York. Cela me fera une promenade d'aller assister au départ de Jean Maura et je ne serais pas fâché de serrer la main de ce garçon avec qui j'ai eu le plaisir de faire une charmante traversée.

Il se levait, cherchait son chapeau, son pardessus, tandis que le policier, déçu, refermait à regret son carnet et le glissait dans sa poche.

— Si nous allions prendre l'apéritif ? proposa le commissaire.

— Ne m'en veuillez pas de refuser, mais je ne bois jamais d'alcool.

Une petite flamme dans les gros yeux de Maigret. Il faillit dire, mais il se retint à temps :

« Je l'aurais juré. »

Ils sortirent ensemble de l'hôtel.

— Tiens ! mon Sicilien n'est plus à son poste. Ils doivent penser que, maintenant que Dexter a mangé le morceau, il n'est plus nécessaire de surveiller mes allées et venues.

— J'ai ma voiture, commissaire... Je vous dépose quelque part ?

— Non, merci...

Il avait envie de marcher. Il gagna tranquillement Broadway, puis certaine rue où il espérait bien retrouver le *Donkey Bar*. Il commença par se tromper, mais il reconnut enfin la façade, entra dans la salle presque déserte à cette heure.

À un bout du comptoir, pourtant, le journaliste aux dents jaunies à qui Mac Gill et le détective-boxeur s'étaient adressés le premier jour était en train d'écrire un article tout en sirotant un double whisky.

Il leva la tête, reconnut Maigret, fit une grimace pas jolie et finit par saluer d'un signe de tête.

— De la bière ! commanda le commissaire parce que l'air sentait déjà le printemps et que cela lui donnait soif.

Il la dégusta en homme paisible, qui a devant lui de longues heures de flânerie.

8

Au Quai des Orfèvres, un an plus tôt encore, on disait de Maigret dans ces moments-là :

— Ça y est. Le patron est en transe.

L'irrespectueux inspecteur Torrence, lui, qui n'en avait pas moins un véritable culte pour le commissaire, disait plus crûment :

— Voilà le patron dans le bain.

« En transe » ou « dans le bain », c'était en tout cas un état que les collaborateurs de Maigret voyaient venir avec soulagement. Et ils étaient arrivés à en deviner l'approche à de petits signes avant-coureurs, à prévoir avant le commissaire le moment où la crise se déclarerait.

Qu'est-ce qu'un Lewis aurait pensé de l'attitude de son collègue français pendant les heures qui suivirent ? Il n'aurait pas compris, c'était fatal, et sans doute l'aurait-il regardé avec une certaine pitié. Le capitaine O'Brien lui-même, à l'ironie si fine sous de lourdes apparences, aurait-il pu suivre le commissaire jusque-là ?

Cela se passait d'une façon assez curieuse, que Maigret n'avait jamais eu la curiosité d'analyser, mais qu'il avait fini par connaître à force d'en entendre parler avec de multiples détails par ses collègues de la Police judiciaire.

Pendant des jours, parfois des semaines, il pataugeait dans une affaire, il faisait ce qu'il y avait à faire, sans plus, donnait des ordres, s'informait sur les uns et sur les autres, avec l'air de s'intéresser médiocrement à l'enquête et parfois de ne pas s'y intéresser du tout.

Cela tenait à ce que, pendant ce temps-là, le problème ne se présentait encore à lui que sous une forme théorique. Tel homme a été tué dans telles et telles circonstances. Untel et Untel sont suspects.

Ces gens-là, au fond, ne l'intéressaient pas. *Ne l'intéressaient pas encore.*

Puis soudain, au moment où on s'y attendait le moins, où on pouvait le croire découragé par la complexité de sa tâche, le déclic se produisait.

Qui est-ce qui prétendait qu'à ce moment-là il devenait plus lourd ? N'était-ce pas un ancien directeur de la P. J. qui l'avait vu travailler pendant des années ? Ce n'était qu'une boutade, mais elle rendait bien la vérité. Maigret, tout à coup, paraissait plus épais, plus pesant. Il avait une façon différente de serrer sa pipe entre ses dents, de la fumer à bouffées courtes et très espacées, de regarder autour de lui d'un air presque sournois, en réalité parce qu'il était entièrement pris par son activité intérieure.

Cela signifiait, en somme, que les personnages du drame venaient, pour lui, de cesser d'être des entités, ou des pions, ou des marionnettes, pour devenir des hommes.

Et ces hommes-là, Maigret se mettait dans leur peau. Il s'acharnait à se mettre dans leur peau.

Ce qu'un de ses semblables avait pensé, avait vécu, avait souffert, n'était-il pas capable de le penser, de le revivre, de le souffrir à son tour ?

Tel individu, à un moment de sa vie, dans des circonstances déterminées, avait réagi, et il s'agissait, en somme, de faire jaillir du fond de soi-même, à force de se mettre à sa place, des réactions identiques.

Seulement, ce n'était pas conscient. Maigret ne s'en rendait pas toujours compte. Par exemple, il croyait rester Maigret et bien Maigret, tandis qu'il déjeunait tout seul à un comptoir.

Or, s'il avait regardé son visage dans la glace, il y aurait surpris certaines des expressions de Little John. Entre autres celle de l'ancien violoniste, dans son appartement du *Saint-Régis*, au moment où, venant du fond de cet appartement, de cette pièce pauvre qu'il s'était aménagée comme une sorte de refuge, il regardait pour la première fois le commissaire par la porte qu'il entrouvrait.

Était-ce de la peur ? Ou bien une sorte d'acceptation de la fatalité ?

Le même Little John marchant vers la fenêtre, dans les moments difficiles, écartant le rideau d'une main nerveuse et regardant dehors, tandis que Mac Gill prenait automatiquement la direction des opérations.

Il ne suffisait pas de décider :

« Little John est ceci ou cela... »

Il fallait le sentir. Il fallait devenir Little John. Et voilà pourquoi, tandis qu'il marchait dans les rues, puis qu'il hélait un taxi pour se faire conduire aux docks, le monde extérieur n'existait pas.

Il y avait le Little John de jadis, celui qui était arrivé de France à bord de l'*Aquitaine* avec son violon sous le bras, en compagnie de Joseph le clarinettiste.

… Le Little John qui, au cours de sa pitoyable tournée dans les États du Sud, partageait son dîner avec une fille maigre et maladive, avec une Jessie qu'on nourrissait en prélevant une partie de deux repas.

Il prit à peine garde aux deux hommes de la police qu'il reconnut sur le quai d'embarquement. Il sourit vaguement. C'était évidemment le lieutenant Lewis qui les avait envoyés à tout hasard, et Lewis faisait son métier correctement ; on ne pouvait pas lui en vouloir.

Un quart d'heure seulement avant le départ du navire, une longue limousine stoppa en face des bâtiments de la douane et Mac Gill sauta à terre le premier, puis Jean Maura, vêtu d'un complet de tweed clair qu'il avait dû acheter à New York, Little John enfin, qui paraissait avoir adopté une fois pour toutes le bleu marine et le noir pour ses vêtements.

Maigret ne se cachait pas. Les trois hommes devaient passer près de lui. Leurs réactions furent différentes. Mac Gill, qui marchait le premier et qui portait le léger sac de voyage de Jean, fronça les sourcils, puis, peut-être par forfanterie, esquissa une moue quelque peu méprisante.

Jean Maura, lui, hésita, regarda son père, fit quelques pas vers le commissaire à qui il serra la main.

— Vous ne rentrez pas en France… Je vous demande encore pardon… Vous auriez dû prendre le bateau avec moi… Il n'y a rien, vous savez… Je me suis conduit comme un sot.

— Mais oui.

— Merci, commissaire.

Quant à Little John, il continuait son chemin et allait attendre un peu plus loin, puis il saluait Maigret, simplement, sans ostentation.

Le commissaire ne l'avait jamais vu que dans son appartement. Il s'étonnait un peu de le trouver, dehors, encore plus petit qu'il n'avait cru. Et aussi il le trouvait plus vieux, plus marqué par la vie. Était-ce récent ? Il y avait comme un voile sur cet homme dont on ne sentait pas moins la prodigieuse énergie.

Tout cela ne comptait pas. Ce n'étaient même pas des pensées. Les derniers passagers montaient à bord. Les parents et les amis restaient rangés sur le quai, la tête en l'air. Quelques Anglais, selon la coutume de chez eux, envoyaient des serpentins vers les bastingages et ceux qui partaient en tenaient gravement un bout.

Le commissaire aperçut Jean Maura sur la passerelle des premières. Il le voyait de bas en haut et un instant il crut voir, non le fils, mais le père, il crut assister, non à l'embarquement d'aujourd'hui, mais à celui de jadis, quand Joachim Maura était reparti pour la France, où il devait rester près de dix mois.

Joachim Maura, lui, n'avait pas voyagé en première classe, mais en troisième. Était-il venu seul jusqu'aux

docks ? N'y avait-il pas, pour lui aussi, deux personnes sur le quai ?

Ces personnes-là, Maigret les cherchait machinalement, il évoquait le clarinettiste et Jessie qui devaient
attendre comme lui, le nez en l'air, de voir la muraille
mouvante du navire se détacher du quai.

Puis... Puis ils s'en allaient tous les deux... Est-ce
que Joseph prenait le bras de Jessie ? Est-ce que
c'était Jessie qui s'accrochait machinalement au bras
de Joseph ?... Est-ce qu'elle pleurait ? Est-ce qu'il lui
disait : « Il reviendra bientôt » ?

En tout cas, ils n'étaient plus qu'eux deux dans
New York, tandis que Joachim, debout sur le pont,
regardait l'Amérique se rapetisser pour sombrer enfin
dans la brume du soir.

Cette fois encore deux personnes qui restaient,
Little John et Mac Gill, s'en allaient côte à côte, mar-
chant d'un pas égal vers l'auto qui les attendait. Mac
Gill ouvrait la portière et s'effaçait.

Il ne fallait pas vouloir aller trop vite, comme le
lieutenant Lewis. Il ne fallait pas courir après les
vérités qu'on voulait découvrir, mais se laisser impré-
gner par la vérité pure et simple.

Et voilà pourquoi Maigret se dirigeait, les mains
dans les poches, vers un quartier qu'il ne connaissait
pas. Peu importait. En pensée, il suivait Jessie et
Joseph dans le *subway*. Est-ce que le *subway* existait
de leur temps ? Probablement que oui. Ils avaient dû
rentrer tout de suite dans la maison de la 169e Rue. Et
là, s'étaient-ils séparés sur le palier ? Est-ce que
Joseph n'avait pas consolé sa compagne ?

Pourquoi un souvenir tout récent frappait-il maintenant le commissaire ? Au moment où l'incident se produisait, il n'y avait pas pris garde.

À midi, il avait longuement siroté sa bière au *Donkey Bar*. Il avait commandé un second verre, car elle était bonne. À l'instant où il s'en allait, le journaliste aux dents gâtées, Parson, avait levé la tête et lui avait lancé :

— Bien le bonjour, monsieur Maigret !

Or il lui avait dit cela en français, avec un fort accent en prononçant *Mégrette.* Il avait une voix désagréable, trop aiguë et comme coupante, avec des intonations canailles ou plutôt méchantes.

C'était un aigri, un révolté, à coup sûr. Maigret l'avait regardé, un peu surpris. Il avait grommelé un vague bonjour et il était sorti sans y penser davantage.

Il se souvenait tout à coup que, quand il était allé une première fois au *Donkey Bar* en compagnie de Mac Gill et de son détective au *chewing-gum*, son nom n'avait pas été prononcé. Parson n'avait pas dit non plus qu'il connaissait le français.

Cela n'avait probablement aucune importance. Maigret ne s'y attardait pas. Et pourtant ce détail s'intégrait de lui-même à la masse de ses préoccupations inconscientes.

Quand il se trouva à Times Square, il regarda machinalement le *Times Square Building* qui lui bouchait l'horizon. Cela lui rappela que c'était dans ce gratte-ciel que Little John avait ses bureaux.

Il entra. Il ne venait rien chercher de particulier. Mais il ne connaissait du Little John d'aujourd'hui que son cadre intime du *Saint-Régis*. Pourquoi ne pas voir l'autre ?

Il chercha sur le tableau la mention *Automatic Record C°* et un ascenseur rapide le conduisit au quarante-deuxième étage.

C'était banal. Il n'y avait rien à voir. Tous ces phonos automatiques, ces boîtes à rêves que l'on trouvait dans la plupart des bars et des restaurants, c'était ici, en somme, qu'ils venaient aboutir. Ici, en tout cas, que les centaines de milliers de pièces de cinq *cents* dégorgées par les machines se transformaient en compte en banque, en actions et en comptabilité sur les grands livres.

Une mention, sur une porte vitrée :

General Manager : John Maura.

D'autres portes vitrées, numérotées, avec les noms de tout un état-major, et enfin une immense pièce aux bureaux métalliques, aux lampes bleuâtres, où travaillaient une bonne centaine d'employés et d'employées.

On lui demanda ce qu'il désirait et il répondit tranquillement, en faisant demi-tour après avoir secoué sa pipe contre son talon :

— Rien.

Se rendre compte, tout simplement. Est-ce que le lieutenant Lewis ne comprendrait pas cela ?

Et il marchait à nouveau dans la rue, s'arrêtait devant un bar, hésitait, haussait les épaules. Pourquoi pas ? Cela ne lui faisait pas de tort, dans ces moments-là, et il ne pleurait pas comme Ronald Dexter. Tout seul à un coin du comptoir, il vida deux verres d'alcool, coup sur coup, paya et sortit comme il était entré.

Joseph et Jessie étaient seuls, désormais, seuls pour dix mois dans la maison de la 169e Rue, en face de la boutique du tailleur.

Qu'est-ce qu'il lui prit de prononcer soudain, à voix haute, ce qui fit se retourner un passant :

— Non…

Il pensait au vieil Angelino, à la mort ignoble du vieil Angelino et il disait non parce qu'il était sûr, sans savoir exactement pourquoi, que cela ne s'était pas passé comme Lewis l'imaginait.

Il y avait quelque chose qui ne collait pas. Il revoyait Little John et Mac Gill se dirigeant vers la limousine noire qui les attendait et il répétait en lui-même :

— Non…

C'était fatalement plus simple. Les événements peuvent se payer le luxe d'être compliqués ou de le paraître. Les hommes, eux, sont toujours plus simples qu'on l'imagine.

Même un Little John… Même un Mac Gill…

Seulement, pour comprendre cette simplicité-là, il fallait aller tout au fond et non se contenter d'explorer la surface.

— Taxi…

Il oubliait qu'il était à New York et il se mettait à parler français au chauffeur ahuri. Il s'en excusait, donnait en anglais l'adresse de la voyante.

Il avait besoin de lui poser une question, une seule. Elle habitait, elle aussi, dans Greenwich Village et le commissaire fut assez surpris de trouver une maison de belle apparence, une maison bourgeoise de quatre étages, avec un escalier propre couvert d'un tapis, des paillassons devant les portes.

Madame Lucile
Voyante extra-lucide
Sur rendez-vous seulement.

Il sonna et la sonnerie, de l'autre côté de la porte, rendit un son étouffé, comme chez les vieilles gens. Puis il y eut des pas feutrés, une hésitation, et enfin un bruit très léger, celui d'un verrou que l'on tire avec précaution.

La porte ne fit que s'entrouvrir à peine et, par la fente, un œil le regardait. Maigret souriait malgré lui, disait :

— C'est moi !

— Oh ! je vous demande pardon. Je ne vous avais pas reconnu. Comme je n'avais pas de rendez-vous à cette heure-ci, je me demandais qui pouvait bien venir… Entrez… Excusez-moi si je vous ai ouvert moi-même, mais la bonne est en course.

Il n'y avait sûrement pas de bonne, mais cela était sans importance.

Il faisait presque noir et aucune lampe n'était allumée. Un fauteuil, en face d'un poêle anglais, laissait voir la flamme du charbon.

L'atmosphère était douce et chaude, un peu fade. Mme Lucile allait d'un commutateur à l'autre et des lampes s'allumaient, invariablement voilées d'abat-jour bleus ou roses.

— Asseyez-vous… Est-ce que vous avez des nouvelles de votre frère ?

Maigret avait presque oublié cette histoire de frère
que le clown avait racontée pour attendrir Germain et
sa vieille amie. Il regardait autour de lui, étonné, car,
au lieu du bric-à-brac qu'il avait imaginé, il trouvait
un petit salon Louis XVI qui lui rappelait tant de
petits salons pareils, à Passy ou à Auteuil.

Seul, le maquillage excessif, maladroit de la vieille
femme donnait à la pièce quelque chose d'équivoque. Sa face, sous une croûte de crème et de
poudre, était blafarde comme une lune, avec du rouge
saignant pour les lèvres, de longs cils bleuâtres de
poupée.

— J'ai bien pensé à vous et à mes anciens camarades *J and J.*

— C'est à leur sujet que je voudrais vous poser une
question.

— Vous savez… Je suis presque sûre… Vous vous
souvenez que vous m'avez demandé lequel des deux
était amoureux… Je crois, maintenant que j'y
repense, qu'ils l'étaient tous les deux.

De cela, Maigret se moquait.

— Ce que je voudrais savoir, madame, c'est…
Attendez… J'aimerais que vous compreniez ma
pensée… Il est rare que deux jeunes gens du même
âge, sortis à peu près du même milieu, possèdent la
même vitalité… la même vigueur de caractère, si vous
préférez… Il y en a toujours un qui a le pas sur
l'autre… Mettons encore qu'il y a toujours un chef…
Attendez…

» Dans ce cas-là, il existe pour le second différentes attitudes possibles, qui dépendent des caractères.

» Certains acceptent d'être dominés par leur ami, cherchent parfois cette domination... D'autres, au contraire, se révoltent à tout propos.

» Vous voyez que ma question est assez délicate. Ne vous pressez pas de répondre... Vous avez vécu près d'un an avec eux... Lequel des deux vous a laissé le souvenir le plus vivace ?

— Le violoniste, répondit-elle sans hésiter.

— Donc, Joachim... Le blond aux cheveux longs, au visage très maigre ?

— Oui... Et pourtant, il n'était pas toujours agréable.

— Que voulez-vous dire ?

— Je ne pourrais pas préciser... C'est une impression... Tenez !... *J and J* ne constituaient que le dernier des numéros du programme, n'est-ce pas ?... Robson et moi étions les vedettes... Il y a, dans ces cas-là, une certaine hiérarchie... Pour les valises, par exemple... Eh bien ! jamais le violoniste ne m'aurait proposé de me porter ma valise.

— Tandis que l'autre ?

— Il l'a fait plusieurs fois... Il était plus poli, mieux élevé.

— Joseph ?

— Oui... Celui à la clarinette. Et pourtant... Mon Dieu ! que c'est difficile à expliquer ! Joachim n'était pas d'humeur régulière, voilà. Un jour, il se montrait séduisant, d'une affabilité délicieuse, puis, le lendemain, il ne vous adressait pas la parole. Je crois qu'il était trop orgueilleux, qu'il souffrait de sa situation.

Joseph, au contraire, l'acceptait en souriant. Et voilà encore que je dis quelque chose de faux. Car il ne souriait pas souvent.

— C'était un triste ?

— Non plus ! Il faisait les choses correctement, convenablement, de son mieux, sans plus. On lui aurait demandé d'aider les machinistes ou de prendre place dans le trou du souffleur qu'il aurait accepté, tandis que l'autre se serait dressé sur ses ergots. Voilà ce que je veux dire. N'empêche que je préférais Joachim, même quand il devenait cassant.

— Je vous remercie.

— Vous ne prendrez pas une tasse de thé ? Vous ne voulez pas que j'essaie de vous aider ?

Elle venait de prononcer ces mots avec une étrange pudeur et Maigret ne comprit pas tout de suite.

— Je pourrais essayer de voir.

Ce n'est qu'alors qu'il se souvint qu'il était chez une voyante extra-lucide et il faillit, par bonté d'âme, pour ne pas la décevoir, accepter une consultation.

Mais non ! Il n'avait pas le courage d'assister à ses simagrées, d'entendre à nouveau sa voix mourante et les questions qu'elle posait à son Robson défunt.

— Je reviendrai, madame... Ne m'en veuillez pas si je n'ai pas le temps aujourd'hui.

— Je vous comprends.

— Mais non...

Allons ! Il s'enferrait. Il était navré de la laisser sur une mauvaise impression, mais il n'y avait rien d'autre à faire.

— J'espère que vous retrouverez votre frère.

Tiens ! Il y avait en bas, devant l'immeuble, un homme qu'il n'avait pas remarqué en entrant et qui le dévisageait. Un des détectives de Lewis, sans doute. Est-ce que sa présence était encore bien utile ?

Il se fit conduire à nouveau dans Broadway. C'était déjà devenu son port d'attache et il commençait à s'y retrouver. Pourquoi pénétra-t-il sans hésiter au *Donkey Bar* ?

Il devait d'abord téléphoner. Mais, surtout, il avait envie, sans raison bien précise, de revoir le journaliste à la voix grinçante et il savait qu'à cette heure il serait ivre.

— Bonjour, monsieur Mégrette.

Parson n'était pas seul. Il était entouré de trois ou quatre types qu'apparemment il faisait rire par ses saillies depuis un bon moment.

— Vous boirez bien un *scotch* avec nous ? poursuivait-il en français. Il est vrai qu'en France vous n'aimez pas le whisky. Un cognac, monsieur le commissaire de la Police judiciaire en retraite ?

Il voulait être comique. Il se savait ou se croyait le point de mire de tout le bar où peu de gens, en réalité, s'occupaient de lui.

— C'est un beau pays, la France, n'est-ce pas ?

Maigret hésita, remit son coup de téléphone à plus tard et s'accouda au bar à côté de Parson.

— Vous la connaissez ?

— J'y ai vécu deux ans.

— À Paris ?

— Le « gai Paris », oui… Et à Lille, à Marseille, à Nice… La Côte d'Azur, n'est-ce pas ?

Il lançait tout cela méchamment, comme si les moindres paroles eussent eu un sens connu de lui seul.

Si Dexter était un ivrogne triste, Parson, lui, était le type de l'ivrogne méchant, agressif.

Il se savait maigre et laid, il se savait sale, il se savait méprisé ou détesté et il en voulait à l'humanité tout entière, laquelle, pour le moment, prenait la forme et le visage de ce Maigret placide qui le regardait avec de gros yeux calmes, comme on regarde une mouche affolée par l'orage.

— Je parie que quand vous y retournerez, dans votre belle France, vous direz tout le mal possible de l'Amérique et des Américains... Tous les Français sont comme ça... Et vous raconterez que New York est plein de gangsters... Ha ! ha !... Seulement, vous oublierez de dire que la plupart sont venus d'Europe...

Et, éclatant d'un vilain rire, il pointa son index vers la poitrine de Maigret.

— Vous omettrez aussi d'ajouter qu'il y a autant de gangsters à Paris qu'ici... Seulement, les vôtres sont des gangsters bourgeois... Ils ont une femme et des enfants... Et, quelquefois, ils sont décorés... Ha ! ha !... Une tournée, Bob !... Un brandy pour M. Mégrette qui n'aime pas le whisky.

» Mais voilà !... Est-ce que vous y retournerez, en Europe ?

Il regardait ses compagnons d'un air malin, tout fier d'avoir lancé cette phrase en plein visage du commissaire.

— Hein ? est-ce que vous êtes sûr d'y retourner ? Supposons que les gangsters d'ici ne le veuillent pas. Hein ? Est-ce que vous croyez que c'est le bon M. O'Brien ou l'honorable M. Lewis qui y pourront quelque chose ?

— Vous n'étiez pas au bateau pour le départ de Jean Maura ? questionna le commissaire d'un air détaché.

— Il y avait bien assez de monde sans moi, n'est-ce pas ? À votre santé, monsieur Mégrette... À la santé de la police parisienne.

Et ces derniers mots lui parurent si drôles qu'il se tordit littéralement de rire.

— En tout cas, si vous reprenez le bateau, je vous promets d'y aller et de vous demander une interview... *Le célèbre commissaire Maigret déclare à notre brillant collaborateur Parson qu'il est très satisfait de ses contacts avec la Police fédérale et...*

Deux des hommes qui faisaient partie du groupe s'en allèrent sans mot dire et, chose étrange, Parson, qui les vit partir, ne leur adressa pas la parole, n'eut pas l'air étonné.

À ce moment-là, Maigret regretta de n'avoir personne à sa disposition pour les suivre.

— Encore un verre, monsieur Mégrette... Voyez-vous, il faut en profiter tant qu'on est là pour les boire... Regardez bien ce comptoir... Des milliers et des milliers de gens y ont frotté leurs coudes comme nous le faisons en ce moment... Il y en a qui ont refusé un dernier whisky en disant :

» — Demain...

» Et, le lendemain, ils n'étaient plus là pour le boire.

» Résultat : un bon *scotch* de perdu… Ha ! ha ! Quand j'étais en France, j'avais toujours une étiquette avec l'adresse de mon hôtel épinglée dans mon pardessus… Comme cela, les gens savaient où me conduire… Vous n'avez pas d'étiquette, vous ?

» C'est bien pratique, même pour la morgue, parce que cela abrège les formalités… Où allez-vous ?… Vous refusez le dernier *drink* ?

Maigret en avait assez, tout simplement. Il s'en allait après avoir regardé dans les yeux le journaliste criaillant.

— Au revoir, laissa-t-il tomber.

— Ou adieu ! riposta l'autre.

Au lieu de téléphoner de la cabine du *Donkey Bar*, il préféra rentrer à pied à son hôtel. Il y avait un télégramme dans son casier, mais il ne l'ouvrit pas avant d'être entré dans sa chambre. Et, même là, par une sorte de coquetterie, il posa l'enveloppe sur la table et composa un numéro de téléphone.

— Allô… Le lieutenant Lewis ?… Ici, Maigret… Avez-vous retrouvé la trace d'une licence de mariage ?… Oui… Quelle date ?… Un instant… Au nom de John Maura et de Jessie Dewey ?… Oui… Comment ?… Née à New York… Bien… La date ?… Je ne comprends pas bien…

D'abord, il comprenait beaucoup moins bien l'anglais au téléphone que dans une conversation ordinaire. Ensuite, le lieutenant Lewis lui expliquait des choses assez compliquées.

— Bon… Vous dites que la licence a été prise à City Hall… Pardon… Qu'est-ce que c'est, City Hall ?… La mairie de New York ?… Bon. Quatre jours avant l'embarquement de Little John pour l'Europe… Et alors ?… Comment ? Cela ne prouve pas qu'ils soient mariés ?…

C'est cela qu'il ne comprenait pas bien.

— Oui… On peut avoir une licence de mariage et ne pas s'en servir ?… Dans ce cas-là, comment savoir s'ils sont mariés ?… Hein ?… Il n'y a que Little John qui pourrait nous le dire ?… Ou les témoins, ou la personne qui serait maintenant en possession de cette licence ?… C'est plus facile chez nous évidemment… Oui… Je crois que cela n'a pas d'importance… Je dis : je crois que cela n'a pas d'importance… Qu'ils soient mariés ou non… Comment ?… Je vous affirme que je n'ai aucun renseignement nouveau… Je me suis promené tout simplement… Il m'a dit au revoir, gentiment… Il a ajouté qu'il regrettait que je ne fasse pas le voyage de retour avec lui…

» Je suppose que, maintenant que vous avez le nom de famille de Jessie, vous allez pouvoir… Oui… Vos hommes sont déjà à l'œuvre ?… Je vous entends mal… Pas retrouvé trace de son décès ?… Cela ne veut rien dire, n'est-ce pas ?… Les gens ne meurent pas toujours dans leur lit…

» Mais non, mon cher lieutenant, je ne me contredis pas… Je vous ai dit ce matin que les personnes qu'on ne retrouve pas ne sont pas obligatoirement passées de vie à trépas… Je n'ai jamais prétendu que Jessie était vivante…

» Un instant… Voulez-vous rester à l'appareil ? Je viens de recevoir un câble de France en réponse à ma demande de renseignements… Je ne l'ai pas ouvert. Mais non ! Je voulais avant tout vous avoir au bout du fil.

Il posa le récepteur, fit sauter l'enveloppe du câble, qui était très long et qui disait en substance :

Joachim-Jean-Marie Maura : né à Bayonne le… Fils du plus important quincaillier de la ville. À perdu sa mère de bonne heure. Études secondaires au lycée. Études musicales. Conservatoire de Bordeaux. Premier prix de violon à dix-neuf ans. Départ pour Paris quelques semaines plus tard.

… N'est revenu à Bayonne que quatre ans après, pour la mort de son père dont il était le seul héritier et dont les affaires étaient assez embrouillées. Il a dû en tirer deux ou trois cent mille francs.

… Des cousins qui vivent encore à Bayonne et dans les environs prétendent qu'il a fait fortune en Amérique, mais il n'a jamais répondu à leurs lettres…

— Vous êtes toujours là, lieutenant ? Excusez-moi d'abuser de votre temps… En ce qui concerne Maura, rien d'important à signaler… Vous permettez que je continue ?…

Joseph-Ernest-Dominique Daumale, né à Bayonne le… Fils d'un receveur des postes et d'une institutrice. Sa mère est restée veuve alors qu'il avait quinze ans. Études au lycée, puis au conservatoire de Bordeaux. Départ pour Paris, où il a dû retrouver Maura. Séjour

assez long en Amérique. Actuellement chef d'orchestre
dans les villes d'eaux. A passé la dernière saison à La
Bourboule, où il s'est fait construire une villa et où il
doit se trouver en ce moment. Marié à Anne-Marie
Penette, des Sables-d'Olonne, dont il a trois enfants…

— Allô… Vous êtes là, lieutenant ?… Je vous
annonce que j'ai retrouvé un de vos morts… Oui, je
sais, ce ne sont pas les vôtres. Il s'agit de Joseph. Oui,
la clarinette. Eh bien ! Joseph Daumale est en France,
marié, père de famille, propriétaire d'une villa et chef
d'orchestre… Vous continuez l'enquête ?…
Comment ?… Mais non, je vous assure que je ne plai-
sante pas… Je sais, oui… Évidemment il y a le vieil
Angelino. Vous tenez vraiment à…

Lewis s'était mis à parler avec tant d'animation à
l'autre bout du fil que Maigret n'avait plus le courage
de faire l'effort nécessaire pour comprendre son
anglais. Il se contentait de grommeler avec indiffé-
rence :

— Oui… Oui… Comme vous voudrez… Bonsoir,
lieutenant… Ce que je vais faire ? Cela dépend de
l'heure qu'il est en France… Vous dites ? Minuit ?
C'est un peu tard. En téléphonant d'ici à une heure
du matin, il sera donc sept heures là-bas. L'heure à
laquelle les gens doivent se lever quand ils possèdent
une villa à La Bourboule. L'heure, en tout cas, à
laquelle on est à peu près sûr de les trouver chez eux.

» En attendant, j'irai au cinéma, tout bonnement.
On doit bien donner un film comique quelque part à
Broadway. Je vous avoue que je n'aime que les films
comiques.

» Bonsoir, lieutenant. Mes amitiés à O'Brien.

Et il alla se laver les mains, se rafraîchir le visage, se brosser les dents. Il mit ses pieds l'un après l'autre sur le fauteuil pour enlever la poussière de ses chaussures avec un mouchoir sale, ce qui lui aurait valu une scène de Mme Maigret.

Après quoi il descendit, guilleret, la pipe aux dents, et se choisit avec soin un bon petit restaurant.

C'était presque une partie fine à lui tout seul. Il commanda les plats qu'il aimait, un vieux bourgogne et un armagnac de derrière les fagots, hésita entre un cigare et sa pipe, opta enfin pour sa pipe et se retrouva dans les lumières mouvantes de Broadway.

Personne ne le connaissait, heureusement, car son prestige aurait sans doute baissé aux yeux des Américains. Le dos rond, les mains dans les poches, il avait l'air d'un bon bourgeois un peu badaud qui s'arrête devant les étalages, se donne parfois le plaisir de suivre des yeux une jolie femme et hésite devant les affiches des cinémas.

Quelque part, on projetait un « Laurel et Hardy » et Maigret, satisfait, passa au guichet pour donner sa monnaie, suivit l'ouvreuse dans l'obscurité du théâtre.

Un quart d'heure plus tard, il riait aux éclats, de si bon cœur et si bruyamment que ses voisins se poussaient du coude.

Une petite déception, pourtant. L'ouvreuse vint le prier poliment d'éteindre sa pipe, qu'il fourra à regret dans sa poche.

9

Une fois sorti du cinéma, vers onze heures et demie, il était calme, un peu lourd, sans nervosité, sans raideur, et cela lui rappela tellement d'autres enquêtes où, à un moment précis, il avait eu la même impression de force tranquille, avec tout juste une petite inquiétude au fond de la gorge – le trac, en somme – que pendant quelques instants il oublia qu'il était dans Broadway et non boulevard des Italiens et qu'il se demanda quelle rue prendre pour se rendre au Quai des Orfèvres.

Il commença par boire un verre de bière à un comptoir, non parce qu'il avait soif, mais par une sorte de superstition, parce qu'il avait toujours bu de la bière au moment de commencer un interrogatoire difficile, voire pendant les interrogatoires.

Il se souvenait des demis que le garçon de la *Brasserie Dauphine*, Joseph, lui montait dans son bureau du Quai, pour lui et souvent aussi pour le pauvre type qui, tout pâle en face de lui, attendait ses questions avec la quasi-certitude de sortir du bureau menottes aux poignets.

Pourquoi, ce soir-là, pensait-il au plus long, au plus dur de tous ces interrogatoires, devenu presque classique dans les annales de la Police judiciaire, celui de Mestorino, qui n'avait pas duré moins de vingt-six heures ?

À la fin, le bureau était plein de fumée de pipe, l'atmosphère irrespirable, il y avait partout des cendres, des verres vides, des déchets de sandwiches et les deux hommes avaient retiré leur cravate, leur veste ; les visages étaient si également burinés qu'un homme non averti aurait eu de la peine à dire lequel des deux était l'assassin.

Il pénétra dans une cabine téléphonique, un peu avant minuit, composa le numéro du *Saint-Régis* et demanda l'appartement de Little John.

Ce fut la voix de Mac Gill qu'il reconnut au bout du fil.

— Allô... Ici Maigret... Je voudrais parler à M. Maura.

Est-ce qu'il y avait dans sa voix un accent qui faisait comprendre que ce n'était plus le moment de jouer au plus fin ? Le secrétaire répondait simplement, sans détour, avec une sincérité évidente, que Little John était à une soirée, au *Waldorf*, et qu'il ne rentrerait vraisemblablement pas avant deux heures du matin.

— Voulez-vous lui téléphoner ou, ce qui vaudrait mieux, le rejoindre ? répliqua Maigret.

— Je ne suis pas seul ici. J'ai une amie dans l'appartement et...

— Renvoyez-la donc et faites ce que je vous dis. Il est absolument nécessaire, vous m'entendez, il est indispensable, si vous préférez, que Little John et vous soyez dans ma chambre du *Berwick* à une heure moins dix au plus tard. Au plus tard, j'insiste. Non, il n'est pas possible de fixer le rendez-vous ailleurs. Si Little John hésitait, dites-lui que je veux le faire assister à une conversation avec quelqu'un qu'il a connu jadis. Non, je regrette, je ne puis rien ajouter à présent. *Une heure moins dix.*

Il avait demandé la communication avec La Bourboule pour une heure et il lui restait du temps devant lui. De son même pas tranquille, la pipe aux dents, il se dirigea vers le *Donkey Bar* où il y avait beaucoup de monde au comptoir, mais où, à son grand désappointement, il n'aperçut pas Parson.

Il but néanmoins un nouveau verre de bière et c'est alors qu'il s'aperçut qu'il existait une sorte de petit salon en retrait au fond de la salle. Il se dirigea de ce côté. Un couple d'amoureux dans un coin. Dans l'autre, sur la banquette de cuir noir, le journaliste était à moitié couché, les jambes écartées, l'œil vide, un verre renversé devant lui.

Il reconnut pourtant le commissaire, mais ne se donna pas la peine de bouger.

— Vous êtes encore capable de m'entendre, Parson ? grommela celui-ci en se campant devant lui avec peut-être autant de pitié que de mépris.

L'autre bafouilla en remuant à peine :

— *How do you do ?*

— Cet après-midi, vous avez parlé de prendre une interview sensationnelle de moi, n'est-ce pas ? Eh bien ! si vous avez le courage de me suivre, je crois que vous aurez la matière du plus beau papier de votre carrière.

— Où voulez-vous me conduire ?

Il parlait difficilement. Les syllabes n'arrivaient pas à se former dans sa bouche pâteuse ; cependant on sentait qu'au fond de son ivresse il gardait une certaine lucidité, sinon sa lucidité entière. Il y avait de la méfiance dans ses yeux, peut-être de la peur. Mais son orgueil était plus fort que sa peur.

— Troisième degré ? questionna-t-il, la lippe dédaigneuse, en faisant allusion aux durs interrogatoires de la police américaine.

— Je ne vous interrogerai même pas. Ce n'est plus nécessaire.

Parson essaya de se lever et, avant d'y parvenir, retomba deux fois sur la banquette.

— Un instant… intervint Maigret. Est-ce qu'il y a dans le bar, en ce moment, de vos amis ? Je parle de ceux auxquels vous pensez. C'est pour vous que je demande cela. S'il y en a, il vaudrait peut-être mieux pour vous que je sorte le premier et que je vous attende dans un taxi à cent mètres d'ici, sur la gauche.

Le journaliste essayait de comprendre, n'y parvenait pas ; ce qui le dominait, c'était sa volonté de ne pas avoir l'air de se dégonfler. Il jeta un coup d'œil dans la salle, l'épaule contre le chambranle afin de ne pas tomber.

— Allez… Je vous suis.

Et Maigret n'essaya pas de savoir lequel des consommateurs faisait partie de la bande. Cela ne le regardait pas. C'était l'affaire du lieutenant Lewis.

Dehors, il héla un taxi, le fit ranger au bord du trottoir à l'endroit convenu, prit place dans le fond. Cinq minutes plus tard, un Parson qui titubait à peine, mais qui était obligé de regarder fixement devant lui pour rester droit, ouvrait la portière.

Il ironisa encore :

— Promenade à la campagne ?

Allusion, cette fois, à la petite promenade en auto que certains tueurs font accomplir à leur victime afin de s'en débarrasser dans un endroit désert.

— Au *Berwick*, commanda Maigret au chauffeur.

C'était à deux pas. Le commissaire soutint son compagnon par le bras jusqu'à l'ascenseur et il y avait toujours dans les yeux fatigués du journaliste le même mélange de panique et d'orgueil.

— Le lieutenant Lewis est-il là-haut ?

— Ni lui ni personne de la police.

Il alluma toutes les lampes dans la chambre. Puis, après avoir assis Parson dans un coin, il demanda le *room service* au téléphone, commanda une bouteille de whisky, des verres, des sodas et enfin quatre bouteilles de bière.

Sur le point de raccrocher, il se ravisa :

— Vous ajouterez quelques sandwiches au jambon.

Non parce qu'il avait faim, mais parce que c'était son habitude au Quai des Orfèvres et que c'était devenu comme un rite.

Parson était à nouveau affalé, comme au *Donkey Bar*, et de temps en temps il fermait les yeux, sombrait pour un moment dans un sommeil dont le moindre bruit le tirait en sursaut.

Minuit et demi. Une heure moins le quart. Les bouteilles, les verres et le plateau de sandwiches étaient rangés sur la cheminée.

— Je peux boire ?

— Mais oui. Ne bougez pas. Je vais vous servir.

Qu'il fût un peu plus ou un peu moins ivre, cela n'avait aucune importance, au point où on en était. Maigret lui versa du whisky et du soda que l'autre reçut de sa main avec un étonnement qu'il ne parvint pas à cacher.

— Vous êtes un drôle de type. Du diable si je devine ce que vous voulez faire de moi.

— Rien du tout.

La sonnerie du téléphone retentissait. C'étaient Little John et Mac Gill qui étaient en bas.

— Priez ces messieurs de monter.

Et il alla les attendre à la porte. Il les vit arriver au fond du couloir. Little John en habit, plus sec, plus nerveux que jamais, son secrétaire en smoking, un vague sourire aux lèvres.

— Entrez, je vous en prie. Excusez-moi de vous avoir dérangés, mais je pense que c'était indispensable.

Mac Gill, le premier, aperçut le journaliste affalé dans son fauteuil et son haut-le-corps n'échappa pas au commissaire.

— Ne faites pas attention à Parson, dit-il. J'ai tenu à ce qu'il soit présent pour certaines raisons que vous comprendrez tout à l'heure. Asseyez-vous, messieurs. Je vous conseille de retirer vos manteaux, car ce sera sans doute assez long.

— Puis-je vous demander, commissaire...

— Non, monsieur Maura. Pas encore.

Et il émanait de lui une telle impression de force tranquille que les deux hommes ne protestaient pas. Maigret s'était assis devant la table sur laquelle il avait posé l'appareil téléphonique et sa montre.

— Je vous demande encore quelques minutes de patience. Vous pouvez fumer, bien entendu. Je m'excuse de ne pas avoir de cigares à vous offrir.

Il n'était pas ironique et, à mesure que l'heure approchait, le trac lui serrait davantage la gorge et il fumait à bouffées plus rapides.

La chambre, en dépit des lampes allumées, était assez sombre, comme dans tous les hôtels de troisième ordre. On entendait, derrière la cloison, un couple qui se couchait.

Enfin la sonnerie retentit.

— Allô... Oui... Maigret... Allô, oui, j'ai demandé La Bourboule... Comment ?... Je ne quitte pas l'appareil.

Et, tourné vers Maura, l'écouteur à l'oreille :

— Je regrette que vos appareils américains ne soient pas à double écouteur comme ceux de chez nous, car j'aurais aimé que vous puissiez entendre toute la conversation. Je vous promets de vous répéter textuellement les phrases intéressantes. Allô ! Oui... Comment ?... On ne répond pas ?... Insistez, mademoiselle. Peut-être tout le monde dort-il encore dans la villa ?

Il était ému, sans raison, d'entendre la demoiselle des téléphones de La Bourboule qui était de son côté fort troublée de recevoir un appel de New York.

Il était sept heures du matin, là-bas. Est-ce qu'il y avait du soleil ? Maigret se souvenait du bureau de poste, en face de l'établissement thermal, au bord du torrent.

— Allô ! Qui est à l'appareil ?... Allô, madame !... Excusez-moi de vous avoir éveillée... Vous étiez levée ?... Voulez-vous avoir l'obligeance d'appeler votre mari à l'appareil ?... Je regrette, mais je vous téléphone de New York et il m'est difficile de rappeler dans une demi-heure... Éveillez-le... Oui.

Il évitait, comme par coquetterie, d'observer les trois hommes qu'il avait réunis dans sa chambre pour assister à cet étrange interrogatoire.

— Allô ! monsieur Joseph Daumale ?

Little John ne put s'empêcher de croiser et de décroiser les jambes sans cependant donner d'autres signes d'émotion.

— Ici, Maigret... Oui, le Maigret de la Police judiciaire, comme vous dites. Je m'empresse d'ajouter que j'ai quitté le Quai des Orfèvres et que c'est à titre privé que je vous téléphone. Comment ?... Attendez. Dites-moi tout d'abord où l'appareil est placé chez vous. Dans votre bureau ? Au premier étage ?... Encore une question. Peut-on vous entendre d'en bas ou des chambres ?... C'est cela. Fermez la porte. Et, si vous ne l'avez pas déjà fait, passez une robe de chambre.

Il aurait parié que le bureau du chef d'orchestre était de style Renaissance, avec des meubles anciens et bien cirés, et que les murs étaient ornés de photographies représentant les divers orchestres que Joseph

Daumale avait dirigés dans les petits casinos de France.

— Allô ! Attendez que je dise encore un mot à la demoiselle qui est branchée sur la ligne et qui nous écoute... Vous seriez fort aimable de retirer votre fiche, mademoiselle, et de veiller à ce que nous ne soyons pas coupés... Allô ! Très bien... Vous êtes là, monsieur Daumale ?

Est-ce qu'il portait maintenant une barbe, une moustache ? Une moustache, presque à coup sûr. Poivre et sel, sans doute. Et des lunettes à verres épais. Avait-il eu le temps de mettre ses lunettes en sautant du lit ?

— Je vais vous poser une question qui vous paraîtra aussi saugrenue qu'indiscrète, et je vous demande de réfléchir avant de répondre. Je sais que vous êtes un homme sobre, conscient de ses responsa-bilités de père de famille... Comment ?... Vous êtes un honnête homme ?

Il se tourna vers Little John et répéta sans ironie :

— Il dit qu'il est un honnête homme.

Et il renchaîna :

— Je n'en doute pas, monsieur Daumale. Comme il s'agit de choses très graves, je suis persuadé que vous allez me répondre en toute franchise. Quand avez-vous été ivre pour la dernière fois ?... Oui, vous avez entendu... J'ai dit ivre. Vraiment ivre, vous comprenez ? Assez ivre pour perdre le contrôle de vous-même.

Un silence. Et Maigret imaginait le Joseph d'autrefois, celui qu'il avait façonné en esprit en écou-tant la voyante dévider ses souvenirs. Il devait être

devenu assez gras. Sans doute avait-il été décoré ?
Est-ce que sa femme n'était pas sur le palier, à
écouter ?

— Vous devriez aller vous assurer qu'il n'y a personne derrière la porte... Vous dites ?... Oui,
j'attends.

Il entendit les pas, le bruit de la porte qui s'ouvrait
et se refermait.

— Eh bien ! En juillet dernier ? Comment ? Cela
ne vous est pas arrivé plus de trois fois dans votre
vie ? Je vous en félicite.

Du bruit, dans la chambre, vers la cheminée.
C'était Parson qui s'était levé et qui se versait du
whisky d'une main hésitante, entrechoquant le goulot
de la bouteille contre le verre.

— Donnez-moi donc des détails, voulez-vous ? En
juillet, c'était donc à La Bourboule. Au Casino, oui, je
le supposais... Par hasard, évidemment... Attendez.
Je vais vous aider... Vous étiez, n'est-ce pas, en
compagnie d'un Américain ? Un nommé Parson...
Vous ne vous souvenez pas de son nom ? Cela
importe assez peu. Un garçon maigre, mal soigné de
sa personne, les cheveux filasse et les dents jaunes...
Oui... D'ailleurs il est ici à côté de moi... Comment ?

» Calmez-vous, je vous en prie. Je puis vous assurer
qu'il n'en résultera aucun désagrément pour vous.

» Il était au bar... Non. Excusez-moi si je répète
vos réponses, mais il y a autour de moi certaines personnes que votre récit intéresse... Mais non, il ne
s'agit pas de la police américaine. Rassurez-vous pour
la paix de votre ménage et pour votre situation.

La voix de Maigret était devenue méprisante et ce fut presque un regard complice qu'il lança à Little John qui écoutait, le front dans la main, tandis que Mac Gill jouait nerveusement avec son étui à cigarettes en or.

— Vous ne savez pas comment c'est arrivé ? On ne sait jamais comment arrivent ces choses-là. On boit un verre, deux verres, oui. Il y avait des années que vous n'aviez pas bu de whisky ? Évidemment. Et cela vous faisait plaisir de parler de New York… Allô !… Dites-moi, est-ce qu'il y a du soleil, là-bas ?

C'était ridicule, mais depuis le début de la conversation il avait envie de poser cette question. C'était comme un besoin de voir son personnage dans son cadre, dans son atmosphère.

— Oui. Je comprends. Le printemps est plus précoce en France qu'ici. Vous avez beaucoup parlé de New York et de vos débuts, n'est-ce pas ? *J and J…* Peu importe comment j'ai été mis au courant.

» Et vous lui avez demandé s'il connaissait un certain Little John… Vous étiez très ivre… Oui, parfaitement, je sais que c'est lui qui vous forçait à boire. Les ivrognes n'aiment pas boire seuls.

» Vous lui avez dit que Little John… Mais si, monsieur Daumale… Je vous en prie… Comment ? Vous ne voyez pas comment je pourrais vous forcer à répondre ? Mettons, par exemple, que vous receviez demain ou après-demain un commissaire de la Brigade mobile muni d'une commission rogatoire en bonne et due forme ?

» Un peu de courage, je vous en prie. Vous avez fait beaucoup de mal, sans le vouloir, c'est possible. Mais vous avez fait du mal quand même.

Il élevait la voix, furieux, faisait signe à Mac Gill de lui verser un verre de bière.

— Ne me dites pas que vous ne vous souvenez pas. Parson, lui, s'est malheureusement souvenu de tout ce que vous lui avez dit. Jessie… Comment ?… La maison de la 169ᵉ Rue… À ce propos, j'ai une mauvaise nouvelle à vous annoncer. Angelino est mort. Il a été assassiné et c'est vous, en définitive, qui êtes responsable de sa mort.

» Ne pleurnichez pas, voulez-vous ?

» C'est cela, asseyez-vous si vous vous sentez les jambes molles. J'ai le temps. Les services du téléphone sont prévenus et on ne nous coupera pas. Quant à qui payera la communication, nous verrons cela plus tard. Rassurez-vous, ce ne sera pas vous…

» Comment ? C'est cela : racontez tout ce que vous voudrez, je vous écoute. Sachez seulement que je suis au courant de beaucoup de choses et qu'il est inutile de mentir.

» Vous êtes un pauvre type, monsieur Daumale.

» Un honnête homme, je sais, vous l'avez déjà dit…

Trois hommes silencieux dans une chambre d'hôtel mal éclairée. Parson était allé s'affaler à nouveau dans son fauteuil et il restait là, les yeux mi-clos, la bouche entrouverte, tandis que Little John gardait son front dans sa main blanche et fine et que Mac Gill se servait un verre de whisky. Les taches blanches des deux plastrons, des manchettes, le noir de l'habit et du smoking, et cette voix unique qui retentissait dans la pièce, tantôt lourde et méprisante, tantôt avec des vibrations de colère.

— Parlez… Vous l'aimiez, c'est entendu. Sans espoir… Mais oui !… Je vous dis que je comprends et même, si vous y tenez, que je vous crois… Votre meilleur ami… Donné votre vie pour lui.

De quelle lippe dédaigneuse il laissait tomber ces mots !

— Tous les faibles disent ça et cela ne les empêche pas de se révolter. Je sais. Je sais. Vous ne vous êtes pas révolté. Vous avez seulement profité de l'occasion, n'est-ce pas ?… Non, ce n'est pas elle… Je vous en prie, ne la salissez pas par surcroît. C'était une petite fille et vous étiez un homme.

» Oui… Le père de Maura à la mort. Je sais ça. Et il est parti… Vous êtes revenus tous les deux dans la 169e Rue. Très malheureuse, je m'en doute… Qu'il ne reviendrait pas ?… Qui est-ce qui lui a dit cela ?… Jamais de la vie ! C'est vous qui lui avez mis cette idée dans la tête. Il n'y a qu'à voir votre photographie à cette époque-là. Parfaitement, je l'ai. Vous ne l'avez plus ? Eh bien ! je vous en enverrai un exemplaire.

» La misère ? Pas laissé d'argent ? Comment vous en aurait-il laissé, puisqu'il n'en avait pas plus que vous ?

» Bien entendu. Vous ne pouviez pas faire votre numéro à vous seul. Mais vous pouviez jouer de la clarinette dans les cafés, dans les cinémas, dans les rues au besoin.

» Vous l'avez fait ? Je vous en félicite.

» Dommage que vous ayez fait autre chose aussi. J'entends bien, l'amour.

» Seulement, vous saviez parfaitement qu'il y avait un autre amour, deux autres amours, celui de Jessie et celui de votre ami.

» Et après ? Abrégez, monsieur Daumale. Vous faites à présent de la mauvaise littérature.

» Près de dix mois, je sais… Ce n'était pas sa faute si son père, qu'on lui avait donné comme presque mort, ne se décidait pas à sauter le pas. Ni s'il a eu des difficultés, ensuite, pour arranger ses affaires.

» Et, pendant ce temps-là, vous l'aviez remplacé.

» Et, quand l'enfant est né, vous avez eu tellement peur, car John annonçait son retour prochain, que vous l'avez mis à l'Assistance.

» Qu'est-ce que vous jurez ?… Comment ?… Vous voulez aller voir derrière la porte ?… Je vous en prie. Et avalez un verre d'eau par la même occasion, car vous me paraissez en avoir besoin.

C'était la première fois de sa vie qu'il menait ainsi un interrogatoire à cinq mille kilomètres de distance, sans rien savoir de son interlocuteur.

Des gouttes de sueur perlaient à son front. Il avait déjà vidé deux bouteilles de bière.

— Allô ! Ce n'est pas vous, je sais. Cessez donc de me répéter que ce n'est pas votre faute. Vous aviez pris sa place et il est revenu. Et, au lieu de lui avouer la vérité, de garder la femme que vous prétendez avoir aimée, vous la lui avez rendue, lâchement, salement.

» Mais si, Joseph.

» Vous étiez un sale petit lâche. Un vilain resquilleur sans courage.

» Et vous n'osiez pas lui apprendre qu'un enfant était né. Que dites-vous ?

» Qu'il n'aurait pas cru que l'enfant était de lui ? Attendez que je répète vos paroles.

» — *John n'aurait pas cru que l'enfant était de lui...*

» Donc, vous saviez, vous, qu'il n'était pas à vous... Hein ? Autrement, vous ne l'auriez pas mis à l'Assistance ? Et vous me dites ça tranquillement ?... Je vous défends de raccrocher, vous entendez ? Sinon, je vous fais coffrer avant ce soir. Bon !...

» Vous êtes peut-être devenu un honnête homme ou quelque chose qui ressemble extérieurement à un honnête homme, mais vous étiez en ce temps-là une jolie petite crapule.

» Et vous avez continué à vivre tous les trois sur le même palier.

» John reprenait la place que vous aviez occupée pendant son absence.

» Parlez plus haut. Je tiens à ne pas perdre un mot... John n'était plus le même ? Que voulez-vous dire ? Il était inquiet, nerveux, soupçonneux ? Avouez qu'il y avait de quoi. Et Jessie voulait tout lui avouer ? Parbleu ! Cela aurait mieux valu pour elle, n'est-il pas vrai ?

» Mais non, évidemment, vous ne pouviez pas prévoir. Vous l'avez empêchée de parler.

» Et John se demandait ce qu'il y avait d'équivoque autour de lui... Quoi ? Elle pleurait à tout bout de champ ? J'aime bien le mot. Vous avez des mots magnifiques. *Elle pleurait à tout bout de champ.*

» Comment a-t-il su ?

Little John fit un mouvement comme s'il voulait parler, mais le commissaire lui adressa un signe de la main pour lui imposer silence.

— Laissez-le dire ! Non, ce n'est pas à vous que je parle. Vous le saurez tout à l'heure… Il a trouvé une facture de la sage-femme ?… En effet, on ne peut pas penser à tout… Il n'a pas cru que c'était de lui ?

» Mettez-vous à sa place… Surtout à l'Assistance publique.

» Où étiez-vous pendant cette scène ?… Mais si, puisque vous avez tout entendu. Derrière la porte de communication, oui. Car il y avait une porte de communication entre les deux chambres ! Et pendant… pendant combien de temps, au fait ?… Trois semaines… Pendant trois semaines après son retour, vous avez dormi dans cette chambre, à côté de celle où John et Jessie, Jessie qui vous avait appartenu pendant plusieurs mois…

» Finissez vite, voulez-vous ?… Je suis sûr que vous n'êtes pas joli à voir en ce moment, monsieur Daumale… Je ne regrette plus de vous interroger par téléphone, car je crois que je me retiendrais difficilement de vous flanquer mon poing dans la figure.

» Taisez-vous ! Contentez-vous de répondre à mes questions. Vous étiez derrière la porte.

» Oui… Oui… Oui… Continuez…

Il fixait le tapis de la table devant lui et, maintenant, il évitait de répéter les paroles qu'il entendait. Il avait les mâchoires si serrées qu'à certain moment le tuyau de sa pipe éclata entre ses dents.

— Et après ? Faites vite, que diable !… Comment ?… Et vous n'êtes pas intervenu plus tôt ?… Capable de tout, oui !… Mettez-vous à sa place. Ou plutôt non, vous n'y parviendriez pas… Dans

l'escalier… Angelino qui rapportait un complet…
A tout vu… Oui.

» Mais non. Vous mentez encore… Vous n'avez
pas essayé d'entrer dans la chambre : vous avez tenté
de filer. Seulement, comme la porte était ouverte…
C'est cela… Il vous a vu.

» Je m'en doute bien, qu'il était trop tard !

» Cette fois, je vous crois sans hésiter. Je suis certain que vous n'avez pas raconté ça à Parson. Parce
que vous pourriez être accusé de complicité, n'est-il
pas vrai ? Et remarquez que vous pouvez l'être
encore… Non, il n'y a pas prescription, vous vous
trompez… Je vois très bien la malle d'osier. Et le
reste… Merci. Je n'ai pas besoin d'en savoir davantage. Comme je vous l'ai dit en commençant, Parson
est ici. Il est ivre, oui, comme d'habitude.

» Little John est ici aussi. Vous ne désirez pas lui
parler ? Je ne peux pas vous y forcer, évidemment.

» Ni à Mac Gill, que vous aviez si aimablement
expédié à l'Assistance publique ?… Parfaitement, il
est dans ma chambre, lui aussi.

» C'est tout. L'odeur du café préparé par
Mme Daumale doit monter jusqu'à vous. Vous allez
pouvoir raccrocher, pousser un profond soupir de
soulagement et descendre prendre votre petit
déjeuner en famille.

» Je parie que je devine comment vous allez expliquer ce coup de téléphone. Un impresario américain
qui a entendu parler de vos talents de chef d'orchestre
et qui…

» Adieu, Joseph Daumale. Avec l'espoir de ne
jamais vous rencontrer, crapule !

Et Maigret raccrocha, resta un bon moment immobile, comme vidé de toute son énergie.

Personne ne bougeait autour de lui. Il se leva lourdement, ramassa le fourneau de sa pipe cassée et le posa sur la table. C'était, comme par hasard, la pipe qu'il avait achetée le second jour de son arrivée à New York. Il alla prendre une autre pipe dans la poche de son pardessus, la bourra, l'alluma et se versa à boire, non plus de la bière, qui lui paraissait à présent trop fade, mais un grand verre de whisky pur.

— Et voilà ! soupira-t-il enfin.

Little John n'avait toujours pas bougé et ce fut Maigret qui lui emplit un verre et le posa à portée de sa main.

Quand Maura eut bu, seulement, et qu'il se fut quelque peu redressé, le commissaire parla de sa voix normale qui rendait soudain un son étrange.

— Nous ferions peut-être mieux d'en finir d'abord avec celui-là, dit-il en désignant Parson, qui s'épongeait le front au fond de son fauteuil.

Encore un faible, encore un lâche, mais de la pire espèce, de l'espèce agressive. Au fait, Maigret ne préférait-il pas encore ça à la lâcheté prudente et bourgeoise d'un Daumale ?

Son histoire, à lui, était facile à reconstituer. Il connaissait, du *Donkey Bar* ou d'ailleurs, un certain nombre de gangsters capables d'utiliser les renseignements que le hasard lui avait mis entre les mains au cours de son voyage en Europe.

— Combien avez-vous reçu ? lui demanda mollement Maigret.

— Qu'est-ce que cela peut vous faire ? Vous seriez trop content de savoir que j'ai été refait.

— Quelques centaines de dollars ?

— À peine.

Alors le commissaire tira son chèque de sa poche, le chèque de deux mille dollars que Mac Gill lui avait remis au nom de Little John. Il prit une plume sur la table, l'endossa au nom de Parson.

— Cela vous suffira pour disparaître alors qu'il en est encore temps. J'avais besoin de vous avoir sous la main pour le cas où Daumale aurait refusé de parler, ou pour le cas où je me serais trompé. Vous n'auriez pas dû me parler de votre voyage en France, voyez-vous. J'aurais trouvé quand même, en fin de compte, peut-être beaucoup plus tard, car je savais que vous connaissiez Mac Gill et que, d'autre part, vous fréquentiez les gens qui ont tué Angelino. Remarquez que je ne vous demande même pas leur nom.

— Jos les connaît aussi bien que moi.

— C'est exact. Cela ne me regarde pas. Ce que j'essaie de vous éviter, je ne sais pas pourquoi, peut-être parce que j'ai pitié, c'est de vous voir passer devant le jury.

— Je me tirerais une balle dans la peau avant ça !

— Pourquoi ?

— À cause de certaine personne.

Cela faisait peut-être très roman populaire et cependant Maigret aurait parié qu'il faisait allusion à sa mère.

— Je ne crois pas qu'il soit prudent pour vous de sortir de l'hôtel aujourd'hui. Vos amis s'imaginent certainement que vous vous êtes mis à table et, dans votre milieu, on n'aime pas beaucoup ça. Je vais téléphoner pour qu'on vous donne une chambre non loin de la mienne.

— Je n'ai pas peur.

— Je préférerais qu'il ne vous arrive rien cette nuit.

Parson, haussant les épaules, but du whisky à même le goulot :

— Ne vous en faites pas pour moi.

Il prit le chèque, se dirigea en titubant vers la porte.

— Salut, Jos ! lança-t-il en se retournant.

Et, dans un dernier effort d'ironie :

— *Bye bye, mister Mégrette.*

Pressentiment ? Le commissaire fut sur le point de le rappeler, de le forcer à coucher à l'hôtel, de l'enfermer au besoin dans une chambre. Il ne le fit pas. Il ne put cependant pas s'empêcher de marcher jusqu'à la fenêtre, dont il souleva le rideau d'un geste qui ne lui était pas familier, qui appartenait à Little John.

Quelques minutes plus tard, on entendait quelques détonations sourdes, une rafale de mitraillette, à coup sûr.

Et Maigret, revenant vers les deux hommes, de soupirer :

— Je ne crois pas que ce soit la peine de descendre. Il doit avoir son compte !

10

Ils restèrent encore une heure dans la chambre, qui s'emplissait peu à peu, comme le bureau du Quai des Orfèvres, de la fumée des pipes et des cigarettes.

— Je m'excuse, avait commencé par dire Little John, de la façon dont mon fils et moi avons essayé de vous écarter.

Il était las, lui aussi, mais on sentait chez lui une grande détente, un soulagement infini, quasi physique.

Pour la première fois, Maigret le voyait autrement que tendu, replié sur lui-même, contenant avec une énergie douloureuse son envie de bondir.

— Voilà six mois que je leur tiens tête, ou plutôt que je ne leur cède du terrain que pouce par pouce. Ils sont quatre, dont deux Siciliens.

— Cette partie de l'affaire ne me regarde pas, prononça Maigret.

— Je sais. Hier, lorsque vous êtes venu à l'hôtel, j'ai failli vous parler et c'est Jos qui m'en a empêché.

Son visage se durcit, ses yeux devinrent plus inhumains que jamais – mais maintenant Maigret savait quelle douleur leur donnait cette froideur terrible.

— Imaginez-vous, articula-t-il à voix basse, ce que c'est d'avoir un fils dont on a tué la mère et d'aimer toujours celle-ci ?

Mac Gill était allé s'asseoir discrètement dans le fauteuil d'angle, celui qu'avait occupé Parson, le plus loin possible des deux hommes.

— Je ne vous parlerai pas de ce qui s'est passé jadis. Je ne me cherche pas d'excuses. Je n'en veux pas. Vous comprenez ? Je ne suis pas Joseph Daumale. C'est lui que j'aurais dû tuer. Il faut pourtant que vous sachiez.

— Je sais.

— Que j'ai aimé, que j'aime encore comme je crois qu'aucun homme n'a aimé. Devant l'écroulement total, je… Non, ce n'est pas la peine.

Et Maigret répéta gravement :

— Ce n'est pas la peine.

— Je crois que j'ai payé plus cher que la justice des hommes ne m'aurait fait payer. Tout à l'heure vous avez empêché Daumale d'aller jusqu'au bout. Je pense, commissaire, que vous avez foi dans mes paroles ?

Et Maigret abaissa deux fois la tête dans un geste affirmatif.

— Je voulais disparaître avec elle. Puis j'ai décidé de m'accuser. C'est lui qui m'en a empêché, par crainte d'être mêlé à une sale histoire.

— J'ai compris.

— C'est lui qui est allé chercher la malle d'osier dans sa chambre. Il proposait que nous la jetions dans le fleuve. Je n'ai pas pu. Il y a une chose qu'il est impossible que vous ayez devinée. Angelino était venu. Il avait vu. Il savait. Il pouvait aller me dénoncer. Joseph prétendait que nous partions tout de suite. Eh bien ! pendant deux jours…

— Oui. Vous l'avez gardée.

— Et Angelino n'a pas parlé. Et Joseph devenait à moitié fou de fureur. Et j'étais dans un tel état que je supportais sa présence à lui, que je lui ai donné mon dernier argent pour faire le nécessaire.

» Il a acheté une camionnette d'occasion. Nous avons feint de déménager et nous avons embarqué tout ce que nous possédions…

» Nous sommes allés dans la campagne, à cinquante milles, et c'est moi, dans un bois près de la rivière…

— Tais-toi, père, supplia la voix de Mac Gill.

— C'est tout. Je dis que j'ai payé, payé de toutes les façons. Même par le doute. Et c'était le plus affreux. Car, pendant des mois, j'ai continué à douter, à me dire que l'enfant n'était peut-être pas de moi, que Jessie m'avait peut-être menti.

» Je l'ai confié à une brave femme que je connaissais et je ne voulais pas le voir… Même plus tard, je ne me reconnaissais pas le droit de le voir… On n'a pas le droit de voir le fils de…

» Est-ce que je pouvais vous dire tout ça quand Jean vous a amené à New York ?

» C'est mon fils aussi.

» Mais ce n'est pas le fils de Jessie.

» Je vous avoue, commissaire, et Jos le sait bien, qu'après quelques années j'ai espéré redevenir un homme comme les autres et non plus une sorte d'automate.

» Je me suis marié... Sans amour... Comme on prend un remède... J'ai eu un enfant... Et je n'ai jamais pu vivre avec la mère... Elle vit encore... C'est elle qui a demandé le divorce... Elle est quelque part en Amérique du Sud où elle s'est fait une nouvelle existence.

» Vous savez que Jos a disparu, alors qu'il avait une vingtaine d'années... Il fréquentait, à Montréal, un milieu assez semblable, toutes proportions gardées, à celui où vous avez rencontré Parson...

» La vieille Mac Gill est morte... J'ai perdu la trace de Jos et je ne me doutais pas qu'il vivait à quelques centaines de mètres de moi, à Broadway, parmi les gens que vous connaissez.

» Mon autre fils, Jean, il me l'a avoué, vous a montré les lettres que je lui adressais et vous avez dû être surpris...

» C'était, comprenez-vous, parce que je ne pensais qu'à l'autre, qu'au fils de Jessie...

» Je me forçais à aimer Jean... Je le faisais avec une sorte de rage... Je voulais coûte que coûte lui donner une affection qu'au fond de moi je vouais à un autre...

» Et un jour, il y a six mois environ, j'ai vu arriver ce garçon-là.

Quelle tendresse infinie dans ce mot « garçon », dans ce geste pour désigner Jos Mac Gill !

— Il venait d'apprendre, par Parson et par ses amis, la vérité. Je me souviens de ses premiers mots quand nous nous sommes trouvés face à face :

» — *Monsieur, vous êtes mon père…*

Et Mac Gill, à ce moment, de supplier :

— Tais-toi, papa !

— Je me tais. Je ne dis que l'essentiel. Depuis, nous vivons ensemble, nous travaillons ensemble à sauver ce qu'il est possible de sauver, et cela vous explique les mouvements de fonds dont M. d'Hoquélus vous a parlé… Car je sentais la catastrophe inévitable un jour ou l'autre. Nos ennemis, qui avaient été les amis de Jos, ne se gênaient pas et, quand vous êtes arrivé, c'est l'un d'entre eux, Bill, qui a monté toute une comédie pour vous donner le change.

» Vous avez cru que Bill était à nos ordres, alors que c'était lui qui nous en donnait… C'est en vain qu'on a essayé de vous décider à partir…

» Ils ont tué Angelino à cause de vous, parce qu'ils vous sentaient sur la bonne piste et qu'ils ne voulaient pas être frustrés de leur meilleure affaire…

» Je représente trois millions de dollars, monsieur Maigret… En six mois, j'en ai lâché près d'un demi-million, mais c'est la totalité qu'ils veulent.

» Allez expliquer cela à la police officielle.

Pourquoi Maigret pensait-il à cet instant précis à son clown triste ? C'était Dexter, bien plus que Maura, qui prenait soudain figure de symbole, lui et, paradoxalement, le Parson qui venait de se faire abattre dans la rue au moment où il avait enfin gagné, presque honnêtement, deux mille dollars.

Ronald Dexter, aux yeux du commissaire, résumait la mauvaise chance et tout le malheur qui peut accabler des épaules humaines. Dexter qui, lui aussi, avait gagné une petite fortune, cinq cents dollars, en trahissant, et qui était venu les poser sur cette table où les bouteilles de bière et les verres de whisky voisinaient maintenant avec des sandwiches auxquels personne ne touchait.

— Vous pourriez peut-être partir pour l'étranger ? suggéra Maigret sans conviction.

— Non, commissaire… Un Joseph le ferait, mais pas moi… J'ai lutté tout seul pendant près de trente ans… Contre mon pire ennemi : moi-même et ma douleur… Cent fois, j'ai souhaité que tout craque, comprenez-vous ?… J'ai vraiment, sincèrement souhaité rendre des comptes.

— À quoi cela servirait-il ?

Et Little John eut un mot qui exprimait vraiment le fond de sa pensée, maintenant qu'il avait permis à ses nerfs de se relâcher.

— *À me reposer…*

— Allô… Le lieutenant Lewis ?

Maigret, seul dans sa chambre, à cinq heures du matin, avait appelé le policier à son domicile personnel.

— Vous avez du nouveau ? lui demandait l'autre. Il y a eu un crime cette nuit, non loin de chez vous, en pleine rue, et je me demande…

— Parson ?

— Vous êtes au courant ?

— Cela a si peu d'importance, voyez-vous !

— Vous dites ?

— Que cela a peu d'importance ! Il serait quand même mort dans deux ou trois ans d'une cirrhose du foie et il aurait souffert davantage.

— Je ne comprends pas…

— Cela ne fait rien… Je vous téléphone, lieutenant, parce que je pense qu'il y a un bateau anglais demain matin pour l'Europe et que j'ai l'intention de le prendre.

— Vous savez que nous n'avons pas retrouvé d'acte de décès au nom de la jeune personne ?

— Vous n'en trouverez pas.

— Vous dites ?

— Rien… En somme, il n'y a eu qu'un crime de commis, pardon, depuis cette nuit, cela en fait deux ! Angelino et Parson… Nous appelons cela, en France, des drames du *milieu*.

— Quel milieu ?

— Celui des gens qui ne se préoccupent pas de la vie humaine.

— Je ne saisis pas.

— Peu importe ! Je voulais vous dire adieu, lieutenant, car je retourne dans ma maison de Meung-sur-Loire où je serai toujours heureux de vous accueillir si vous venez visiter notre vieux pays.

— Vous renoncez ?

— Oui.

— Découragé ?

— Non.

— Je ne veux pas vous vexer.

— Sûrement pas.

— Mais nous les aurons.

— J'en suis persuadé.

C'était vrai, d'ailleurs, puisque trois jours plus tard, en mer, Maigret apprenait par la radio que quatre gangsters dangereux, dont deux Siciliens, avaient été appréhendés par la police pour le meurtre d'Angelino et pour celui de Parson, et que leur avocat niait l'évidence.

Au moment du départ du paquebot, il y avait, sur le quai, un certain nombre de personnes qui feignaient de ne pas se connaître, mais qui, toutes, regardaient dans la direction de Maigret.

Little John, en complet bleu et en pardessus sombre.

Mac Gill, qui fumait nerveusement des cigarettes à bout de liège.

Un personnage lugubre, qui essayait de se faufiler et que les stewards traitaient avec un dédain souverain : Ronald Dexter.

Il y avait aussi un homme roux, à tête de mouton, qui resta jusqu'au dernier moment à bord et envers qui la police montrait de grands égards.

C'était le capitaine O'Brien qui questionnait, lui aussi, devant un dernier *drink* pris au bar du navire.

— En somme, vous abandonnez ?

Il avait son visage le plus innocent et Maigret s'efforçait de calquer cette innocence pour répondre :

— Comme vous le dites, capitaine, j'abandonne.

— Au moment où…

— Au moment où on pourrait faire parler des gens qui n'ont rien d'intéressant à dire, mais où, dans la vallée de la Loire, il est grand temps de repiquer les

plants de melon sous couche… Et je suis devenu jar-
dinier, voyez-vous.

— Content ?

— Non.

— Déçu ?

— Pas davantage.

— Échec ?

— Je n'en sais rien.

Cela ne dépendait, à ce moment-là encore, que des
Siciliens. Une fois arrêtés, ils parleraient ou ils ne parleraient pas pour se défendre.

Ils jugèrent plus prudent, et peut-être plus profi-
table, de ne pas parler.

Et Mme Maigret questionnait dix jours plus tard :

— En somme, qu'est-ce que tu es allé faire exactement en Amérique ?

— Rien du tout.

— Tu ne t'es même pas rapporté une pipe comme
je te l'avais écrit…

Il joua son Joseph à son tour et répondit lâchement :

— Là-bas, vois-tu, elles sont beaucoup trop
chères… Et pas solides…

— Tu aurais pu tout au moins me rapporter
quelque chose pour moi, un souvenir, je ne sais pas…

À cause de quoi, il se permit de câbler à Little
John :

Prière envoyer appareil à disques.

Ce fut tout ce qu'il conserva, avec quelques pièces de bronze et quelques *nickels*, de son voyage à New York.

FIN

Sainte-Marguerite-du-Lac-Masson (P.Q.)
Le 7 mars 1946.

Maigret chez le coroner

1

Maigret, deputy-sheriff

— Hé ! Vous.

Maigret se retournait, comme à l'école, pour voir à qui l'on s'adressait.

— Oui, vous, là-bas…

Et le vieillard décharné, aux immenses moustaches blanches, qui semblait sorti vivant de la Bible, tendait un bras tremblant. Vers qui ? Maigret regardait son voisin, sa voisine. Il s'apercevait enfin, confus, que c'était vers lui que tout le monde était tourné, y compris le coroner, y compris le sergent de l'Air Force qu'on interrogeait, l'attorney, les jurés, les sheriffs.

— Moi ? questionnait-il en faisant mine de se lever, étonné qu'on eût besoin de lui.

Or, tous ces visages souriaient, comme si tout le monde, sauf lui, était au courant.

— Oui, prononçait le vieillard qui ressemblait à Ézechiel, mais qui ressemblait aussi à Clemenceau. Voulez-vous vite éteindre votre pipe ?

Il ne se rappelait même pas l'avoir allumée. Confus, il se rasseyait en balbutiant des excuses, tandis que ses voisins riaient, d'un rire amical.

Ce n'était pas un rêve. Il était bien éveillé. C'était lui, le commissaire Maigret, de la Police Judiciaire, qui était là, à plus de dix mille kilomètres de Paris, à assister à l'enquête d'un coroner qui ne portait ni gilet ni veston et qui avait pourtant l'air sérieux et bien élevé d'un employé de banque.

Au fond, il se rendait parfaitement compte que son collègue Cole s'était gentiment débarrassé de lui, mais il ne parvenait pas à lui en vouloir, car il en aurait fait autant à la place de l'officier du F.B.I. Ne lui était-il pas arrivé d'agir de la même façon quand, deux ans auparavant, il avait été chargé de piloter en France son collègue M. Pyke, de Scotland Yard, et ne l'avait-il pas laissé souvent à quelque terrasse, comme on dépose un parapluie au vestiaire, en lui disant avec un sourire rassurant :

— Je reviens dans un instant…

Avec cette différence que les Américains étaient plus cordiaux. Que ce fût à New York ou dans les dix ou onze États qu'il venait de traverser, tous lui tapaient sur l'épaule.

— Quel est votre prénom ?

Il ne pouvait pourtant pas leur dire qu'il n'en avait pas. Force lui était d'avouer qu'il s'appelait Jules. Alors son interlocuteur réfléchissait un moment.

— Oh ! *yes*… Julius !

Ils prononçaient Djoulious, ce qui lui paraissait déjà moins mal.

— *Have a drink*, Julius ! (Bois un verre, Jules !)

Et ainsi, tout le long du chemin, dans des quantités de bars, il avait bu un nombre incalculable de bouteilles de bière, de manhattans et de whiskies.

Il en avait encore bu tout à l'heure, avant de déjeuner, avec le maire de Tucson et le sheriff du comté, à qui Harry Cole l'avait présenté.

Ce qui l'étonnait le plus, ce n'était pas tant le décor, ce n'étaient pas les gens, c'était lui-même ou plutôt le fait que lui, Maigret, était ici, dans une ville de l'Arizona, et que, pour l'instant, par exemple, il était assis sur un des bancs d'une petite salle de la Justice de Paix.

Si on avait bu avant de se mettre à table, on avait servi de l'eau glacée avec le repas. Le maire avait été très gentil. Quant au sheriff, il lui avait remis un petit papier et une belle plaque en argent de deputy-sheriff comme on en voit dans les films de cow-boys.

C'était la huitième ou la neuvième qu'il recevait de la sorte, il était déjà deputy-sheriff de huit ou neuf comtés du New-Jersey, du Maryland, de la Virginie, de la Caroline du Nord ou du Sud, il ne savait plus au juste, de La Nouvelle-Orléans et du Texas.

Cela lui était arrivé souvent, à Paris, de recevoir des collègues étrangers, mais c'était la première fois qu'il effectuait à son tour un voyage de ce genre, un voyage d'études, comme on dit officiellement, « pour se mettre au courant des méthodes américaines ».

— Vous devriez passer quelques jours en Arizona, avant de gagner la Californie. C'est sur votre chemin.

C'était toujours sur son chemin. On lui faisait parcourir ainsi des centaines de milles. Ce que ces gens-là appelaient un petit détour était un détour de trois ou quatre jours.

— C'est tout à côté !

Cela signifiait que c'était à une fois ou deux la distance de Paris à Marseille, et il arrivait qu'il roulât en pullman une journée entière sans apercevoir une vraie ville.

— Demain, lui avait dit Cole, l'homme du F.B.I., qui l'avait pris en charge en Arizona, nous irons jeter un coup d'œil à la frontière mexicaine. C'est à deux pas.

Cette fois, cela ne voulait dire qu'une centaine de kilomètres.

— Cela vous intéressera. C'est par Nogales, la ville frontière, à cheval sur les deux pays, que passe la plus grande partie du marijuana.

Il avait appris que le marijuana, une plante du Mexique, remplace peu à peu, pour les intoxiqués, l'opium et la cocaïne.

— C'est par là aussi que sortent la plupart des autos volées en Californie.

En attendant, Harry Cole l'avait laissé tomber. Il devait avoir quelque chose à faire cet après-midi-là.

— Il y a justement une enquête devant le coroner. Cela vous amuserait d'y assister ?

Il avait amené Maigret, l'avait installé sur un des trois bancs de la petite salle aux murs blancs, où il y avait un drapeau américain derrière le juge de paix qui faisait les fonctions de coroner. Cole n'avait pas annoncé qu'il laisserait son collègue français tout seul.

Il était allé serrer des mains, taper sur des épaules. Puis il avait dit négligemment :

— Je reviendrai vous prendre tout à l'heure.

Maigret ne savait pas ce que l'on jugeait. Personne, dans la salle, ne portait de veston. Il est vrai qu'il faisait une température d'environ quarante-cinq degrés. Les six jurés étaient assis sur le même banc que lui, à l'autre bout, du côté de la porte, et il y avait parmi eux un nègre, un Indien à la forte mâchoire, un Mexicain qui tenait un peu des deux premiers et une femme d'un certain âge qui portait une robe à fleurs et un chapeau drôlement planté sur le devant de la tête.

De temps en temps, Ézechiel se levait et essayait de régler l'immense ventilateur qui tournait au plafond et faisait tant de bruit qu'on entendait difficilement les voix.

Cela avait l'air de se passer gentiment. En France, Maigret aurait dit « à la papa ». Le coroner était sur une estrade et, sur sa chemise d'un blanc immaculé, il portait une cravate de soie à ramages.

Le témoin, ou l'accusé, Maigret ne savait pas au juste, était assis sur une chaise près de lui. C'était un sergent de l'aviation, en uniforme de coutil beige. Il y en avait quatre autres, en rang, en face des jurés, et on aurait dit des écoliers qui ont trop poussé.

— Racontez-nous ce qui s'est passé le soir du 27 juillet.

Celui-là était le sergent Ward, Maigret avait entendu son nom. Il mesurait un mètre quatre-vingt-cinq pour le moins et avait des yeux bleus sous d'épais sourcils noirs qui se rejoignaient à la base du nez.

— Je suis allé chercher Bessy chez elle vers sept heures et demie.

— Plus haut. Tournez-vous vers le jury. Vous entendez, jurés ?

Ces messieurs faisaient signe que non. Le sergent Ward toussait pour s'éclaircir la voix.

— Je suis allé chercher Bessy chez elle vers sept heures et demie.

Maigret devait faire un effort double, car il n'avait guère eu l'occasion de pratiquer l'anglais depuis le collège, et des mots lui échappaient, des tournures de phrase le déroutaient.

— Vous êtes marié et vous avez deux enfants ?

— Oui, monsieur.

— Depuis combien de temps connaissez-vous Bessy Mitchell ?

Le sergent réfléchissait, comme un bon élève avant de répondre à une question de l'instituteur. Un instant, il regardait quelqu'un assis à côté de Maigret et que celui-ci ne connaissait pas encore.

— Depuis six semaines.

— Où l'avez-vous rencontrée ?

— Dans un *drive-in* où elle était serveuse.

Maigret avait appris à connaître les *drive-in*. Souvent, ceux qui étaient chargés de le piloter arrêtaient leur voiture, surtout le soir, devant un petit établissement au bord de la route. On ne sortait pas de l'auto. Une jeune femme s'approchait, prenait la commande, leur apportait des sandwiches, des *hot-dogs* ou un spaghetti sur un plateau qui s'accrochait à la portière de la voiture.

— Vous avez eu des rapports sexuels avec elle ?

— Oui, monsieur.

— Le soir même ?

— Oui, monsieur.

— Où cela s'est-il passé ?

— Dans l'auto. Nous nous sommes arrêtés dans le désert.

Le désert, sable et cactus, commençait aux portes de la ville. Il subsistait même des pans de désert entre certains quartiers.

— Vous l'avez revue souvent après cette date ?

— À peu près trois fois par semaine.

— Et vous aviez chaque fois des rapports avec elle ?

— Non, monsieur.

Maigret s'attendait presque à entendre le petit juge méticuleux demander : « Pourquoi ? »

Mais sa question fut :

— Combien de fois ?

— Une fois par semaine.

Or, il n'y eut que le commissaire à avoir un léger sourire.

— Toujours dans le désert ?

— Dans le désert et chez elle.

— Elle vivait seule ?

Le sergent Ward regarda les visages le long des bancs, désigna une jeune femme assise à la gauche de Maigret.

— Elle vivait avec Erna Bolton.

— Qu'avez-vous fait, le 27 juillet, après que vous êtes allé chercher Bessy Mitchell chez elle ?

— Je l'ai conduite au *Penguin Bar*, où mes amis m'attendaient.

— Quels amis ?

Cette fois, il désigna les quatre autres soldats en uniforme de l'aviation, les nomma un à un.

— Dan Mullins, Jimmy Van Fleet, O'Neil et Wo Lee.

Ce dernier était un Chinois qui paraissait à peine seize ans.

— Il y avait d'autres personnes avec vous au *Penguin* ?

— Non, monsieur. Pas à notre table.

— Il y avait des gens à une autre table ?

— Il y avait le frère de Bessy, Harold Mitchell (c'était le voisin de droite de Maigret, et celui-ci avait remarqué qu'il avait un gros furoncle sous l'oreille).

— Il était seul ?

— Non. Avec Erna Bolton, le musicien et Maggie.

— Quel âge avait Bessy Mitchell ?

— Elle m'avait dit vingt-trois ans.

— Saviez-vous qu'elle n'avait en réalité que dix-sept ans et que, par conséquent, elle n'avait pas le droit de consommer dans un bar ?

— Non, monsieur.

— Vous êtes sûr que son frère ne vous l'a pas dit ?

— Il me l'a appris plus tard, quand, chez le musicien, elle s'est mise à boire du whisky à la bouteille. Il m'a dit qu'il ne voulait pas qu'on fasse boire sa sœur, qu'elle était mineure, que c'était lui qui en avait la surveillance.

— Ignoriez-vous que Bessy était mariée et divorcée ?

— Non, monsieur.

— Vous lui aviez promis de l'épouser ?

Le sergent Ward hésitait visiblement.

— Oui, monsieur.

— Vous vouliez divorcer pour l'épouser ?

— Je lui avais dit que je le ferais.

Dans l'encadrement de la porte, se tenait un gros deputy-sheriff – un confrère ! – en pantalon de toile jaunâtre, à la chemise déboutonnée, qui portait une ceinture de cuir pleine de cartouches ; un énorme revolver à crosse de corne lui pendait sur la fesse.

— Vous avez bu tous ensemble ?

— Oui, monsieur.

— Vous avez beaucoup bu ? Combien de verres à peu près ?

Ward fermait un instant les yeux pour se livrer à un calcul mental.

— Je n'ai pas compté. D'après les tournées, peut-être quinze ou vingt bières.

— Chacun ?

Et lui, très simplement :

— Oui, monsieur. Et aussi quelques whiskies.

Chose curieuse, personne ne paraissait surpris outre mesure.

— C'est au *Penguin* que vous avez eu une altercation avec le frère de Bessy ?

— Oui, monsieur.

— Est-il exact qu'il vous reprochait d'avoir des relations avec sa sœur, alors que vous êtes un homme marié ?

— Non, monsieur.

— Il ne vous l'a jamais reproché ? Il ne vous a pas prié de laisser sa sœur tranquille ?

— Non, monsieur.

— Pour quel motif vous êtes-vous disputés ?

— Parce que je lui réclamais l'argent qu'il me devait.

— Il vous devait une grosse somme ?

— À peu près deux dollars.

À peine le prix d'une de ces nombreuses tournées du *Penguin*.

— Vous vous êtes battus ?

— Non, monsieur. Nous sommes sortis sur le trottoir. Nous nous sommes expliqués et nous sommes rentrés pour boire ensemble.

— Vous étiez ivre ?

— Pas encore très.

— Ne s'est-il rien passé d'autre au *Penguin* ?

— Non, monsieur.

— En somme, vous buviez. Vous avez bu jusqu'à une heure du matin, heure de la fermeture du bar.

— Oui, monsieur.

— Un de vos camarades ne faisait-il pas la cour à Bessy ?

Le sergent Ward fut un moment avant d'admettre :

— Le sergent Mullins.

— Vous lui en avez parlé.

— Non. Je me suis arrangé pour qu'il ne soit pas à côté d'elle.

Son camarade Mullins était de la même taille que lui, un brun aussi, que les filles devaient trouver beau garçon et qui rappelait vaguement une vedette de cinéma, sans qu'on pût dire au juste laquelle.

— Qu'est-il arrivé à une heure du matin ?

— Nous sommes allés chez le musicien Tony Lacour.

Celui-ci devait se trouver dans la salle, mais Maigret ne le connaissait pas.

— Qui a payé les deux bouteilles de whisky que vous avez emportées ?

— Je crois que Wo Lee a payé une des bouteilles.

— A-t-il bu avec vous pendant toute la soirée ?

— Non, monsieur. Le caporal Wo Lee ne boit pas et ne fume pas. Il a insisté pour payer quelque chose.

De combien de pièces se compose l'appartement du musicien ?

— … Une chambre… un petit living-room… une salle de bains et une cuisine…

— Dans quelle pièce vous êtes-vous tenus ?

— Dans toutes, monsieur.

— Dans laquelle des pièces vous êtes-vous disputé avec Bessy ?

— Dans la cuisine. Nous ne nous sommes pas disputés. J'ai trouvé Bessy qui buvait du whisky à la bouteille. Ce n'était pas la première fois que cela arrivait.

— Vous voulez dire la première fois ce soir-là ?

— Je veux dire que cela lui était arrivé d'autres fois avant le 27 juillet. Je ne voulais pas qu'elle boive trop, car après elle était malade.

— Bessy se trouvait seule dans la cuisine ?

— Elle était avec lui.

Il désignait le sergent Mullins d'un mouvement de menton.

Et voilà qu'il arrivait à Maigret, tout à l'heure lourd et somnolent, à Maigret qui ne connaissait rien de l'affaire, d'ouvrir parfois la bouche, comme si une question lui brûlait les lèvres.

— Qui a proposé d'aller en auto passer le reste de la nuit à Nogales ?

— C'est Bessy.

— Quelle heure était-il ?

— Environ trois heures du matin. Peut-être deux heures et demie.

Nogales, c'était cette ville frontière où Harry Cole voulait conduire le commissaire. Alors qu'à Tucson les bars ferment à une heure du matin, on peut, de l'autre côté de la grille, boire à toute heure de la nuit.

— Qui s'est installé dans votre voiture ?

— Bessy et mes quatre camarades.

— Le frère de Bessy ne vous a pas accompagnés, ni le musicien, ni Erna Bolton, ni Maggie Wallach ?

— Non, monsieur.

— Vous ne savez pas ce qu'ils ont fait ?

— Non, monsieur.

— Comment, au début, étiez-vous placés dans l'auto ?

— Bessy était devant, entre moi, qui conduisais, et le sergent Mullins. Les trois autres étaient derrière.

— N'avez-vous pas arrêté la voiture un peu avant de sortir de la ville ?

— Oui, monsieur.

— Et vous avez demandé à Bessy de changer de place. Pourquoi ?

— Pour qu'elle ne soit plus à côté de Dan Mullins.

— Vous l'avez fait asseoir derrière, et le caporal Van Fleet est venu prendre sa place. Cela vous était égal qu'elle soit derrière votre dos, dans l'obscurité, avec les deux autres ?

— Oui, monsieur.

Tout à coup, sans que rien eût permis de le prévoir, le coroner laissait tomber :

— Suspension !

Il se levait, se dirigeait vers le bureau voisin sur la porte vitrée duquel était écrit le mot « privé ». Ézechiel tirait une énorme pipe de sa poche et l'allumait en lançant un drôle de regard à Maigret

Tout le monde sortait, les jurés, les soldats, les femmes, les quelques curieux.

C'était au rez-de-chaussée d'un vaste bâtiment de style espagnol, avec des colonnades autour d'un patio dont une aile abritait la prison et l'autre les différents services administratifs du comté.

Les cinq de l'Air Force allaient s'asseoir au bord de la colonnade, et Maigret remarqua qu'ils ne s'adressaient pas la parole. Il faisait extrêmement chaud. Dans un coin de la galerie, il y avait une sorte de machine rouge où les gens mettaient cinq cents dans une fente et recevaient en échange une bouteille de coca-cola.

Ils y venaient presque tous, y compris le monsieur à cheveux gris qui devait être l'attorney du comté. Chacun buvait à la bouteille, sans façon, posait ensuite le flacon vide dans un casier.

Maigret se sentait un peu comme un gamin à sa première récréation dans une nouvelle école, mais il n'avait plus envie qu'Harry Cole vienne le chercher tout de suite.

Il ne lui était jamais arrivé auparavant de pénétrer sans veston dans un tribunal, et cette question vestimentaire avait posé un problème. Dès qu'il avait franchi une certaine ligne, du côté de la Virginie, il avait compris qu'il ne pouvait continuer à passer ses journées en veston et en faux col.

Or, toute sa vie, il avait porté des bretelles. Ses pantalons, coupés en France, lui montaient jusqu'à mi-hauteur de la poitrine.

Il ne savait plus dans quelle ville un de ses confrères l'avait conduit d'autorité dans une maison de confection et lui avait fait acheter de ces pantalons légers qu'il voyait ici à tous les hommes, avec une ceinture de cuir dont la large boucle en argent portait une tête de bœuf.

D'autres, qui venaient de l'Est, étaient moins modestes que lui et se précipitaient dans des magasins dont ils ressortaient vêtus en cow-boys, des pieds à la tête.

Il remarquait que deux des jurés, qui avaient pourtant l'air de gens bien calmes, portaient, sous leur pantalon, des bottes à hauts talons, avec des incrustations multicolores.

Les revolvers à barillet qui ornaient la ceinture des sheriffs le fascinaient, car c'étaient exactement ceux que, depuis son enfance, il voyait au cinéma dans les westerns.

— Hello ! Jurés !… appelait sans façon Ézechiel, comme un maître d'école qui réunit sa marmaille.

Il frappait dans ses mains, vidait sa pipe contre son talon, surveillait du coin de l'œil celle de Maigret.

Celui-ci n'était plus si nouveau. Il retrouvait sa place, à cette différence près qu'Harold Mitchell, le frère au furoncle sous l'oreille, et Erna Bolton, qu'il avait involontairement séparés, s'étaient installés côte à côte et parlaient à voix basse.

En définitive, il ne savait pas encore si, dans cette histoire de bière, de whisky et de rapports sexuels hebdomadaires, il y avait quelqu'un de mort. Ce qu'il connaissait plus ou moins, parce qu'il avait assisté à la chose en Angleterre, c'était le mécanisme d'une enquête de coroner.

Gentiment, presque timidement, le sergent Ward avait repris sa place sur sa chaise. Ézechiel était à nouveau aux prises avec le ventilateur, et le coroner enchaînait, l'air indifférent :

— Vous avez arrêté la voiture à huit milles de la ville environ, un peu après le terrain municipal d'aviation. Pourquoi ?

Maigret ne comprit pas tout de suite. Heureusement que Ward parla si bas qu'on dut lui faire répéter sa réponse, et la rougeur du grand gaillard aida le commissaire à deviner.

— Corvée de latrines, monsieur.

Peut-être ne trouvait-il pas d'autre mot décent pour dire qu'ils étaient allés faire pipi.

— Tout le monde est descendu ?

— Oui, monsieur. Je me suis éloigné d'une dizaine de mètres.

— Seul ?

— Non, monsieur. Avec lui !

Il désignait à nouveau Mullins contre qui il paraissait avoir une dent.

— Vous ne savez pas où Bessy est allée pendant ce temps ?

— Je suppose qu'elle s'est éloignée aussi.

Il était difficile de ne pas évoquer la vingtaine de bouteilles de bière ingurgitées par chacun.

— Quelle heure était-il ?

— Entre trois heures et trois heures et demie du matin, je suppose. Je ne sais pas au juste.

— Avez-vous vu Bessy lorsque vous êtes revenu à la voiture ?

— Non, monsieur.

— Et Mullins ?

— Il est revenu quelques instants plus tard.

— D'où ?

— Je ne sais pas.

— Qu'avez-vous dit à vos camarades ?

— J'ai dit : « Au diable, cette fille ! Cela lui fera une bonne leçon ! »

— Pourquoi ?

— Parce que cela lui était déjà arrivé.

— Qu'est-ce qui lui était arrivé ?

— De me quitter sans m'avertir.

— Et vous avez fait demi-tour ?

— Oui. J'ai roulé une centaine de mètres en direction de Tucson et je suis descendu.

— Pourquoi ?

— J'ai supposé qu'elle chercherait à rejoindre la voiture et j'ai voulu lui donner une chance.

— Elle était ivre ?

— Oui, monsieur. Mais cela lui était déjà arrivé aussi. Elle savait encore ce qu'elle faisait.

— Où êtes-vous allé en quittant l'auto ?

— J'ai marché vers la voie de chemin de fer qui longe la route, à une cinquantaine de mètres, dans le désert.

— Vous êtes monté sur le talus ?

— Oui, monsieur. J'ai parcouru environ cent mètres ; j'ai dû m'arrêter à peu près à l'endroit où Bessy nous avait quittés. Je criais son nom.

— Très fort ?

— Oui. Je ne l'ai pas vue. Elle n'a pas répondu. J'ai pensé qu'elle voulait me faire enrager.

— Et vous avez regagné votre voiture. Vos camarades ne vous ont-ils rien dit quand ils vous ont vu mettre le moteur en marche et regagner Tucson sans plus vous occuper d'elle ?

— Non, monsieur.

— Considérez-vous que c'est agir en gentleman d'abandonner une femme, en pleine nuit, dans le désert ?

Ward ne répondit pas. Il avait le front bas, et Maigret commençait à trouver que ses gros sourcils lui donnaient un air buté.

— Vous avez regagné directement votre base ?

Celle-ci, Davis-Montain, une des bases principales de B-29, est à une dizaine de kilomètres de Tucson, dans une direction différente.

— Non, monsieur. J'ai laissé trois de mes camarades en ville, près du dépôt des autobus.

— Vous en avez gardé un avec vous. Qui ?

— Le sergent Mullins.

— Pourquoi ?

— Je voulais chercher Bessy.

— Vous êtes retourné sur la route de Nogales ?

— Oui, monsieur. Je me suis arrêté à peu près à l'endroit où nous avions stoppé la première fois.

— Vous êtes retourné sur la voie du chemin de fer ?

Un assez long silence.

— Non. Je ne crois pas. Je ne me souviens pas être descendu de la voiture.

— Qu'est-ce que vous avez fait ?

— Je ne sais pas. Je me suis réveillé au volant, l'auto tournée vers Tucson, et il y avait un poteau télégraphique devant moi. Je me rappelle le poteau télégraphique et un cactus tout près.

— Mullins était toujours avec vous ?

— Il dormait à côté de moi, le menton sur la poitrine.

— En somme, si je comprends bien, vous n'avez aucun souvenir de ce qui s'est passé avant votre réveil devant le poteau télégraphique ?

À un frémissement de lèvres de Ward, Maigret comprit que celui-ci allait dire quelque chose d'important.

— Non, monsieur. J'étais drogué.

— Vous voulez dire que vous n'étiez pas ivre ?

— Il m'est arrivé souvent de boire autant et même davantage. Je n'ai jamais perdu conscience. Personne ne m'a jamais fait perdre conscience. Je connais ma capacité. Cette nuit-là, on m'a drogué.

— Selon vous, on aurait mis quelque chose dans votre verre ?

— Ou dans une cigarette. Quand je me suis réveillé, j'ai pris machinalement mes cigarettes dans ma poche. J'ai trouvé des Camel. Or, je ne fume que des Chesterfield. Je fumais une cigarette de ce paquet-là quand, pour la seconde fois, j'ai perdu connaissance.

— En compagnie de Mullins.

— Oui.

— Vous soupçonnez Mullins d'avoir glissé des cigarettes droguées dans votre poche ?

— Peut-être.

— Vous le lui avez dit en vous réveillant ?

— Non.

— Vous lui avez parlé ?

— Non. J'ai conduit la voiture jusque chez moi. J'habite en ville avec ma femme et mes enfants. Mullins est monté dans l'appartement. Je lui ai lancé un oreiller pour qu'il se couche sur le canapé. J'ai dormi.

— Combien de temps ?

— Je ne sais pas. Peut-être une heure ? À six heures, je suis allé à la base avec lui pour prendre mon service et j'ai mis mon avion en ordre de vol.

— En quoi consiste votre travail ?

— Je suis mécanicien. Je vérifie l'appareil avant son envol et je reste à terre.

— Qu'avez-vous fait ensuite ?

— J'ai quitté la base vers onze heures du matin.

— Seul ?

— Avec Dan Mullins.

— Quand avez-vous appris la mort de Bessy Mitchell ?

— À trois heures de l'après-midi.

— Où étiez-vous ?

— Dans un bar de la Cinquième Avenue. Je buvais un verre de bière avec Mullins.

— Vous en aviez bu beaucoup depuis le matin ?

— Dix ou douze. Un sheriff est entré et m'a demandé si j'étais bien le sergent Ward. Je lui ai répondu que oui et il m'a prié de le suivre.

— Vous ne saviez pas encore que Bessy était morte ?

— Non, monsieur.

— Vous ignoriez que vos trois camarades, que vous aviez laissés devant le dépôt des autobus, étaient repartis en taxi sur la route de Nogales, tout de suite après votre séparation ?

— Oui, monsieur.

— Vous n'avez pas aperçu le taxi sur la route ? Vous n'avez pas vu ni entendu un train venant de Nogales ?

— Non, monsieur.

— À la base, ce matin-là, vous n'avez rencontré aucun de ces trois amis ?

— J'ai croisé le sergent O'Neil.

— Il ne vous a rien dit ?

— Je ne me souviens pas exactement de sa phrase. C'est quelque chose comme : « *Pour ce qui est de Bessy, tout est O.K.* »

— Qu'en avez-vous conclu ?

— Qu'elle était probablement rentrée chez elle en faisant de l'auto-stop.

— Vous n'êtes pas allé à son domicile ce jour-là ?

— Si. En quittant la base, à onze heures. Erna m'a appris que Bessy n'était pas rentrée.

— C'était après que le sergent O'Neil vous avait dit que tout était O.K. ?

— Oui.

— Cela ne vous a pas paru le contredire ?

— J'ai pensé qu'elle était allée ailleurs.

— Vous avez bien dit tout à l'heure que votre intention était de divorcer pour épouser Bessy.

— Oui, monsieur.

— Vous affirmez que vous ne l'avez pas revue depuis le moment où vous vous êtes éloigné de la voiture avec le sergent Mullins ?

— Pas vivante, non.

— Vous l'avez revue morte ?

— Au dépôt funéraire, quand le sheriff m'y a conduit.

— Le sergent Mullins n'était pas dans l'auto lors du premier arrêt, quand vous avez repris place au volant, et n'est revenu que quelques instants plus tard ?

— Oui, monsieur.

— Pas de questions, attorney ?

L'attorney aux cheveux gris fit signe que non.

— Questions, messieurs les jurés ?

Même signe des cinq hommes et de la grosse femme qui, prévoyant le mot qui allait tomber des lèvres du coroner, préparait déjà son tricot.

— Suspension !

Ézechiel allumait sa pipe. Maigret allumait la sienne. Tout le monde se précipitait vers la galerie, et on cherchait des pièces de cinq cents dans ses poches pour la machine rouge à coca-cola.

Certains, pourtant, des initiés sans doute, franchissaient une porte mystérieuse, et Maigret remarqua que ceux-là avaient en reparaissant une haleine parfumée à l'alcool.

Au fond, il n'était pas encore trop sûr de la réalité de ce qui l'entourait. Le vieux nègre du jury, qui avait les cheveux coupés ras et qui portait des lunettes à montures d'acier, le regardait en souriant, comme s'ils étaient déjà copains, et Maigret lui sourit en retour.

2

Le premier de la classe

Il arrive de voir, dans un café d'habitués, en particulier dans un café de province, quelqu'un qui s'est égaré là parce qu'il a un train à attendre ou un rendez-vous ; assis sur la banquette, ennuyé et sommeillant, il suit d'un œil vague la partie de cartes qui se joue à la table voisine.

Il est visible qu'il ne connaît pas le jeu, mais le voilà bientôt qui, intrigué, cherche à comprendre. Petit à petit, il se penche pour apercevoir les cartes dans les mains des partenaires. Selon les coups, il donne maintenant des signes d'approbation ou d'impatience, et un moment arrive où il a toutes les peines du monde à ne pas intervenir.

C'est un peu comme l'intrus du café de province que Maigret se voyait lui-même cet après-midi-là et il en éprouvait quelque gêne. Mais c'était plus fort que lui. Il était mordu. Il entrait dans le jeu.

Déjà, pendant l'interrogatoire du sergent Ward, il lui était arrivé de se trémousser sur son banc. Il y avait des questions que le dernier venu de ses inspecteurs n'aurait pas manqué de poser et auxquelles le petit juge, si méticuleux dans sa mise et dans ses gestes, paraissait ne pas penser.

Certes, l'enquête du coroner n'est pas le procès. Ce que les jurés auraient à décider, c'est si, selon eux, Bessy Mitchell était morte de mort naturelle, si sa mort était accidentelle, ou enfin si elle était due à la malveillance ou à un acte criminel.

Le reste, dans les deux dernières hypothèses, viendrait plus tard, devant un autre jury.

— Racontez-nous ce qui s'est passé le 27 juillet, après sept heures et demie du soir.

N'était-ce pas déjà assez naïf d'avoir laissé les quatre garçons écouter la déposition de leur camarade ?

Le sergent O'Neil était plus petit, plus trapu que les autres. Ses cheveux clairs tiraient sur le roux et ondulaient. Avec ses traits épais, il ressemblait assez à un paysan du nord de la France, à un paysan bien astiqué, nettoyé à fond.

Bien nettoyés, ils l'étaient tous, et en général tout le monde dans la salle. Ces gens-là avaient un air de santé et de propreté qu'on voit rarement à une foule européenne.

— Nous sommes allés au *Penguin* et nous avons bu.

Celui-ci, c'était le bon élève, pas nécessairement l'élève intelligent, mais le bûcheur. Avant de répondre, il levait les yeux au plafond, comme à l'école, prenait le temps de réfléchir, puis parlait lentement, d'une voix neutre, égale, en se tournant vers les jurés comme on le lui demandait.

C'étaient des gamins, en somme, d'énormes gamins de vingt ans et plus, musclés, solidement charpentés, mais des gamins quand même, qu'on aurait pris par mégarde pour des grandes personnes.

— Combien de verres avez-vous bus ?

— À peu près vingt.

— Qui a payé les tournées ?

Celui-ci s'en souvenait. Avec le temps – car il prenait tout son temps pour répondre –, on apprenait que le sergent Ward avait payé deux tournées, que Dan Mullins avait payé presque tout le reste, qu'O'Neil, lui, n'en avait payé qu'une.

Celui-ci, Maigret aurait aimé le tenir entre quatre z'yeux, dans son bureau du Quai des Orfèvres, et lui mijoter un bon petit interrogatoire à la chansonnette, rien que pour voir ce qu'il avait dans le corps.

Une question qu'il lui aurait posée, entre autres, car, en dehors de Ward, ils étaient tous célibataires, c'était :

« Avez-vous une maîtresse ? »

C'était, en effet, un sanguin, qui devait avoir de gros appétits sexuels. Cette nuit-là, ils étaient cinq pour une seule fille et ils étaient tous, sauf le Chinois, assez ivres. Est-ce que, dans l'obscurité de l'auto, des mains ne s'étaient pas égarées ?

Le coroner ne pensait pas à ces choses-là, ou bien, s'il y pensait, il n'y faisait pas allusion.

— Qui a décidé d'aller finir la nuit à Nogales ?

— Je ne m'en souviens pas exactement. J'ai pensé que c'était Ward.

— Vous n'avez pas entendu Bessy le proposer ?

— Non, monsieur.

— Comment étiez-vous placés dans la voiture ?

On aurait dit qu'il n'avait pas entendu la déclaration de son camarade, tant il prenait la peine de réfléchir.

— Après un moment, il a fait mettre Bessy derrière.

— Pourquoi ?

— Je suppose qu'il était jaloux de Mullins.

— Avait-il une raison d'être plus jaloux de Mullins que des autres ?

— Je ne sais pas.

— Qu'est-il arrivé quand l'auto a dépassé l'aéroport ?

— Nous nous sommes arrêtés.

— Pour quelle raison ?

Il regarda plus longuement le plafond, hésita, prononça enfin avec un petit coup d'œil à Ward, qui avait les yeux fixés sur lui :

— Parce que Bessy a refusé d'aller plus loin.

Il avait l'air de dire :

« Je suis désolé, mais c'est la vérité, et j'ai juré de dire toute la vérité. »

— Bessy n'a pas voulu continuer jusqu'à Nogales ?

— Non, monsieur.

— Pour quelle raison ?

— Je ne sais pas.

— Que s'est-il produit quand vous vous êtes arrêtés de la sorte ?

On entendit à nouveau le mot qui devait avoir cours dans l'armée : corvée de latrines.

— Bessy s'est éloignée de son côté ?

Ce fut encore plus long que les fois précédentes, et le regard resta accroché au plafond.

— Ce dont je me souviens, c'est que, quand elle est revenue, elle était avec Ward.

— Bessy est revenue ?

— Oui, monsieur.

— Elle est remontée dans la voiture ?

— Oui. L'auto a fait demi-tour et a repris la route de Tucson.

— À quel moment Bessy l'a-t-elle quittée ?

— Au second arrêt. Juste après le demi-tour, Bessy a déclaré à Ward qu'elle voulait lui parler.

— Elle était derrière, à côté de vous ?

— Oui. Le sergent Ward a stoppé. Ils sont descendus tous les deux.

— De quel côté se sont-ils dirigés ?

— Du côté de la voie du chemin de fer.

— Ils sont restés longtemps absents ?

— Le sergent Ward est revenu après vingt ou vingt-cinq minutes.

— Vous avez regardé l'heure ?

— Je n'avais pas de montre.

— Il est revenu seul ?

— Oui. Il a dit : « Au diable, cette fille ! Cela lui apprendra ! »

— À quoi faisait-il allusion ?

— Je l'ignore, monsieur.

— Vous avez trouvé naturel de rentrer en ville en abandonnant une femme dans le désert ?

Il ne répondit pas.

— De quoi avez-vous parlé en chemin ?

— Nous n'avons pas parlé.

— Aviez-vous emporté à boire ? Y avait-il une bouteille dans l'auto ?

— Je ne m'en souviens pas.

— Quand Ward vous a déposés en ville, en face du dépôt des autobus, vous a-t-il annoncé qu'il repartait à la recherche de Bessy ?

— Non. Il n'a rien dit.

— Cela ne vous a pas surpris qu'il ne vous conduise pas à la base ?

— Je n'y ai pas pensé.

— Qu'avez-vous fait à ce moment-là, le caporal Van Fleet, Wo Lee et vous ?

— Nous avons pris un taxi.

— De quoi vous entreteniez-vous ?

— De rien.

— Qui a décidé de prendre le taxi ?

— Je ne sais pas, monsieur.

— Combien de temps s'est écoulé entre le moment où Ward et Mullins vous ont quittés et le moment où vous avez pris le taxi ?

— À peine trois minutes. Plutôt deux.

De vrais gamins têtus, qui avaient évidemment quelque chose à cacher, mais dont il n'y avait rien à tirer. Pourquoi d'ailleurs s'y prendre de cette façon ? Maigret s'agitait sur son banc. Pour un peu, il aurait levé la main, comme à l'école, lui aussi, pour poser une question.

Tout à coup, il rougit en apercevant son collègue Harry Cole dans l'encadrement de la porte. Depuis

combien de temps celui-ci l'observait-il avec ce sourire satisfait ? De loin, Cole lui adressa une mimique
qui signifiait :

« Je suppose que vous préférez rester ? »

Et, après un bout de temps, il s'éloigna sur la
pointe des pieds, laissant Maigret à sa nouvelle passion.

— Où le taxi vous a-t-il déposés ?

— À l'endroit où nous nous étions arrêtés la
seconde fois.

— À l'endroit exact ?

— À cause de l'obscurité, je ne peux l'affirmer.
Nous avons essayé de nous souvenir de l'endroit
exact.

— De quoi avez-vous parlé en route ?

— Nous n'avons pas parlé.

— Et vous avez renvoyé le taxi ? Comment comp-
tiez-vous rentrer en ville et regagner la base ?

— En faisant de l'auto-stop.

— Quelle heure était-il ?

— Environ trois heures et demie.

— Vous n'avez pas rencontré l'auto de Ward ?
Vous n'avez vu ni celui-ci, ni Dan Mullins ?

— Non, monsieur.

Ward avait les yeux fixés sur lui, et O'Neil évitait
de le regarder ou, quand cela lui arrivait, il paraissait
s'excuser, en homme qui est obligé d'accomplir son
devoir.

— Qu'avez-vous fait, tous les trois, une fois sur la
route ?

— Nous avons marché dans la direction de Nogales, puis nous sommes revenus vers Tucson en longeant la voie de chemin de fer.

— Vous n'avez pas eu l'idée de chercher de l'autre côté de la route ?

— Non, monsieur.

— Pourquoi ?

— Je ne sais pas.

— Vous avez marché longtemps ?

— Peut-être une heure.

— Sans voir personne ?

— Oui, monsieur.

— Sans parler ?

— Oui, monsieur.

— Qu'est-il arrivé ensuite ?

— Nous avons arrêté une auto qui passait et qui nous a reconduits à la base.

— Vous connaissez la marque de la voiture ?

— Non, monsieur, mais je crois que c'est une Chevrolet 1946.

— Vous avez parlé au conducteur ?

— Non, monsieur.

— Qu'avez-vous fait, une fois à la base ?

— Nous sommes allés dormir. À six heures, nous nous sommes occupés des avions.

Maigret bouillait. Il avait envie de secouer le petit juge, de lui dire :

« Vous n'avez donc jamais cuisiné un témoin de votre vie ? Ou bien est-ce exprès que vous évitez de poser les questions essentielles ? »

— Quand avez-vous appris que Bessy Mitchell était morte ?

— Quand son frère me l'a dit, vers cinq heures de l'après-midi.

— Que vous a-t-il dit exactement ?

— Qu'on avait trouvé Bessy morte sur la voie et qu'il allait y avoir une enquête.

— Qui était présent à cet entretien ?

— Wo Lee était avec moi dans la chambre. Il a déclaré : « Je sais ce qui s'est passé. » Mitchell s'est mis à le questionner. Et Wo Lee s'est contenté de répondre : « Je ne parlerai qu'au sheriff. »

Il était un peu plus de cinq heures, et, avec la même soudaineté que les autres fois, le coroner leva la séance en récitant d'un air distrait, cependant que sa main ramassait les papiers épars sur le pupitre :

— Demain, neuf heures et demie. Pas ici, mais à la Seconde Chambre, à l'étage au-dessus.

On s'en allait. Les cinq soldats, toujours sans s'adresser la parole, se réunissaient sous la galerie, et un officier les emmenait à travers le patio.

Harry Cole était là, en pantalon de gabardine, en chemise blanche, l'air d'un jeune sportif en bonne humeur.

— Cela vous a intéressé, Julius ? Que diriez-vous d'un verre de bière ?

On se retrouvait sans transition dans la chaleur, dans une luminosité épaisse, où les sons eux-mêmes étaient amortis. On apercevait dans le ciel les quatre ou cinq buildings de la ville. Les gens s'en allaient dans leur voiture, même l'Indien – Maigret découvrait qu'il avait une jambe de bois – qui ouvrait la portière d'une vieille auto au capot maintenu par des ficelles.

— Je parie que vous allez me demander quelque chose, Julius ?

Ils entraient dans la fraîcheur d'un bar réfrigéré où on voyait d'autres pantalons de gabardine, d'autres chemises blanches, des bouteilles de bière tout le long du comptoir. Il y avait aussi des cow-boys, des vrais, avec leurs pantalons de grosse toile bleue qui leur collaient aux cuisses, leurs bottes à hauts talons, leur chapeau à large bord.

— C'est exact. Si nous pouvons remettre à un autre jour la visite à Nogales, j'aimerais assister demain à la suite de l'enquête.

— À votre santé. Pas de questions ?

— Des tas. Je vous les poserai à mesure qu'elles me viendront à l'esprit. Y a-t-il des prostituées, ici ?

— Pas dans le sens que vous donnez à ce mot. Dans certains États d'Amérique, oui. L'Arizona les interdit.

— Bessy Mitchell ?

— C'est ce qui remplace.

— Erna Bolton aussi ?

— Plus ou moins.

— Combien la base compte-t-elle de soldats ?

— Cinq ou six mille, je ne m'en suis jamais préoccupé.

— La plupart sont célibataires ?

— Les trois quarts.

— Comment font-ils ?

— Comme ils peuvent. Ce n'est pas très facile.

Son sourire, qui le quittait rarement, n'était pas ironique. Il éprouvait certainement beaucoup de considération, peut-être même une certaine admiration pour Maigret, qu'il connaissait de réputation. Néanmoins, cela l'amusait de voir un Français aux prises avec des problèmes qui lui étaient si totalement étrangers.

— Moi, je suis de l'Est, déclara-t-il, non sans une pointe d'orgueil. Je viens de la Nouvelle-Angleterre. Ici, voyez-vous, c'est encore un peu la vie de frontière. Je pourrais vous faire rencontrer quelques vieux pionniers qui ont fait le coup de feu contre les Apaches, au début du siècle, et qui se réunissaient à quelques-uns en tribunal pour pendre un voleur de chevaux ou de bestiaux.

Une demi-heure ne s'était pas écoulée qu'ils avaient bu chacun trois bouteilles de bière et qu'Harry Cole décidait :

— C'est l'heure des whiskies !

Après ils roulèrent en direction de Nogales, et Maigret, en traversant Tucson, était aussi dérouté devant la ville que devant le tribunal. Ce n'était pas une petite ville, puisqu'elle comptait plus de cent mille habitants.

Pourtant, en dehors du centre, du quartier des affaires où s'élevaient les cinq ou six buildings d'une vingtaine d'étages qu'on voyait se dresser dans le ciel comme des tours, cela ressemblait à un lotissement, ou plutôt à une série de lotissements juxtaposés, les uns plus riches, les autres plus pauvres, tous également neufs, pimpants, aux maisons sans étage.

Plus loin, les rues cessaient d'être pavées. Il y avait de grands vides où on ne voyait que du sable et quelques cactus. On dépassait l'aérodrome, et, sans transition, c'était le désert, avec le violet des montagnes dans le lointain.

— Voici approximativement l'endroit où cela s'est passé. Vous voulez descendre ? Prenez garde aux serpents à sonnettes.

— Il y en a ?

— Il arrive qu'on en trouve même en ville.

La voie du chemin de fer était une voie unique qui passait à une cinquantaine de mètres de la route.

— Je pense qu'il y a quatre ou cinq trains par vingt-quatre heures. Vous ne voulez vraiment pas que nous allions prendre un verre au Mexique ? Nogales est à deux pas.

Cent kilomètres ! Il est vrai qu'on les parcourut en moins d'une heure.

Une petite ville où une grille coupait les deux rues principales. Des hommes en uniformes. Harry Cole leur parlait, et l'instant d'après il s'enfonçait avec Julius dans un grouillement inattendu, dans des rues étroites, mal entretenues, où une luminosité bronzée paraissait n'avoir rien à faire.

— Nous allons commencer par les Caves, bien qu'il soit un peu trop tôt.

Des gamins à moitié nus les harcelaient pour cirer leurs chaussures, et des grandes personnes les arrêtaient au passage sur le seuil de toutes les boutiques où on vendait des souvenirs.

— Comme vous le voyez, c'est la foire. Quand les gens de Tucson, ou même de Phoenix et de plus loin, veulent s'amuser, ils viennent ici.

En effet, dans un bar immense, ils ne rencontrèrent que des Américains.

— Vous croyez que Bessy Mitchell a été tuée ?

— Je sais seulement qu'elle est morte.

— Par accident ?

— Je vous avoue que cela ne me regarde pas. Ce n'est pas un crime fédéral, et je ne m'occupe que des crimes fédéraux. Le reste est l'affaire de la police du comté.

Autrement dit, l'affaire du sheriff et de ses deputy-sheriffs. C'était bien ce qui ahurissait le plus le commissaire, beaucoup plus que cette foire baroque et odorante dans laquelle il était plongé.

Le sheriff, maître de la police du comté, n'était pas du tout un fonctionnaire, nommé à l'avancement ou par examens, mais un citoyen élu à la façon d'un conseiller municipal de la ville de Paris.

Peu importait son précédent métier. Il se présentait aux élections et faisait campagne.

Une fois élu, il choisissait à son gré ses deputy-she-riffs, autrement dit ses inspecteurs, ceux-là que Maigret avait vus avec de gros revolvers et tout plein de cartouches à leur ceinture.

— Ce n'est pas tout ! ajoutait Harry Cole avec une pointe d'ironie. En plus des deputy-sheriffs appointés, il y a tous les autres.

— Comme moi ? plaisanta Maigret en pensant à la plaque en argent qu'on lui avait remise.

— Je parle des amis du sheriff, des électeurs influents, à qui on remet la même plaque. Tous les ranchers, par exemple, ou à peu près, sont deputy-sheriffs. N'allez pas croire qu'ils prennent ça légèrement. Voilà quelques semaines, une voiture, volée par un dangereux convict échappé de prison, roulait entre Tucson et Nogales. Le sheriff de Tucson a alerté un rancher qui habite à peu près à mi-chemin. Celui-ci a téléphoné à deux ou trois voisins, éleveurs de bestiaux comme lui. Ils étaient tous deputy-sheriffs. Avec leurs autos, ils ont établi un barrage sur la route et, quand la voiture volée a essayé de le franchir, ils ont tiré dans les pneus, puis ils ont fait le coup de feu contre le type qu'ils ont fini par avoir au lasso. Qu'en pensez-vous ?

Maigret n'avait pas encore bu autant de verres que les gars du tribunal, mais cela commençait à compter, et il grommela drôlement :

— En France, c'est plutôt la police que les gens de l'endroit auraient essayé d'arrêter.

Il ne savait pas exactement quand ils avaient regagné Tucson...

Toujours piloté par Cole, il était entré au *Penguin Bar*, vers minuit, il ne se souvenait plus au juste. Il y avait un long comptoir en bois sombre et ciré, des bouteilles multicolores sur les étagères. Comme dans tous les bars, il régnait une lumière douce sur laquelle se détachaient les chemises blanches.

Dans le fond, trônait un phonographe automatique, important, ventru, chromé, près d'une machine dans laquelle, pendant une heure, un homme d'âge mûr, avec l'espoir de gagner une partie gratuite, mit des sous, essayant d'envoyer des billes de nickel dans des trous.

Sur cette machine, on voyait, lumineuses, naïvement dessinées, des femmes en maillot de bain. Il y en avait une tout à fait nue, genre *Vie Parisienne*, sur un calendrier du bar.

Mais de vraies femmes, en chair et en os, on n'en trouvait guère. Deux ou trois, seulement, aux tables séparées les unes des autres par des cloisons d'un mètre cinquante de haut. Celles-là étaient accompagnées. Les couples se tenaient immobiles, la main dans la main, devant des verres de bière et de whisky, à écouter avec un sourire vague la musique qui sortait sans fin du phonographe.

— En somme, on rigole ! lança Maigret avec un rire grinçant.

Cole l'irritait, il n'aurait pu dire pourquoi. Peut-être était-ce son éternelle assurance qui lui mettait les nerfs en pelote.

C'était un simple officier du F.B.I., et il pilotait une grosse voiture, d'une main, lâchant le volant pour allumer sa cigarette à plus de cent à l'heure. Il connaissait tout le monde. Tout le monde le connaissait. Que ce fût au Mexique ou ici, il frappait l'épaule des gens, et ils lui disaient avec une cordialité affectueuse :

— Hello ! Harry !

Cole présentait Maigret, et on secouait la main du commissaire comme à un copain de toujours, sans s'inquiéter de ce qu'il faisait là.

— *Have a drink !*

Buvez quelque chose ! Peu importe si c'était bon ou pas, du moment que ça se buvait.

Ici, le long du bar, il y avait des hommes rivés à leur haut tabouret, qui ne bougeaient pas, sinon de temps en temps pour lever le doigt, geste que le barman comprenait parfaitement. Quelques sous-officiers de l'aviation buvaient comme les autres. Peut-être existait-il des simples soldats, mais Maigret n'en avait pas encore vu.

— Si je comprends bien, ils rentrent à leur base à l'heure qu'ils veulent ?

La question surprit Cole.

— Bien entendu !

— À quatre heures du matin si cela leur plaît ?

— Du moment qu'ils ne sont pas de service, ils peuvent même ne pas rentrer du tout.

— Et s'ils sont ivres ?

— Cela les regarde. Ce qui compte, c'est qu'ils fassent ce qu'ils ont à faire.

Pourquoi cela le faisait-il enrager ? Est-ce parce qu'il se souvenait de son service militaire et de l'appel de dix heures, des semaines d'attente pour une pauvre permission de minuit ?

— N'oubliez pas que ce sont des volontaires.

— Je sais. Où les recrute-t-on ?

— Où on peut. Dans la rue. Vous n'avez pas vu les camions qui s'arrêtent parfois à un carrefour et qui jouent de la musique ? À l'intérieur sont exposées des photographies de pays exotiques, et un sergent explique les avantages du métier militaire.

Cole avait toujours l'air de jouer avec la vie, comme si c'était vraiment très amusant.

— On trouve un peu de tout, comme dans toutes les armées. Je suppose que, chez vous, il n'y a pas que les petits garçons sages qui s'engagent. Hello ! Bill ! Mon ami Julius. *Have a drink !*

Pour la dixième ou la vingtième fois de la soirée, Maigret entendait un inconnu lui raconter ses expériences parisiennes. Car tous ces gaillards-là étaient allés à Paris. Tous avaient le même petit air égrillard pour en parler.

— *Have a drink !*

À supposer que le coroner l'interroge demain matin, il pourrait répondre lui aussi :

— Je ne sais plus combien de verres. Peut-être vingt ?

Plus il buvait, plus il devenait taciturne, au point de prendre l'air buté du sergent O'Neil.

Il avait décidé de comprendre et il comprendrait. Voilà ! Il avait déjà trouvé pourquoi Harry Cole l'impatientait. L'homme du F.B.I. était persuadé, en somme, que Maigret était un grand homme dans son pays, mais qu'ici, aux États-Unis, il était incapable de quoi que ce fût.

Plus Cole le voyait réfléchir, et plus il s'amusait. Or Maigret professait, lui, que les hommes et leurs passions sont partout les mêmes.

Ce qu'il fallait, c'était cesser de voir ces différences, de s'étonner, par exemple, de la hauteur des buildings, du désert, des cactus, des bottes et des chapeaux de cow-boys, des machines à pousser des billes dans des trous et des phonographes automatiques.

« Il y avait cinq soldats avec une fille, bon. Et tous avaient bu. » Ils avaient bu comme Maigret était en train de boire, machinalement, comme tous les hommes qui étaient ici ce soir buvaient.

— Hello ! Harry !

— Hello ! Jim !

À croire que personne n'avait de nom de famille. À croire aussi qu'ils étaient tous les meilleurs amis du monde. Chaque fois que Cole lui présentait quelqu'un, il ajoutait d'un ton pénétré :

— Un bon garçon !

Ou bien :

— Un type épatant !

Pas une seule fois, il ne lui avait dit : « Une crapule. »

Où étaient les crapules ? Cela signifiait-il qu'il n'y en avait pas ?

Ou alors qu'on avait ici plus d'indulgence ?

— Vous croyez que les cinq soldats sont libres de sortir ce soir ?

— Pourquoi ne le seraient-ils pas ?

Qu'est-ce qu'il leur aurait servi à Paris ! Et, surtout, qu'est-ce qu'ils auraient pris en rentrant au quartier !

— On n'a rien relevé contre eux, n'est-ce pas ?

— Pas encore, grommela Maigret.

— Tant qu'un homme n'est pas déclaré coupable…

— Je sais !… Je sais !…

Il vida son verre d'un air mécontent. Puis il regarda un des couples. Il y avait bien cinq minutes que les bouches étaient collées, et on ne voyait pas les mains de l'homme.

— Dites-moi : ils ne sont probablement pas mariés ?

— Non.

— Ils n'ont donc pas le droit d'aller à l'hôtel ?

— À moins de s'inscrire comme mari et femme, ce qui est un délit qui peut les mener loin, surtout s'ils viennent d'un autre État.

— Où vont-ils faire l'amour ?

— D'abord il n'est pas prouvé que tout à l'heure ils auront encore besoin de le faire.

Maigret haussa rageusement les épaules.

— Ensuite il y a l'auto.

— Et s'ils n'ont pas d'auto ?

— C'est improbable. La plupart des gens ont une auto. S'ils n'en ont pas, qu'ils tirent leur plan. C'est leur affaire, n'est-ce pas ?

— Et s'ils sont pris à faire ça dans la rue ?

— Cela leur coûtera cher.

— Et si la fille a dix-sept ans et demi au lieu de dix-huit ans ?

— Cela peut aller chercher dans les dix ans de bagne pour son partenaire.

— Bessy Mitchell n'avait pas dix-huit ans ?

— Mais elle était mariée et divorcée.

— Maggie Wallach, qui paraît être la maîtresse du musicien ?…

— Pourquoi ?

— C'est évident.

— Vous les avez vus faire ?

Maigret serra les dents.

— Remarquez qu'elle aussi est mariée. Et divorcée.

— Et Erna Bolton, qui est avec le frère ?

— Elle a vingt ans.

— Vous connaissez le dossier ?

— Moi ? Cela ne me regarde pas. Je vous ai déjà dit qu'il n'y avait pas d'offense fédérale. S'ils s'étaient servis de la poste, par exemple, pour commettre un délit, cela deviendrait de mon ressort. Ou s'ils avaient

fumé une seule cigarette de marijuana. *Have a drink*,
Julius !

Ils étaient vingt, là, au comptoir, à boire en regardant droit devant eux les rangs de bouteilles et le
calendrier qui représentait une femme nue. Il y avait
des femmes nues, ou à moitié nues, un peu partout,
sur les réclames, sur les calendriers publicitaires, des
photos de belles filles en costume de plage à toutes les
pages des journaux et sur tous les écrans des cinémas.

— Mais, sapristi, quand ces gaillards-là ont envie
d'une femme ?

Harry Cole, plus habitué que lui au whisky, le
regarda dans les yeux et éclata de rire.

— Ils se marient !

En réalité, c'était exprès que le coroner n'avait pas
posé les questions qui paraissaient les plus élémen-
taires. Espérait-il quand même arriver à la vérité ?
Est-ce qu'il s'en moquait ?

Peut-être, après tout, l'enquête n'était-elle qu'une
sorte de formalité, et personne n'avait-il trop envie de
savoir ce qui s'était passé réellement cette nuit-là.

Un des deux hommes entendus jusqu'ici avait
menti, c'était fatal. Ou bien c'était le sergent Ward,
ou bien le sergent O'Neil.

Or personne n'avait paru s'en étonner. On les
questionnait l'un et l'autre avec la même gentillesse,
ou plutôt avec le même détachement.

— Vous croyez qu'on convoquera le barman ?

— Pour quoi faire ?

C'était celui qui les servait ce soir et qui avait une
tête de boxeur.

— On va nous mettre à la porte, annonça Cole en regardant l'horloge. Vous ne voulez rien emporter ?

Et, comme Maigret s'étonnait, il lui désigna deux des consommateurs.

— Regardez !

Ceux-ci, à un autre comptoir, près de la porte, où on vendait l'alcool par bouteilles, achetaient des flacons plats qu'ils glissaient dans leur poche.

— Ils ont peut-être une longue route à faire, n'est-ce pas ? Ou bien ils ont de la difficulté à dormir.

L'homme du F.B.I. se payait sa tête, et Maigret ne lui adressa plus la parole jusqu'au moment où l'auto le déposa devant le *Pioneer Hotel*.

— Si je comprends bien, vous passez la journée de demain au tribunal ?

Maigret grogna une vague réponse.

— J'irai vous prendre à l'heure du déjeuner. Vous avez de la chance : l'audience a lieu à la Deuxième Chambre, à l'étage, et l'air est réfrigéré. Bonne nuit, Julius !

Il ajouta sans malice, comme s'il ne s'agissait pas d'une morte :

— Ne rêvez pas à Bessy !

3

Le petit Chinois qui n'a pas bu

Il y eut au moins trois personnes à lui dire bonjour, et cela lui fit plaisir. Le premier étage du County
House était entouré d'une galerie, comme le rez-de-
chaussée. Le soleil était déjà chaud et des groupes
d'hommes, en attendant l'appel d'Ézechiel, fumaient
leur cigarette dans l'ombre.

Ézechiel, en particulier, sa grande pipe à la bouche,
lui adressa un signe cordial, et aussi le juré à la jambe
de bois.

Il s'était demandé, en venant de son hôtel, si la différence d'attitude du public vis-à-vis du sergent Ward
serait sensible.

La veille, quand O'Neil avait parlé du second arrêt
de la voiture et avait déclaré que Ward et Bessy
s'étaient dirigés ensemble vers la voie du chemin de
fer, il y avait eu, non une rumeur, mais comme un
petit choc collectif. Tout le monde avait dû ressentir
le même pincement dans la poitrine.

Allait-on regarder Ward, à présent, comme les hommes, involontairement, regardent ceux d'entre eux qui ont tué ?

Les cinq soldats étaient là, non loin de leur officier qui les avait amenés. Ils fumaient leur cigarette comme les autres, en attendant d'entrer dans la salle. Comme des écoliers qui se boudent, ils maintenaient entre eux une certaine distance.

Il sembla à Maigret que Ward, les yeux bleus sous ses gros sourcils noirs, se tenait plus à l'écart et qu'on lui jetait, de loin, des coups d'œil furtifs.

Était-il allé coucher chez lui ? Quelle était à présent son attitude vis-à-vis de sa femme ? Et l'attitude de celle-ci ? Lui avait-il demandé pardon ? Étaient-ils définitivement brouillés ?

Le Chinois, avec ses grands yeux en amande, était fin et joli comme une fille.

De petite taille, il paraissait beaucoup plus jeune que les autres. Dans les écoles aussi, il y a toujours un élève qu'on taquine en l'appelant la fille !

On comptait de nouveaux curieux. Le journal avait publié le compte rendu de la première audience sous les titres gras :

Le sergent Ward prétend qu'il a été drogué.
O'Neil contredit son témoignage
sur plusieurs points.

Celui-ci avait toujours son air de bon élève consciencieux, trop consciencieux. S'étaient-ils adressé la parole, Ward et lui, depuis la veille ?

Maigret s'était éveillé de mauvaise humeur, avec un fort mal de tête et, pour tout dire, la gueule de bois, mais c'était passé. Cela l'avait irrité, pourtant, d'avoir recours à leur système. Dès ses premiers jours à New York, il s'était étonné de retrouver frais et dispos, tôt le matin, des gens qu'il avait quittés la nuit précédente dans un état d'ivresse avancée. On lui avait donné le truc. Depuis, il avait vu, dans tous les *drug-stores*, dans les cafés, dans les bars, cette bouteille d'un bleu particulier, fixée au mur le goulot en bas, avec un appareil nickelé qui mesurait la dose.

On vous pompait ça dans un verre d'eau qui se mettait à mousser et à crépiter. On vous le servait aussi naturellement qu'un café au lait ou un coca-cola et, quelques minutes plus tard, les fumées laissées par l'alcool étaient dispersées.

Pourquoi pas ? À côté des machines à saouler, la machine à dessaouler. Ils étaient logiques après tout.

— Jurés !

On rentrait en classe, et cette classe était plus spacieuse que celle de la veille. Cela ressemblait cette fois à un vrai tribunal, avec une balustrade en forme de table de communion entre la cour et le public, une chaire pour le coroner, un pupitre muni d'un microphone pour le témoin. Les jurés, qui siégeaient dans une authentique boîte à jury, en devenaient plus solennels.

Du coup, Maigret remarquait mieux des gens qu'il avait mal vus la veille, entre autres un fort gaillard roux qui se tenait toujours près de l'attorney, prenait des notes, lui parlait à mi-voix. Il l'avait pris d'abord pour un secrétaire ou pour un journaliste.

— Qui est-ce ? demanda-t-il à son voisin.

— Mike !

Cela, il le savait, car il avait entendu les autres l'appeler ainsi.

— Qu'est-ce qu'il fait ?

— Mike O'Rourke ? C'est le chief deputy-sheriff, celui qui s'occupe de l'enquête.

Le Maigret du comté, en somme. Ils étaient à peu près de même corpulence, avec le même bourrelet au-dessus de la ceinture du pantalon, la même nuque épaisse, et ils devaient avoir le même âge.

Au fond, était-ce si différent ici de Paris ? O'Rourke ne portait pas sa plaque de sheriff et n'avait pas de revolver à la ceinture. Il avait l'air d'un bonhomme placide, avec le teint très clair des roux et des yeux couleur de violette.

L'idée venait-elle de lui et l'avait-il soufflée à l'attorney, sur qui il se penchait souvent ? Toujours est-il que, dès le début de l'audience, l'attorney se leva, demanda à poser une question au dernier témoin de la veille, de sorte qu'O'Neil alla s'asseoir sur l'estrade, devant le micro, qu'on régla à sa hauteur.

— Avez-vous remarqué l'état de la voiture qui vous a ramenés à Tucson ? N'était-elle pas endommagée ?

Le bon élève fronça les sourcils, interrogea des yeux le plafond.

— Je ne sais pas.

— Était-ce une deux portes ou une quatre portes ? Êtes-vous entré par la droite ou par la gauche ?

— Je crois que c'était une quatre portes. Je suis entré par le côté opposé au chauffeur.

— Donc par la droite. Et vous n'avez pas remarqué de dégâts à la carrosserie, comme si l'auto avait eu un accident ?

— Je ne me souviens plus.

— Vous étiez très ivre à ce moment-là ?

— Oui, monsieur.

— Plus ivre que quand Bessy a quitté la partie ?

— Je ne sais pas. Peut-être.

— Pourtant, vous n'avez rien bu après avoir quitté la maison du musicien ?

— Non, monsieur.

— C'est tout.

O'Neil se levait.

— Pardon. Encore une question. Quelle place occupiez-vous dans cette dernière voiture ?

— J'étais à l'avant, à côté du conducteur.

L'attorney fit signe qu'il en avait fini avec lui, et ce fut le tour du sergent Van Fleet, un blond au teint de brique, aux cheveux ondulés, que, dans son esprit, Maigret appela le Flamand. Ses camarades l'appelaient Pinky.

Il était le premier à se montrer nerveux en prenant place sur la chaise des témoins. Il s'efforçait visiblement d'être calme, mais il ne savait où poser son regard et il lui arriva plusieurs fois de se ronger les ongles.

— Vous êtes marié ? Célibataire ?

— Célibataire, monsieur.

Il dut tousser pour s'éclaircir la voix, et le coroner régla le micro un ton au-dessus. Il avait un fauteuil étonnant, le coroner. Il pouvait le fixer dans diverses positions et il passait son temps à renverser davantage

le dossier en arrière, puis un peu moins, puis à le renverser à nouveau.

— Racontez-nous ce qui s'est passé le 27 juillet à
partir de sept heures et demie du soir.

Derrière Maigret, une jeune négresse, qui portait
un bébé et qu'il avait remarquée la veille, était
aujourd'hui accompagnée de son frère et de sa sœur.
Il y avait deux femmes enceintes dans la salle. Grâce
à l'air conditionné, il faisait très frais, beaucoup plus
frais qu'en bas, mais Ézechiel continuait à aller de
temps en temps tripoter l'appareil avec importance.

Le Flamand parlait lentement, avec de longs
silences pendant lesquels il cherchait ses mots. Les
quatre autres soldats, sur un même banc du prétoire,
tournaient le dos aux spectateurs, et c'étaient eux que
Pinky regardait à la dérobée, comme pour leur
demander de « souffler ».

Le *Penguin Bar*, l'appartement du musicien, le
départ pour Nogales...

— À quelle place étiez-vous assis dans la voiture
de Ward ?

— D'abord, j'étais derrière avec le sergent O'Neil
et le caporal Wo Lee, mais j'ai dû passer devant
quand Ward a dit à Bessy de changer de place. Je me
suis alors assis à la droite de Mullins.

— Que s'est-il passé ensuite ?

— Après l'aérodrome, la voiture s'est arrêtée sur le
côté droit de la route, et nous sommes tous descendus.

— Avait-on déjà décidé de ne pas continuer
jusqu'à Nogales ?

— Non.

— Quand en a-t-il été question ?

— Quand tout le monde a repris place dans la voiture.

— Y compris Bessy ?

Il hésita, et il sembla à Maigret qu'il cherchait O'Neil des yeux.

— Oui. Ward a déclaré qu'on rentrait en ville.

— Ce n'est pas Bessy qui en a parlé ?

— J'ai entendu Ward qui le disait.

— L'auto s'est-elle arrêtée une seconde fois ?

— Oui. Bessy a dit à Ward qu'elle voulait lui parler.

— Elle était très *ivre* ? Avait-elle encore conscience de ce qu'elle faisait ?

— Je crois que oui. Ils se sont éloignés tous les deux.

— Combien de temps ont-ils été absents ?

— Ward est revenu, seul, après cinq ou six minutes.

— Vous dites bien cinq ou six minutes ? Vous avez regardé l'heure ?

— Non. Mais je ne crois pas qu'il soit resté plus longtemps.

— Qu'est-ce qu'il a dit alors ?

— Il n'a rien dit.

— Personne ne lui a demandé ce que Bessy était devenue.

— Non, monsieur.

— Cela ne vous a pas étonné qu'on reparte sans elle ?

— Peut-être un peu.

— Tout le long du chemin, Ward n'en a plus parlé ?

— Non, monsieur.

— Qui a décidé de prendre un taxi pour revenir sur les lieux ?

Il désigna O'Neil du geste.

— N'avez-vous pas débattu entre vous la question d'emmener ou de ne pas emmener Wo Lee ?

Maigret, qui paraissait assoupi, tressaillit. C'était encore une petite question de rien du tout qui semblait indiquer que le coroner en savait plus long qu'il ne voulait le paraître. O'Rourke, d'ailleurs, se penchait justement à l'oreille de l'attorney qui notait quelque chose.

— Non, monsieur.

— De quoi vous êtes-vous entretenus pendant le trajet ?

— Nous n'avons pas parlé.

— Quand le taxi s'est arrêté, n'y a-t-il pas eu une discussion entre vous et O'Neil ?

— Je ne me souviens pas. Non, monsieur.

O'Rourke devait connaître son métier. Il avait retrouvé le chauffeur, ce qui n'était pas difficile, et on verrait sans doute celui-ci déposer à son tour.

Des trois soldats interrogés jusqu'ici, c'était Pinky le plus mal à l'aise.

— Ne couchez-vous pas dans la même chambre qu'O'Neil ? Depuis combien de temps ?

— Environ six mois.

— Vous êtes très amis ?

— Nous sortons toujours ensemble.

Quand on demanda à l'attorney s'il n'avait pas de questions à poser au témoin, il n'en posa qu'une :

— L'auto qui vous a ramenés à la base était-elle en bon état ?

Pinky ne savait pas non plus. Il n'avait pas remarqué la marque de la voiture. Il se souvenait seulement que la carrosserie était blanche ou claire.

— Suspension !

C'était drôle : sans raison bien précise, le sergent Ward faisait déjà moins figure d'assassin. C'était O'Neil, maintenant, que les gens observaient au passage. Il était peut-être parfaitement innocent. Ils étaient peut-être tous innocents. Et ils sentaient la suspicion aller de l'un à l'autre, peut-être même se suspectaient-ils les uns les autres ?

Que pensaient-ils en fumant leur cigarette sur la terrasse et en buvant des coca-cola ?

Maigret aurait pu se présenter à Mike O'Rourke qui lui aurait tapé sur l'épaule et qui l'aurait probablement mis dans le secret des dieux. Cela l'amusait davantage d'observer les allées et venues de son collègue qui profitait de la suspension d'audience pour aller, dans un bureau vitré, donner quelques coups de téléphone.

Au moment de rentrer en séance, on s'aperçut que l'attorney n'était pas là et il fallut se mettre à sa recherche dans tout le bâtiment. Peut-être avait-il donné des coups de téléphone, lui aussi ?

— Caporal Wo Lee.

Celui-ci se glissa sur la chaise des témoins, et on dut descendre le micro jusqu'à hauteur de sa bouche. Il parlait d'une voix si basse que, malgré l'amplificateur, on l'entendait à peine.

Les trois autres, déjà, avaient pris leur temps entre chaque phrase. Wo Lee, lui, s'arrêtait si longtemps qu'il avait l'air d'être en panne, ou de penser soudain à autre chose.

Est-ce que, comme une bande d'écoliers qui ont fait un mauvais coup, ils s'accusaient, entre eux, de « rapporter » ?

Maigret devait se pencher, faire un dur effort d'attention, car le Chinois était difficile à suivre.

— Racontez-nous ce qui s'est passé le…

Ce fut si lent qu'avant d'en arriver au départ pour Nogales le coroner leva à nouveau la séance. Pendant la suspension, on lui amena trois prisonniers en uniforme bleu, des gens que la police avait arrêtés la veille et qui n'avaient rien à voir avec l'affaire.

Un Mexicain fort mélangé d'Indien était accusé d'ivresse et de conduite bruyante sur la voie publique.

— Vous plaidez coupable ?

— Oui.

— Cinq dollars ou cinq jours de prison. Au suivant !

Chèque sans provision.

— Vous plaidez coupable ? Mettons l'affaire au 7 août. Vous pouvez être relâché sous caution de cinq cents dollars.

Maigret descendit boire un coca-cola, et deux des jurés lui adressèrent un sourire au passage. Il dut traverser une tache de soleil, ressentit une brûlure sur la peau.

Quand il revint, le Chinois était déjà à sa place. Il répondait à une question qu'on venait de lui poser. Il y avait maintenant des gens debout devant la porte ouverte, mais personne n'avait pris la place de Maigret, ce qui lui fit plaisir.

— Au moment de quitter le bar, on a acheté deux bouteilles de whisky, disait lentement Wo Lee.

— Que s'est-il passé chez le musicien ?

— Bessy et le sergent Mullins sont allés dans la cuisine. Un peu plus tard, le sergent Ward y est entré à son tour, et il y a eu une discussion.

— Entre les deux hommes, ou entre Ward et Bessy ?

— Je ne sais pas. Ward est revenu avec une bouteille à la main.

— Les deux bouteilles étaient bues ?

— Non. On en avait laissé une dans l'auto.

— Sur la banquette avant ou sur la banquette arrière ?

— Sur la banquette arrière.

— De quel côté ?

— Du côté gauche.

— Qui s'est assis du côté gauche ?

— Le sergent O'Neil.

— L'avez-vous vu boire en cours de route ?

— Il faisait trop sombre pour que je le voie.

— Pendant la soirée, Harold Mitchell a-t-il paru en colère contre sa sœur ?

— Non, monsieur.

Au fait, le frère de Bessy était aujourd'hui en uniforme. La veille, en civil, avec une chemise d'un vilain

violet, il avait assez l'air d'un mauvais garçon comme
on en voit dans les films.

À présent, en tenue de coutil propre et bien
repassée, il paraissait plus franc. À certain moment,
comme le Chinois parlait, le musicien, qui était
dehors, vint chercher Mitchell et lui dit quelques
mots à voix basse sur la terrasse. Quand il rentra, il se
dirigea vers Mike O'Rourke, qui parla à son tour à
l'attorney, et l'attorney se leva :

— Le sergent Mitchell demande qu'un témoin soit
convoqué le plus tôt possible.

Le sergent Mitchell s'était assis, comme la veille, à
côté de Maigret. Il se leva quand le coroner se tourna
vers lui, dit avec un frémissement dans la voix :

— Le bruit court que certains hommes du train
ont aperçu un morceau de corde au poignet de ma
sœur. Je voudrais qu'on les entende.

On lui fit signe de se rasseoir ; le coroner parla à
son huissier puis reprit son interrogatoire.

— Que s'est-il passé quand la voiture s'est arrêtée,
un mille environ après l'aéroport ?

On entendit une fois de plus, avec un accent différent, les mots « corvée de latrines », qui amenaient
automatiquement un sourire sur les lèvres, comme si
c'était devenu un gag.

— Avez-vous vu Bessy s'éloigner de l'auto ?

— Oui. Elle s'est éloignée en compagnie du sergent Mullins.

C'est le dos de celui-ci qu'on regarda, et Ward
devenait de moins en moins l'assassin.

— Ils sont restés longtemps absents ? Où était
Ward pendant ce temps-là ?

— Il est revenu un des premiers vers la voiture. Puis Bessy est montée à son tour et il a fallu attendre Mullins pendant plusieurs minutes.

— Combien de temps Bessy et Mullins sont-ils restés ensemble ?

— Peut-être dix minutes.

— Était-il déjà décidé de ne pas continuer jusqu'à Nogales ?

— Non. C'est au moment de repartir que Bessy a dit qu'elle en avait assez et qu'elle voulait rentrer.

— Ward a fait demi-tour sans discuter ?

— Oui, monsieur.

— Dites-nous ce qui s'est passé ensuite. Vous n'aviez rien bu de la soirée, n'est-ce pas ?

— Seulement du coca-cola. Bessy, après une centaine de mètres, a demandé qu'on s'arrête de nouveau.

— Elle n'a rien ajouté ?

— Non.

— Qui est descendu de l'auto avec elle ?

— Personne, d'abord. Elle s'est éloignée toute seule. Puis Dan Mullins est descendu à son tour.

— Vous êtes sûr que c'était Mullins ?

— Oui, monsieur.

— Il est resté longtemps absent ?

— Au moins dix minutes. Peut-être plus.

— Il s'est dirigé vers le chemin de fer ?

— Oui. Ensuite le sergent Ward est descendu, du côté gauche, et il a fait le tour de l'auto. Il est revenu presque tout de suite, car on entendait les pas de Mullins.

— Les deux hommes ont-ils eu une discussion ?

— Non. L'auto est repartie. Nous sommes descendus devant le dépôt des autobus, le sergent O'Neil, Van Fleet et moi.

— Qui a proposé de retourner sur la route ?

— Le sergent O'Neil.

— Vous a-t-il prié de ne pas les accompagner ?

— Pas exactement. Il m'a seulement demandé si je n'étais pas trop fatigué et si je ne préférais pas rentrer à la base.

— Que s'est-il dit dans le taxi ?

— Van Fleet et O'Neil ont parlé à voix basse. J'étais assis devant avec le chauffeur et je n'ai pas écouté.

— Qui a désigné au chauffeur l'endroit où s'arrêter ?

— O'Neil.

— Était-ce l'endroit du premier arrêt ou celui du second ?

— Je ne peux le dire. Il faisait encore noir.

— N'y a-t-il pas eu de discussion à ce moment ?

— Non, monsieur.

— Il n'a pas été question de faire attendre le taxi ?

Il n'en avait pas été question. Ils allaient pour chercher la fille abandonnée dans le désert et ils ne gardaient pas la voiture pour la ramener.

— Vous n'avez pas croisé ou dépassé d'autos sur la route ?

— Non, monsieur.

— Qu'avez-vous fait, le taxi parti ?

— Nous avons marché en direction de Nogales, puis, après un mille environ, nous avons fait demi-tour.

— Ensemble ?

— Pour aller, oui. Au retour, je marchais en bordure de la route. Le sergent O'Neil et Pinky étaient plus avant dans le désert.

— Du côté de la voie du chemin de fer ?

— Oui, monsieur.

— Combien de temps ces allées et venues ont-elles duré ?

— Environ une heure.

— Et, pendant une heure, vous n'avez vu personne ? Vous n'avez entendu aucun train ? De quelle couleur était l'auto qui vous a ramenés ?

— Jaune pâle.

L'attorney se leva à nouveau pour la fameuse question à laquelle il attachait une importance inexplicable.

— Avez-vous remarqué si la carrosserie portait des traces d'accident ?

— Non, monsieur. Je suis monté par le côté droit.

— Et O'Neil ?

— Également. C'était une Sedan. Il s'est installé à l'avant et moi à l'arrière. Pinky a fait le tour.

— La bouteille de whisky n'était plus avec vous ?

— Non.

— Et dans le taxi ?

— Je n'en suis pas sûr. Je ne crois pas.

— Le lendemain, quand Harold Mitchell vous a appris que sa sœur avait été tuée, vous lui avez déclaré que vous saviez ce qui s'était passé, mais que vous ne parleriez que devant le sheriff.

Maigret vit la main de Mitchell se crisper sur son genou.

— Non, monsieur.

— Vous ne lui avez pas parlé ?

— Je lui ai dit : « Le sheriff nous questionnera, et je lui dirai ce que je sais. »

Ce n'était évidemment pas la même chose, et Mitchell, à côté de Maigret, eut un geste nerveux, de dépit, de colère.

Le Chinois mentait-il ? Qui mentait, des quatre qu'on avait entendus jusqu'alors ?

— Suspension ! La séance reprendra, en bas, dans la salle de la Justice de Paix, à une heure et demie.

Harry Cole n'était pas là comme il l'avait promis, et Maigret l'aperçut un peu plus tard qui descendait de sa voiture en face du County House. Il était aussi frais, aussi alerte que la veille, avec la même bonne humeur qui semblait jaillir de source. C'était une gaieté sereine d'homme qui n'a pas de cauchemars, qui se sent en paix avec lui-même et avec les autres.

Ils étaient presque tous comme ça, et c'est bien ce qui mettait Maigret en boule.

Cela lui faisait penser à un vêtement trop net, trop bien lavé, trop bien repassé. C'était comme leurs maisons, aussi impeccables que des cliniques, où on ne voyait pas de raison pour s'asseoir dans un coin plutôt que dans un autre.

Il les soupçonnait, au fond, de connaître les anxiétés de tous les humains et d'adopter, par pudeur, cette apparence allègre.

Même les cinq hommes de l'aviation, à son gré, n'étaient pas assez soucieux. Chacun restait enfermé en lui-même, mais sans qu'on sentît l'anxiété de gens à tort ou à raison soupçonnés d'un crime.

Les spectateurs étaient sans frémissement. Personne ne paraissait penser à la fille qui était morte sur la voie de chemin de fer. C'était plutôt une sorte de jeu, et il n'y avait que le reporter du *Star* à y ajouter des titres sensationnels.

— Bien dormi, Julius ?

Si seulement ils cessaient de l'appeler ainsi ! Le plus fort, c'est qu'ils ne le faisaient pas exprès, qu'ils n'y mettaient aucune ironie.

— Vous avez résolu le problème ? Est-ce un crime, un suicide ou un accident ?

Maigret entra comme chez lui dans le bar du coin de la rue, où il retrouvait plusieurs des visages aperçus à l'audience, y compris deux des jurés.

— *Have a drink !* Vous avez eu une affaire dans ce genre-là en France n'est-ce pas ? Un magistrat qui a été trouvé mort sur une voie de chemin de fer. Comment l'appelait-on ?

— Prince ! grommela Maigret avec humeur.

Et cela le frappa, car, dans l'affaire Prince aussi, il avait été question d'une corde autour des poignets.

— Comment s'est-elle terminée ?

— Cela ne s'est jamais terminé.

— Vous avez votre idée ?

Il l'avait, mais il préférait ne pas la dire, car son opinion sur l'affaire lui avait valu assez d'ennuis et d'attaques d'une partie de la presse.

— Vous avez bavardé avec Mike ? Vous le connaissez, non ? C'est le chief deputy-sheriff et il s'occupe personnellement des affaires importantes. Vous voulez que je vous présente ?

— Pas encore.

— Dans ce cas, allons manger un steak aux oignons, et je vous déposerai au County House en temps voulu.

— Vous ne suivez pas du tout l'affaire ?

— Cela ne me regarde pas, je vous l'ai dit.

— Cela ne vous intéresse pas non plus ?

— On ne peut pas s'intéresser à tout, n'est-ce pas ? Si je fais le travail de Mike O'Rourke, qui fera le mien ? Peut-être, demain ou après-demain, mettrai-je enfin la main sur vingt mille dollars de stupéfiants qui sont dans la région depuis une semaine.

— Comment le savez-vous ?

— Par nos agents au Mexique. Je sais même qui les a vendus, à quel prix, quel jour. Je sais quand ils ont passé la frontière à Nogales. Je crois savoir aussi dans quel camion ils ont été transportés jusqu'à Tucson. Ensuite je nage.

La serveuse de la *cafetaria* était fraîche et jolie. C'était une blonde assez forte, d'une vingtaine d'années.

Cole l'interpellait :

— Hello, Doll !

Et à Maigret :

— C'est une étudiante de l'Université. Elle espère obtenir une bourse pour aller terminer ses études à Paris.

Pourquoi le commissaire éprouva-t-il le besoin d'être grossier ? Quelle était cette humeur qui lui venait dès qu'il se trouvait en face de Harry Cole ?

— Et si on lui pinçait la fesse ? questionna-t-il en pensant aux serveuses des petits bistrots de France.

Son collègue parut surpris, le regarda un long moment, comme s'il se posait gravement la question.

— Je ne sais pas, avoua-t-il enfin. Peut-être pourriez-vous essayer ? Doll !

S'attendait-il vraiment à ce que Maigret tendît la main, pendant que la jeune fille se penchait sur eux, son uniforme blanc gonflé par une chair drue ?

— Sergent Mullins !

Encore un célibataire. Il n'y avait, dans le lot, que Ward à être marié et père de famille.

N'était-ce pas Dan Mullins, maintenant, qui faisait figure de vilain ?

— Racontez-nous ce qui s'est passé le…

Maigret préférait la petite salle du bas à celle d'en haut, bien qu'il y fît plus chaud. C'était plus intime. Et, ici, Ézechiel, qui se sentait chez lui, était beaucoup plus pittoresque.

C'était le pion de l'école. Le coroner en était l'instituteur et l'attorney un inspecteur en tournée.

Peut-être allaient-ils se décider enfin à poser les questions essentielles ? Le sergent Ward avait avoué qu'il était jaloux de son ami Mullins. C'est en compagnie de celui-ci qu'il avait surpris Bessy dans la cuisine du musicien.

Or, une fois de plus, il n'en était pas question. Cinq hommes et une fille avaient passé ensemble une bonne partie de la nuit. Tous, sauf le Chinois, étaient surexcités par l'alcool. Quatre sur cinq étaient des célibataires et Maigret savait maintenant le peu d'occasions qu'ils avaient de se satisfaire. Quant à

Ward, qui était du type jaloux, il semblait avoir eu Bessy dans la peau.

Pas un mot. Toujours les sempiternelles questions. Le coroner lui-même devait y attacher si peu d'importance qu'il les posait en regardant ailleurs, au plafond la plupart du temps. Écoutait-il seulement les réponses ?

Il n'y avait que Mike O'Rourke, le Maigret du comté, à prendre des notes et à avoir l'air intéressé par l'affaire. La négresse, derrière le commissaire, donnait le sein à son bébé, et sa suite s'était augmentée d'une petite fille et d'une grosse femme de sa race. Si l'enquête continuait longtemps, la tribu entière remplirait la salle du tribunal.

— Vous aviez déjà rencontré Bessy avant ?

— Une fois, monsieur.

— Seule ?

— J'étais avec Ward quand il a fait sa connaissance au *drive-in.* Je les ai quittés lorsqu'ils sont partis en auto, vers trois heures du matin.

— Vous saviez que le sergent Ward avait l'intention de divorcer pour l'épouser ?

— Non, monsieur.

C'était tout sur ce sujet-là.

— Que s'est-il passé quand la voiture s'est arrêtée un peu après l'aéroport ?

— Nous sommes tous descendus. Je suis parti de mon côté pour la corvée de…

De latrines, on commençait à le savoir ! Cela devenait une image obsédante : les cinq hommes et la femme, éparpillés autour de l'auto, évacuant tout le liquide ingurgité pendant la nuit !

— Vous vous êtes éloigné seul ?

— Oui, monsieur.

— Vous avez vu le sergent Ward ?

— Je l'ai vu disparaître dans l'obscurité avec Bessy.

— Ils sont revenus ensemble ?

— Ward est revenu et a pris place au volant.

» Puis il a déclaré avec impatience : « Au diable cette fille ! Cela lui apprendra. »

— Pardon. C'est lors du premier arrêt que Ward a prononcé cette phrase ?

— Oui, monsieur. Il n'y a pas eu d'autre arrêt avant Tucson.

— Bessy n'a pas demandé à Ward de la suivre, sous prétexte qu'elle avait à lui parler ?

— Avant, oui.

— Avant quoi ?

— Au moment où l'auto s'est arrêtée. C'est elle qui lui a déclaré qu'elle ne voulait pas aller plus loin, et Ward a ralenti. Puis elle a ajouté : « J'ai à te parler. Viens. »

— Au premier arrêt ?

— Il n'y a pas eu d'autre arrêt.

Le silence fut assez long. Les dos des quatre autres soldats étaient immobiles. Le coroner soupira :

— Ensuite ?

— Nous sommes rentrés en ville et nous avons déposé les trois autres.

— Pourquoi êtes-vous resté avec Ward ?

— Parce qu'il me l'a demandé.

— À quel moment ?

— Je ne m'en souviens pas.

— Il vous a dit qu'il avait l'intention d'aller chercher Bessy ?

— Non, mais je l'ai compris.

— Vous lui avez donné des cigarettes ?

— Non. En chemin, il m'a prié de prendre son
paquet dans sa poche. J'en ai sorti une cigarette et je
la lui ai allumée.

— C'était une Chesterfield ?

— Non, monsieur. Une Camel. Il en restait trois
ou quatre dans le paquet.

— Vous en avez fumé aussi ?

— Je ne crois pas. Je ne me souviens pas. Je me
suis endormi.

— Avant que l'auto s'arrête ?

— Je crois, ou tout de suite après. Quand Ward
m'a éveillé, j'ai vu un poteau télégraphique et un
cactus près de l'auto.

— Aucun de vous n'est descendu de la voiture ?

— Je ne sais pas si Ward est descendu. Je dormais.
Il m'a emmené chez lui et m'a lancé un oreiller pour
que je me couche sur le canapé.

— Vous avez vu sa femme ?

— Pas à ce moment-là. Je les ai entendus parler.

— En somme, vous êtes retournés sur la route
pour rechercher Bessy et vous n'êtes pas descendus
de la voiture.

— Oui, monsieur.

— Vous avez rencontré des autos ? Vous avez
entendu le train ?

— Non, monsieur.

Tous ces gaillards-là, grands et forts, avaient entre dix-huit et vingt-trois ans. Bessy, qui en avait dix-sept, était déjà mariée, divorcée et, maintenant, morte.

— Suspension !

En passant devant un bureau vitré, Maigret entendit l'attorney qui parlait au téléphone.

— Oui, docteur. Dans quelques minutes. Je vous remercie. Nous attendrons…

Sans doute s'agissait-il du médecin qui avait pratiqué l'autopsie et qui serait le témoin suivant. Il devait être très occupé, car l'entracte dura plus d'une demi-heure, et le coroner eut le temps de faire défiler cinq ou six délinquants ordinaires.

Dans un coin du couloir, l'attorney et Mike O'Rourke avaient une discussion animée et ils appelèrent, pour le consulter, l'officier qui accompagnait les cinq hommes. Peu après, ils s'enfermaient dans le bureau marqué « privé », où le coroner alla les rejoindre.

4

L'homme qui remontait les horloges

Un des oncles de Maigret, le frère de sa mère, avait une manie. Dès qu'il était dans une pièce où se trouvait une horloge, n'importe quel genre d'horloge, grande ou petite, horloge ancienne à balancier dans sa caisse vitrée ou réveille-matin sur la cheminée, il cessait de prêter l'oreille à la conversation jusqu'au moment où il pouvait enfin s'en approcher pour la remonter.

Il faisait cela partout, fût-il en visite chez des gens qu'il connaissait à peine. Il lui arrivait d'agir de même dans un magasin où il était entré pour acheter un crayon ou des clous.

Il n'était pourtant pas horloger, mais employé dans l'Enregistrement.

Maigret tenait-il de son oncle ? Cole lui avait laissé un billet, au bureau de l'hôtel, avec une clef plate dans l'enveloppe.

Cher Julius,
Suis obligé de faire un saut au Mexique en avion.
Serai probablement de retour demain matin. Trouverez
ma voiture au parking de l'hôtel. Ci-joint la clef. Fidèle-
ment vôtre.

Qu'aurait-il pensé de lui, qu'aurait-il pensé de la police française s'il avait su que Maigret n'avait jamais appris à conduire une auto ?

Ici, des hommes de son âge pilotaient leur avion privé. Les ranchers, qui ne sont, en somme, que de gros fermiers, avaient presque tous leur avion, dont ils se servaient le dimanche pour aller à la pêche. En outre, beaucoup utilisaient un hélicoptère pour répandre des produits chimiques sur leurs plantations.

Il n'avait pas eu envie de dîner tout seul dans la salle à manger de l'hôtel et il était parti à pied. Il y avait longtemps qu'il désirait marcher dans les rues, mais on ne lui en donnait jamais l'occasion. Pour deux blocks, comme ils disaient, c'est-à-dire pour deux pâtés de maisons, ils sautaient dans leur voiture.

Il passa devant un bel immeuble de style colonial dont les blanches colonnades se dressaient au milieu d'une pelouse bien entretenue. Il avait vu, la veille au soir, briller l'enseigne au néon *Caroon. Mortuary.* C'était l'entrepreneur de pompes funèbres.

« Le meilleur enterrement au meilleur prix », annonçait-il dans les journaux.

Et tous les soirs, il diffusait une demi-heure de musique douce à la radio. C'était lui qui embaumait les gens. On avait regardé Maigret avec un dégoût mal dissimulé quand il avait déclaré qu'en France on met les morts en terre sans les vider comme des poissons ou des poulets.

Le petit docteur sec et nerveux, qui paraissait très pressé, n'avait pas dit grand-chose à l'enquête du coroner. Il avait parlé de la tête « entièrement scalpée », des deux bras coupés, des « chairs qu'on lui avait apportées pêle-mêle ».

— Pouvez-vous déterminer la cause de la mort ?

— Elle a été certainement causée par le choc avec la locomotive. Le crâne a été arraché comme le couvercle d'une boîte, et on a retrouvé des morceaux de cervelle à plusieurs mètres.

— Affirmez-vous que Bessy était encore en vie au moment où le choc s'est produit ?

— Oui, monsieur.

— Ne pouvait-elle pas être inconsciente, soit à la suite de coups, soit à la suite d'une intoxication ?

— C'est possible.

— Avez-vous relevé des traces de coups qui auraient été portés avant la mort ?

— Dans l'état du corps, une telle constatation est impossible.

C'était tout. Aucune allusion à des recherches d'un ordre plus intime qui auraient pu être faites.

Maigret était à peu près seul à marcher le long des trottoirs, dans le centre de la ville, et il en avait été ainsi dans toutes les villes américaines où il s'était arrêté. Personne n'habite le cœur de la cité. Dès la fermeture des bureaux et des magasins, la foule reflue vers les quartiers résidentiels, laissant à peu près vides les rues, où, cependant, les vitrines restent éclairées toute la nuit.

Il passa devant un *drive-in*, et l'envie lui vint de manger un *hot-dog*. Une demi-douzaine de voitures, en éventail, stationnaient devant la porte, et deux jeunes filles servaient leurs occupants. Il y avait bien une sorte de comptoir, à l'intérieur, avec des tabourets fixés au sol. Mais cela lui parut miteux de venir à pied et d'aller s'y asseoir.

Cette impression d'être miteux, il l'avait plusieurs fois par jour. Ces gens-là avaient tout. Dans n'importe quelle petite ville, les autos étaient aussi nombreuses et aussi luxueuses qu'aux Champs-Élysées. Tout le monde portait des vêtements, des souliers neufs. Les savetiers paraissaient inconnus. La foule était bien lavée et d'aspect prospère.

Les maisons étaient neuves aussi, pleines d'appareils perfectionnés.

Ils avaient tout, c'était le mot.

Et pourtant cinq gaillards de vingt ans étaient traduits devant le coroner parce qu'ils avaient passé la nuit à boire avec une fille qu'un train avait ensuite déchiquetée.

Qu'est-ce que ça pouvait lui faire ? Il n'était pas ici pour s'en soucier. Les voyages d'études dans le genre de celui qu'on lui avait offert après tant d'années sont plutôt des voyages d'agrément. Il n'avait qu'à se laisser promener de ville en ville, accepter de bons dîners, des whiskies et des cocktails, des plaques de deputy-sheriff et écouter les histoires qu'on lui racontait.

C'était plus fort que lui. Il se trouvait dans le même état d'anxiété que quand, en France, il se plongeait dans une affaire compliquée qu'il lui fallait résoudre coûte que coûte.

Ils avaient tout, bon. Cependant, les journaux étaient pleins du récit de crimes de toutes sortes. On venait d'arrêter, à Phoenix, une bande de gangsters dont l'aîné avait quinze ans et le plus jeune douze. Au Texas, un étudiant de dix-huit ans avait tué, la veille, la sœur de sa femme, car il était déjà marié. Une fille de treize ans, mariée, elle aussi, venait de donner le jour à deux jumeaux, alors que son mari était en prison pour vol.

Il se dirigeait machinalement vers le *Penguin Bar*. Quand il avait fait la route en voiture, il avait cru que c'était à deux pas. Il se rendait mieux compte à présent de l'étendue de la ville et commençait à regretter de n'avoir pas pris un taxi, car il était en nage.

Ils avaient tout. Alors pourquoi ces gens, la veille au soir, au *Penguin*, étaient-ils si mornes ?

Maigret tenait-il de son oncle qui remontait les horloges, y compris celles qui ne lui appartenaient pas ? C'était la première fois qu'il pensait à son oncle de cette façon et peut-être découvrait-il la vraie raison de la manie du bonhomme. Il devait avoir la phobie des horloges arrêtées. Or une horloge qui marche peut s'arrêter d'un moment à l'autre. Les gens sont négligents, oublient de remonter le mouvement.

C'était instinctif : il le faisait à leur place.

Maigret aussi ressentait un malaise quand il lui semblait que quelque chose ne tournait pas rond.

Alors il essayait de comprendre, fourrait son nez partout, reniflait.

Qu'est-ce qui ne tournait pas rond dans ce pays-là, où ils avaient tout ?

Les hommes étaient grands et forts, bien portants, propres et plutôt gais en général. Les femmes étaient presque toutes jolies. Les magasins regorgeaient de marchandises et les maisons étaient les plus confortables du monde, il y avait des cinémas à tous les coins de rue, on ne voyait jamais un mendiant et la misère paraissait inconnue.

L'embaumeur payait un programme de musique à la radio, et les cimetières étaient des parcs délicieux qu'on n'éprouvait pas le besoin d'entourer de murs et de grilles comme si on avait peur des morts.

Les maisons, elles aussi, étaient entourées de pelouses, et, à cette heure, des hommes, en bras de chemise ou le torse nu, arrosaient l'herbe et les fleurs. Il n'y avait pas de palissades, ni de haies, pour séparer les jardins les uns des autres.

Ils avaient tout, sacrebleu ! Ils s'organisaient scientifiquement pour que la vie fût le plus agréable possible, et, dès le réveil, votre radio vous souhaitait affectueusement une joyeuse journée au nom d'une marque de porridge, sans oublier votre anniversaire quand le moment était venu.

Alors pourquoi ?

C'est à cause de cette question-là, sans doute, qu'il s'attachait ainsi à ces cinq hommes qu'il ne connaissait ni d'Ève ni d'Adam, à cette Bessy qui était morte et dont il n'avait même pas vu le portrait et aux autres personnages qui défilaient à l'enquête.

Beaucoup de choses varient d'un pays à l'autre. D'autres sont les mêmes partout.

Mais, peut-être, ce qui change le plus de couleur au-delà des frontières, est-ce la misère ?

Celle des quartiers pauvres de Paris, des petits bistrots de la Porte d'Italie ou de Saint-Ouen, la misère crasseuse de la Zone et la misère pudique de Montmartre ou du Père-Lachaise lui étaient familières. La misère définitive des quais aussi, celle de la place Maubert ou de l'Armée du Salut.

C'était une misère que l'on comprenait, dont on pouvait retrouver l'origine et suivre la progression.

Ici, il soupçonnait l'existence d'une misère sans haillons, bien lavée, une misère avec salle de bains, qui lui paraissait plus dure, plus implacable, plus désespérée.

Il poussait enfin la porte du *Penguin* et se hissait sur un tabouret de bar. Le barman, qui le reconnaissait, se souvenait de ce qu'il avait bu la nuit précédente et proposait cordialement :

— Manhattan ?

Il dit oui. Cela lui était égal. Il n'était que huit heures du soir. La nuit n'était pas tombée, mais ils étaient déjà une vingtaine à s'abreuver au comptoir, tandis que certaines tables étaient occupées dans les box.

Une jeune fille qui portait un pantalon et une chemisette blanche servait dans la salle. Il ne l'avait pas remarquée la veille. Il la suivait des yeux. Son pantalon, en gabardine noire très fine, moulait ses hanches et ses cuisses à chaque pas. Elle avait l'air de sortir d'un panneau publicitaire, d'un calendrier ou d'un journal de cinéma.

Quand elle avait fini de servir, elle glissait cinq cents dans la boîte à musique et choisissait un air sentimental. Puis elle venait s'accouder à un coin du bar et rêvait.

Il n'existait pas de terrasses pour boire l'apéritif en regardant les passants dans le soleil couchant et en respirant l'odeur des marronniers.

On buvait, mais pour cela il fallait s'enfermer dans des bars clos aux regards, comme si on assouvissait un besoin honteux.

Est-ce pour cette raison qu'on buvait plus ?

Le mécanicien du train avait été interrogé le dernier. C'était un homme entre deux âges, bien vêtu, que Maigret avait d'abord pris pour un fonctionnaire.

— Quand j'ai aperçu le corps, il était trop tard pour arrêter mon train, car j'avais derrière moi soixante-huit wagons chargés.

Des fruits et des légumes qui venaient du Mexique dans des wagons frigorifiques. Il en venait ainsi de tous les pays du monde. Des centaines de navires arrivaient chaque jour dans les ports.

Ils avaient de tout.

— Il faisait déjà jour ? avait questionné l'attorney.

— Il commençait à faire jour. Elle était couchée en travers de la voie.

On lui avait apporté un tableau noir. Il avait tracé deux traits de craie pour les rails et, entre ceux-ci, avait dessiné une sorte de marionnette.

— Ceci est la tête.

Elle ne touchait pas le rail, ni aucun des membres.

— Elle était sur le dos, les genoux relevés, comme ceci. Ici, c'est un bras. Voici l'autre, qui a été arraché.

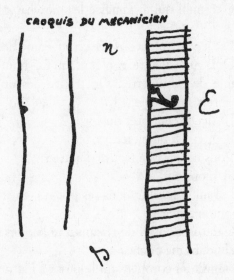

Maigret regardait les épaules des cinq soldats, surtout les épaules de Ward, qui avait peut-être aimé Bessy. Est-ce que Ward, ou un de ses camarades, avait fait l'amour avec elle cette nuit-là ?

— Le corps a été traîné sur une distance d'environ trente mètres.

— Avez-vous eu le temps de voir, avant le choc, si elle était vivante ?

— Je ne peux pas le dire, monsieur.

— Avez-vous eu l'impression que ses poignets étaient attachés ?

— Non, monsieur. Comme vous pouvez le voir sur le dessin, ses mains étaient jointes sur son ventre.

Et, très vite, d'une voix plus basse :

— C'est moi qui ai ramassé les morceaux le long du talus.

— Est-il exact que vous avez trouvé une ficelle ?

— Oui, monsieur. Ce n'était qu'un bout d'une quinzaine de centimètres. On trouve des objets de toutes sortes sur la voie.

— La ficelle était près du corps ?

— Peut-être à un mètre.

— Vous n'avez rien trouvé d'autre ?

— Si, monsieur.

Et il se mit à fouiller dans ses poches, en retira un petit bouton blanc.

— C'est un bouton de chemise. Je l'ai mis machinalement dans ma poche.

Il le tendit au coroner, qui le passa à l'attorney, et ce fut O'Rourke qui le montra aux jurés, puis le posa sur la table devant lui.

— Comment Bessy était-elle habillée ?

— Elle portait une robe beige.

— Avec des boutons blancs ?

— Non, monsieur. Les boutons étaient beiges aussi.

— Combien étiez-vous d'hommes dans le train ?

— Cinq en tout.

Harold Mitchell, le frère, s'était levé à nouveau. On lui donnait la parole.

— Je demande qu'on entende les quatre autres.

C'était l'aide-mécanicien, d'après lui, qui avait vu, ou qui prétendait avoir vu une corde autour des poignets de Bessy avant le choc.

— Suspension !

Il s'était pourtant passé un événement que Maigret n'avait pas bien compris. À certain moment, l'attorney s'était levé, avait parlé au coroner, mais le commissaire n'avait saisi que quelques mots de son discours. Le coroner, à son tour, avait récité quelque chose.

Or, au moment où tout le monde quittait le tribunal, les cinq soldats, au lieu de suivre leur officier comme la veille pour rentrer à la base, avaient été conduits vers le fond du couloir par le deputy-sheriff au gros revolver.

Maigret avait eu la curiosité d'aller voir. Il y avait là une épaisse porte de fer, une grille et derrière cette grille, d'autres grilles, celles des cellules de la prison.

Sous la colonnade, il avait rejoint un des jurés.

— On les a arrêtés ?

L'homme ne le comprit pas tout de suite, à cause de son accent.

— Pour avoir poussé à la délinquance juvénile, oui.

— Le Chinois aussi ?

— Il a payé une des bouteilles !

Ainsi, ils étaient en prison pour avoir fait boire Bessy, qui, à dix-sept ans, était mariée, divorcée et se livrait plus ou moins à la prostitution.

Maigret n'ignorait pas qu'un homme en voyage est toujours un tantinet ridicule, parce qu'il voudrait que les choses se passent comme chez lui.

Peut-être avaient-ils leur idée ? Peut-être cette enquête du coroner n'était-elle qu'une formalité et la véritable enquête avait-elle lieu ailleurs ?

Il en eut la preuve ce soir-là. Comme un des clients du bar s'en allait d'une démarche assez lourde après avoir crié le bonsoir à la ronde, il aperçut O'Rourke, que le buveur lui avait caché jusque-là.

Il était assis dans un des box, devant une bouteille de bière. La serveuse l'avait rejoint et s'était installée à côté de lui. Ils avaient l'air de bons amis. Le chief deputy-sheriff parlait à la fille en lui caressant le bras et il lui avait offert un verre.

Connaissait-il Maigret de vue ? Harry Cole le lui avait-il désigné parmi les spectateurs de l'enquête ?

Cela fit plaisir au commissaire de voir son collègue américain dans le bar. N'est-ce pas ainsi qu'il avait l'habitude d'agir, lui aussi ? Sans doute n'était-ce pas la première visite d'O'Rourke au *Penguin.*

Il ne jouait pas les policiers. Il était lourdement assis dans son coin. Il ne fumait pas la pipe, mais des cigarettes. Il eut d'ailleurs un geste assez surprenant. À certain moment, il alluma une cigarette et, tout naturellement, après en avoir tiré quelques bouffées, il la tendit à la fille qui la mit entre ses lèvres.

Était-elle ici la nuit de la mort de Bessy ? Probablement. Elle devait y être tous les soirs. Elle les avait servis.

O'Rourke plaisantait, et elle riait. Elle avait servi un couple qui venait d'entrer, puis revenait s'asseoir près de lui.

Il avait l'air de lui faire la cour. Il était roux, les cheveux coupés en brosse, le visage sanguin.

Pourquoi Maigret n'allait-il pas s'asseoir près d'eux ? Il n'avait qu'à se faire connaître.

Il se surprit à commander :

— Un demi !

Il se reprit tout de suite :

— Une bière !

La bière était forte, comme en Angleterre. Beaucoup, dédaignant de se servir de leur verre, la buvaient à la bouteille. À côté de Maigret, il y avait un distributeur automatique de cigarettes semblable aux distributeurs de chocolat dans le métro de Paris.

Qu'est-ce qui ne tournait pas rond ?

Lui parlant du recrutement de l'armée, Harry Cole lui avait dit :

— Il y a entre autres beaucoup de « paroles ».

Et, comme Maigret ne comprenait pas, il avait expliqué :

— Ici, quand un homme est condamné à deux ans, à cinq ans de prison, voire davantage, cela ne veut pas dire qu'il passe tout ce temps-là au pénitencier. Après un certain temps, parfois après quelques mois, si sa conduite est satisfaisante, on le relâche *sur parole*. Il est libre, mais est obligé de rendre compte de ses actes, chaque jour d'abord, puis chaque semaine, enfin chaque mois, à un officier de police.

— Ils récidivent souvent ?

— Je n'ai pas de statistiques sous la main. Le F.B.I. se plaint qu'on accorde trop facilement la liberté sur parole. Il y en a qui commettent un vol ou un meurtre quelques heures à peine après avoir été relâchés. D'autres préfèrent s'engager dans l'armée, ce qui les soustrait automatiquement à la surveillance de l'officier de police.

— C'est le cas de Ward ?

— Je ne crois pas : Mullins, je pense, a subi plusieurs condamnations pour des délits mineurs. Surtout des coups et blessures. Il est originaire du Michigan. Ce sont des durs.

Encore une chose qui déroutait Maigret. Les gens n'étaient presque jamais de l'endroit où on les retrouvait. Ici, à Tucson, le coroner, qui était en même temps juge de paix, venait du Maryland, mais avait fait ses études en Californie. Le mécanicien de tout à l'heure était originaire du Tennessee. Ici, le barman devait venir en ligne droite de Brooklyn.

Et là-haut, dans les grandes villes du Nord, il y avait les *slums*, des secteurs pauvres aux maisons en forme de caserne où les hommes étaient durcis et où les enfants de la rue formaient déjà des gangs de quartiers.

Dans le Sud, des gens, autour des villes, vivaient dans des baraques en bois au milieu des détritus.

Ce n'était pas une explication, Maigret le sentait. Il y avait autre chose, et il buvait sa bière en fixant, de loin et d'un œil buté, son confrère et la serveuse.

Un instant, il se demanda si O'Rourke n'était pas ici, en réalité, pour le surveiller. Ce n'était pas impossible. Harry Cole était capable – malgré son air de jongler avec la vie et avec les gens – d'avoir deviné qu'il viendrait ce soir au *Penguin*. Peut-être n'avait-on pas envie qu'il fourre son nez dans cette affaire ?

Il avait tort de trop boire. Mais que faire d'autre ? Il ne pouvait pas rester une heure devant son verre, comme à une terrasse. Il ne pouvait pas non plus errer tout seul, à pied, le long des rues interminables. Il n'avait pas envie d'entrer dans un cinéma, ni de s'enfermer dans sa chambre d'hôtel.

Il faisait comme les autres. Quand son verre était vide, il adressait un signe au barman, qui le remplissait, se disant qu'il lui suffirait, le lendemain matin, d'user de la bouteille bleue du *drug-store* pour se remettre d'aplomb.

Il avait noté l'adresse de la maison que Bessy habitait avec Erna Bolton. Il finit par se laisser glisser de son tabouret et déambuler dans le quartier en essayant de déchiffrer le nom, ou plutôt le numéro des rues.

Dès qu'on quittait l'artère commerçante, avec ses vitrines éclairées, c'étaient des rues obscures, aux maisons séparées les unes des autres par des pelouses.

Est-ce exprès que les gens ne fermaient ni leurs volets ni leurs rideaux ?

Toutes les maisons étaient précédées d'une véranda, et on voyait, sur presque toutes, des familles qui se balançaient dans des fauteuils à bascule.

Dans les pièces éclairées, on découvrait souvent une vie plus intime, des couples qui mangeaient, des femmes qui se peignaient, des hommes qui lisaient leur journal, et de toutes les cases filtraient des rumeurs de radio.

La maison de Bessy et d'Erna Bolton était à un coin de rue. Elle n'avait pas d'étage. Il y avait de la lumière. C'était assez coquet, presque luxueux. Harold Mitchell et le musicien étaient assis sur un canapé et fumaient leur cigarette, cependant qu'Erna, en peignoir, leur servait des glaces.

Maggie Wallach n'était pas là. Peut-être travaillait-elle au *drive-in* et servait-elle des *hot-dogs* et des spaghettis aux automobilistes ?

C'était sans mystère. Tout le monde semblait vivre en pleine lumière. Il n'y avait pas d'ombres inquiétantes frôlant les maisons, pas de rideaux tirés sur des intérieurs calfeutrés. Rien que ces autos qui allaient Dieu sait où, sans jamais se servir du klaxon, s'arrêtant net aux croisements dès que le feu tournait du vert au rouge, repartant ensuite droit devant elles.

Il ne dîna pas ce soir-là. Quand il rentra dans le centre de la ville, les *drug-stores*, où il avait compté manger un sandwich, étaient fermés. Tout était fermé, sauf les trois cinémas et les bars.

Alors, un peu honteusement, il entra dans un de ces bars, puis dans un autre. Il saluait le barman familièrement, comme il l'avait vu faire, se hissait sur un tabouret.

Partout régnait la même musique assourdie. Tout le long du comptoir, des appareils nickelés, reliés à la machine à disques, avalaient les pièces de cinq cents. On tournait une aiguille sur le titre qu'on désirait.

C'était peut-être l'explication ?

Il était tout seul et il faisait ce que peut faire un homme seul.

Quand il rentra à l'hôtel, il était terriblement lourd, amer. Il se dirigea vers l'ascenseur, revint sur ses pas pour remettre la clef de l'auto de Cole dans le casier. Son collègue aurait peut-être besoin de sa voiture le lendemain de bonne heure.

— *Good night, sir !*

Good night ! Il y avait une Bible au chevet de son lit. Dans des centaines de milliers de chambres d'hôtel, une même Bible à couverture noire attendait le voyageur.

Le bar ou la Bible, en somme !

On faisait à nouveau la classe à l'étage et, avant l'appel d'Ézechiel, on se promenait sur la galerie, au soleil déjà chaud du matin.

Tout le monde avait une chemise propre, et la douche avait nettoyé les brouillards de la nuit.

Ainsi, chaque matin, on recommençait la vie à neuf, en souriant.

Ce fut une petite surprise, en entrant dans la salle, de voir les cinq gaillards, non plus en uniforme de l'aviation, mais en vêtements de toile bleue, des vêtements très amples, qui avaient un peu l'air de pyjamas et qui dégageaient complètement le cou.

Du coup, ils n'avaient plus autant l'air de bons garçons. On remarquait mieux l'irrégularité des traits, certaines asymétries qui devenaient inquiétantes.

On avait monté le tableau noir où on voyait toujours le petit pantin entre les deux traits de craie représentant les voies, et le tableau allait de nouveau servir.

— Elias Hansen, de la Southern Pacific.

Ce n'était pas un des hommes du train que Mitchell avait réclamés. Il expliquait calmement, d'une voix forte et égale, en quoi consistait son métier. C'était lui qui enquêtait pour la compagnie de chemin

de fer chaque fois que se commettaient des vols dans
les trains, ou qu'il y avait accident ou mort violente.

Il était certainement d'origine scandinave. On le
sentait à son affaire. Il avait l'habitude des enquêtes
de coroner et se tournait de lui-même vers les jurés,
avec des allures de maître d'école expliquant un problème difficile.

— J'habite Nogales. J'ai été alerté par téléphone,
un peu avant six heures du matin. Je suis arrivé sur les
lieux avec ma voiture à six heures vingt-huit minutes.

— Vous avez trouvé d'autres voitures près du lieu
de l'accident ?

— Il y avait encore l'ambulance, ainsi que quatre
ou cinq autos, les unes de la police, les autres de
curieux. Un deputy-sheriff empêchait les gens de se
diriger vers la voie.

— Le train était toujours là ?

— Non. J'ai rencontré le sheriff Atwater, qui était
arrivé avant moi.

Il désignait, dans les bancs des spectateurs,
quelqu'un que Maigret avait déjà remarqué mais sans
le prendre pour un confrère.

— Qu'avez-vous fait ?

L'homme se levait, se dirigeait avec aisance vers le
tableau noir, saisissait un morceau de craie.

— Vous permettez que j'efface ?

Il dessinait à son tour la route, la voie du chemin de
fer, indiquait les quatre points cardinaux, la direction
de Tucson et celle de Nogales.

— Tout d'abord, à cet endroit-ci, Atwater m'a
signalé des traces de pneus qui indiquaient qu'une
voiture avait freiné assez brusquement avant de se

ranger sur le bas-côté de la route. Comme vous le savez, le bas-côté est sablonneux. Des traces de pas très nettes partaient de l'auto, et nous les avons suivies.

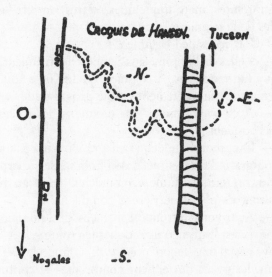

— Les traces de combien de personnes ?

— D'un homme et d'une femme.

— Pouvez-vous transcrire au tableau le tracé approximatif des pas ?

Il le fit en pointillé.

— L'homme et la femme paraissaient marcher côte à côte, sans suivre une ligne droite. Ils ont fait plusieurs détours avant d'atteindre la voie du chemin de fer et se sont arrêtés au moins deux fois. Puis ils ont franchi le talus en ce point que je marque d'une croix. De l'autre côté, sur une certaine distance, on perd la piste, parce que le sol est dur et caillouteux. Nous l'avons reprise à l'envers près de l'endroit où la femme a été heurtée par le train. Sur le talus proprement dit, constitué par de la pierraille, il n'y avait pas d'empreintes, mais, à quelques mètres, on retrouvait celles de la femme.

— Pas celles de l'homme ?

— Celles de l'homme aussi, mais elles n'étaient pas tout à fait parallèles. À ce point, quelqu'un a soulagé sa vessie, c'était nettement visible dans le sable.

— Avez-vous noté si, par moments, les traces se superposaient ?

— Oui, monsieur. Ici, et encore ici, par deux fois, l'empreinte d'un des pieds de l'homme se superpose à l'empreinte féminine, comme s'il était arrivé à l'homme de passer derrière sa compagne.

— Avez-vous retrouvé les traces de l'homme au retour, c'est-à-dire en direction de la route ?

— Pas d'une façon précise et continue. Dès ce point, les pistes deviennent nombreuses et confuses, sans doute à cause des gens du train, puis des ambulanciers et de la police.

— Avez-vous la ficelle dont a parlé le mécanicien ?

Il la tira de sa poche avec désinvolture. C'était un bout de ficelle quelconque, et il n'y attachait visiblement pas d'importance.

— La voici. J'en ai trouvé un autre bout cinquante mètres plus loin.

— Pas de question, attorney ?

— Combien de personnes étaient sur les lieux quand vous êtes arrivé ?

— Peut-être une douzaine.

— D'autres personnes avaient-elles commencé l'enquête ?

— Le deputy-sheriff Atwater et aussi, je crois, M. O'Rourke.

— Vous n'avez fait aucune découverte ?

— J'ai trouvé un sac à main en cuir blanc à quatre ou cinq mètres de la voie.

— Du côté des pas ?

— Du côté contraire. Il était en partie enfoncé dans le sol mou, comme s'il avait été lancé violemment au moment du choc. Nous connaissons ça. C'est le résultat de la force centrifuge.

— Vous avez ouvert le sac ?

— Je l'ai remis au sheriff O'Rourke.

— Votre enquête s'est bornée là ?

— Non, monsieur. J'ai examiné la route en direction de Tucson et en direction de Nogales sur une longueur d'environ un demi-mille dans chaque sens. À cent cinquante mètres environ, vers Nogales, j'ai relevé des traces de pneus très nettes, indiquant qu'une auto s'était arrêtée sur le bas-côté, à droite. Il y avait de nombreuses traces de pas et les empreintes, sur la route, indiquant que l'auto a fait demi-tour à cet endroit.

— Ces traces sont identiques à celles de la première voiture dont vous avez parlé ?

— Non, monsieur.

— Comment pouvez-vous en avoir la certitude ?

Hansen tira un papier de sa poche et énuméra les marques des pneus de la voiture qui avait fait demi-tour. Les quatre pneus, usés, étaient en effet de marques différentes.

— Vous savez à quelle auto ils appartiennent ?

— Je l'ai contrôlé par la suite. Ce sont les pneus de la Chevrolet de Ward.

— Et ceux de l'auto d'où partent les pas d'une femme et d'un homme ?

— Je crois que le sheriff n'aura pas de peine à retrouver la voiture. Il s'agit, en effet, d'une marque de pneus qu'on ne vend qu'à crédit, par mensualités.

— Vous avez examiné le taxi qui s'est rendu sur les lieux avec les caporaux Van Fleet et Wo Lee, ainsi que le sergent O'Neil ?

— Oui, monsieur. Il ne s'agit pas de cette auto-là. Le taxi est équipé de pneus Goodrich.

— Pas de questions, messieurs les jurés ?

Suspension. Maigret allumait déjà sa pipe, et Ézechiel, qui en faisait autant, lui adressait un clin d'œil complice. Le deputy-sheriff au gros revolver et à la ceinture lourde de cartouches conduisait les cinq hommes en tenue de prisonniers jusqu'à la galerie et ils allaient tour à tour au lavabo, où le commissaire se trouva en même temps que Ward et Mitchell.

Se trompait-il ? Il lui sembla qu'au moment où il poussait la porte le sergent Ward et le frère de Bessy se taisaient brusquement.

5

Le témoignage du chauffeur

C'est au rez-de-chaussée, pendant la même suspension, que Maigret se trouva seul dans un coin de la galerie avec Mitchell non loin de la grosse boîte rouge de coca-cola.

Maigret se sentait aussi gauche et aussi mal à l'aise qu'un provincial qui accoste une jolie femme dans une rue de Paris. Il lança d'abord des regards en coin, toussota, prit un air aussi dégagé que possible.

— Vous n'avez pas sur vous une photographie de votre sœur ?

Alors il se passa en quelques secondes un phénomène que le commissaire connaissait bien. Mitchell n'était déjà pas d'un aspect liant. Instantanément, il ressembla à tous les durs, faisant aussi bien penser aux mauvais garçons de Paris qu'aux gangsters des films américains. C'était une défense animale, que ces gens-là ont gardée et qu'on voit aux fauves qui s'immobilisent soudain, en alerte, tendus, le poil hérissé.

Un regard lourd, immobile, se fixait sur le gros Maigret qui s'efforçait de rester naturel.

Un peu lâchement, afin d'amadouer son interlocuteur, il ajouta :

— Il y a des tas de questions qu'*ils* semblent ne pas vouloir vous poser.

L'autre se méfiait encore, essayait de comprendre.

— On dirait qu'ils veulent que ce soit un accident.

— Ils le veulent.

— Je suis du métier. Je fais partie de la police française. Cette affaire m'intéresse à titre privé. J'aurais aimé voir une photographie de votre sœur.

Les mauvais garçons sont les mêmes partout. Avec cette différence pourtant qu'ici ils étaient sans gouaille, en plus amer.

— Ainsi, vous ne croyez pas, comme ces fils de chienne, qu'elle est allée se coucher exprès sur la voie pour que le train lui passe dessus ?

On le sentait lourd de rancœur. Il finissait par poser la bouteille de coca-cola par terre et par tirer un gros portefeuille usé de sa poche.

— Tenez, la voilà il y a trois ans.

La photographie était mauvaise, prise à la foire, devant une toile peinte. Les trois personnages étaient blafards. Ce n'était certainement pas dans le Sud-Ouest, car ils portaient de gros vêtements d'hiver, et Bessy avait de la fourrure bon marché au col de son manteau, une drôle de petite toque sur la tête.

Elle paraissait quinze ans, mais le commissaire savait qu'elle ne les avait pas à cette époque. Son petit visage chiffonné, mal portant, n'était pas sans charme. On sentait qu'elle jouait à la femme, à la femme très fière de sortir avec deux hommes.

Ils devaient être en bombe ce soir-là. Le monde leur appartenait. Mitchell, à peine adolescent, le chapeau sur les yeux, la cigarette collée à la lèvre, avec une moue de défi.

Le second compagnon était un peu plus âgé, dix-huit ou dix-neuf ans, assez gros, assez mou.

— Qui est-ce ?

— Steve. Il l'a épousée quelques semaines plus tard.

— Qu'est-ce qu'il faisait ?

— À ce moment-là, il travaillait dans un garage.

— Où était-ce ?

— Dans le Kansas.

— Pourquoi a-t-il divorcé ?

— Il est d'abord parti sans avertir et sans qu'on sache pourquoi. Les premiers mois, il a envoyé un peu d'argent, et les mandats venaient de Saint Louis, puis de Los Angeles. Un jour, enfin, il a écrit qu'il valait mieux qu'ils divorcent et il a envoyé les papiers nécessaires.

— Il a donné une raison ?

— Je pense qu'il n'a pas voulu mettre ma sœur dans le bain. Six mois plus tard, il a été pris avec un gang qui volait les voitures. Il est maintenant à Saint Quentin.

— Vous êtes allé en prison aussi ?

— Seulement en maison de correction.

En France, c'était plus facile. Maigret les connaissait et avait vite fait de franchir le mur qui les séparait.

Ici, en terrain étranger, il n'avançait qu'en hésitant, anxieux de ne pas effaroucher son compagnon.

— Vous êtes du Kansas ?

— Oui.

— Votre famille était pauvre ?

— On crevait de faim, oui. Nous étions cinq frères et sœurs avec à peine un an d'intervalle entre chacun. Mon père s'est fait tuer en camion quand j'avais cinq ans.

— Il était chauffeur de camion ? L'assurance n'a pas payé ?

— Il travaillait à son compte. Il possédait un vieux camion et allait acheter des légumes à la campagne pour les vendre dans les villes. Il était sur la route toutes les nuits. Le camion n'était pas entièrement payé et, bien entendu, il n'avait pas d'assurance.

— Qu'a fait votre mère ?

Il se tut, haussa les épaules, laissa tomber :

— Ce qu'elle a pu. À six ans, je vendais des journaux et je cirais les souliers dans les rues.

— Vous croyez que le sergent Ward a tué votre sœur ?

— Sûrement pas.

— Il l'aimait ?

Nouveau haussement d'épaules, à peine perceptible.

— Ce n'est pas Ward. Il a trop peur pour ça.

— Il avait vraiment l'intention de divorcer ?

— En tout cas, il ne l'aurait pas tuée.

— Mullins ?

— Mullins et Ward ne se sont pour ainsi dire pas quittés.

Il avait repris la photographie et l'avait remise en place. Regardant Maigret dans les yeux, il questionna :

— À supposer que vous découvriez qui a tué ma sœur, que feriez-vous ?

— Je le dirais au F.B.I.

— Ils n'ont rien à voir là-dedans.

— J'en parlerais au sheriff, à l'attorney.

— Vous feriez mieux de m'en parler à moi.

Et l'air toujours lointain, un peu méprisant, il s'éloigna, car, là-haut, on entendait Ézechiel appeler :

— Jurés !

Encore un conciliabule entre le coroner et l'attorney. Ce dernier disait :

— Je voudrais qu'on entende tout de suite le chauffeur de taxi qui attend depuis ce matin et qui est en train de perdre sa journée.

C'était toujours une surprise de voir les témoins sortir des rangs du public, car, la plupart du temps, ils ne ressemblaient pas à l'image qu'on se faisait d'eux. Le chauffeur, par exemple, était un petit maigre, aux grosses lunettes d'intellectuel, vêtu d'un pantalon clair et d'une chemise blanche, comme tout le monde.

Le début de l'interrogatoire révéla qu'il n'était chauffeur de taxi que depuis un an, qu'avant cela il avait été professeur de botanique dans un collège du Middle West.

— La nuit du 27 au 28 juillet, vous avez été hélé, en face du dépôt des autobus, par trois soldats de l'aviation.

— Je ne l'ai appris que par les journaux, car ils n'étaient pas en uniforme.

— Pouvez-vous les reconnaître et les désigner ?

Il pointa du doigt O'Neil, Van Fleet et Wo Lee sans la moindre hésitation.

— Avez-vous remarqué la façon dont ils étaient habillés ?

— Celui-ci et celui-là portaient des pantalons de cow-boys en toile bleue et une chemise blanche, ou, en tout cas, très claire. Le Chinois avait une chemise violette. Je n'ai pas remarqué la couleur de son pantalon.

— Ils étaient très ivres ?

— Pas plus que tous ceux qu'on ramasse à trois heures du matin.

— Savez-vous quelle heure il était exactement ?

— Nous sommes tenus d'inscrire toutes les courses et de noter l'heure. Il était trois heures vingt-deux minutes.

— Où vous ont-ils dit d'aller ?

— Ils m'ont demandé de prendre la route de Nogales en ajoutant qu'ils m'arrêteraient.

— Combien de temps avez-vous mis pour arriver à l'endroit où vous avez stoppé ?

— Dix-neuf minutes.

— Avez-vous entendu leur conversation pendant qu'ils étaient dans la voiture ?

— Oui.

— Qui parlait ?

— Ces deux-là.

Il désignait Van Fleet et le sergent O'Neil.

— Que disaient-ils ?

— Qu'il n'y avait pas de raison pour que leur camarade reste avec eux et qu'il ferait mieux de garder le taxi pour rentrer à la base.

— Ils ont dit pourquoi ?

— Non.

— Qui vous a demandé d'arrêter ?

— C'était O'Neil.

— Ils vous ont quitté tout de suite ? Il n'a pas été question que vous les attendiez ?

— Non. Ils ont encore discuté un moment. Ils essayaient de décider leur camarade à rentrer en ville avec moi.

— Il faisait jour ?

— Pas encore.

— Qu'est-ce que leur camarade a répondu ?

— Rien. Il est descendu de l'auto.

— Qui a payé la course ?

— Les deux. O'Neil n'avait pas assez d'argent, et c'est l'autre qui a donné le reste.

— Cela ne vous a pas paru étrange qu'ils se fassent conduire en plein désert ?

— Un peu.

— Vous n'avez pas rencontré de voiture en chemin, ni à l'aller, ni au retour ?

— Non.

— Pas de question, attorney ?

— Merci. Je voudrais poser une question au caporal Wo Lee.

Celui-ci vint reprendre place sur la chaise des témoins, et on ajusta à nouveau la tige du micro.

— Vous avez entendu ce que vient de dire le chauffeur ? Savez-vous pourquoi vos camarades ont insisté pour que vous rentriez à la base ?

— Non.

— Pour quelle raison, hier, n'en avez-vous pas fait mention ?

— Je ne m'en souvenais pas.

Il mentait, lui aussi. C'était le seul qui n'avait pas bu, le seul dont les déclarations avaient paru sans bavures. Or il avait sciemment caché qu'on avait essayé de se débarrasser de lui.

— Y a-t-il d'autres détails que vous ayez omis de communiquer aux jurés ?

— Je ne crois pas.

— Hier, vous avez déclaré que, lorsque vous marchiez dans l'espoir de retrouver Bessy, vous étiez séparés. Vous vous teniez à une certaine distance l'un de l'autre, sur des lignes parallèles. Quelle était votre position ?

— Je longeais la route.

— Vous n'avez pas vu passer de voitures ?

— Non, monsieur.

— Qui était le plus près de vous ?

— Le caporal Van Fleet.

— De sorte que le sergent O'Neil longeait à peu près la voie ?

— Je crois qu'il était de l'autre côté.

— Je vous remercie !

Le témoin suivant était un officier de la patrouille des routes, grand et fort, superbe dans son uniforme.

C'était l'attorney qui l'avait fait citer et qui le questionnait.

— Dites-nous ce que vous faisiez le 28 juillet entre trois et quatre heures du matin ?

— J'ai pris mon service à trois heures, à Nogales, et j'ai roulé à faible allure dans la direction de Tucson. Avant d'atteindre le village de Tumacacori, j'ai croisé un camion immatriculé X-3233, qui revenait à vide de Californie et qui appartient à une firme de Nogales. Je me suis rangé pendant quelques minutes dans un chemin latéral afin de surveiller la route, comme c'est la règle.

— Où étiez-vous à quatre heures du matin ?

— J'arrivais à hauteur de l'aérodrome de Tucson.

— Aviez-vous croisé d'autres voitures ?

— Non. Lorsque nous rencontrons des voitures, la nuit, nous avons l'habitude d'enregistrer mentalement les numéros. Nous devons en effet les confronter avec les numéros des voitures volées qui nous sont transmis. Cela se fait automatiquement dans notre esprit.

— Avez-vous vu des piétons en bordure de la route ?

— Non. Si j'en avais vu à cette heure-là, j'aurais ralenti et les aurais sans doute interpellés pour leur demander s'ils n'avaient besoin de rien.

— Avez-vous vu ou entendu un train sur la voie ?

— Non, monsieur.

— Je vous remercie.

Ainsi, en dépit des affirmations de Ward, sa Chevrolet, à cette heure-là, n'était pas en bordure de la route, avec les deux hommes endormis.

— Caporal Van Fleet, s'il vous plaît ?

L'attorney se réveillait, semblait prendre tout à coup la direction des opérations, tandis qu'O'Rourke continuait à se pencher sur lui et à lui parler bas.

Peut-être Maigret s'était-il trompé et avaient-ils l'intention de pousser l'enquête à fond, mais selon certaines formes ?

— Vous maintenez que, quand la voiture de votre camarade s'est arrêtée une première fois, le sergent Ward et Bessy se sont éloignés ensemble de l'auto ?

— Oui, monsieur.

Pinky était encore moins à son aise que la veille. Pourtant il donnait l'impression de faire un effort pour rester fidèle à son serment de dire la vérité, gardait l'habitude, après chaque question, de réfléchir un bon moment.

— Qu'est-il arrivé ensuite ?

— L'auto a fait demi-tour, et Bessy a déclaré qu'elle voulait parler à Ward en particulier.

— De sorte que vous vous êtes arrêtés une seconde fois. Regardez le tableau noir. Est-ce à peu près à l'endroit marqué d'une croix que le deuxième arrêt a eu lieu ?

— À peu près. Je crois.

— Vous n'avez pas quitté l'auto, vos camarades non plus, à l'exception de Ward et de Bessy ?

— C'est exact.

— Et Ward est revenu seul. Après combien de temps à peu près ?

— Environ dix minutes.

— C'est alors qu'il a dit : « Qu'elle aille au diable. Cela lui apprendra. »

— Oui, monsieur.

— Pourquoi, O'Neil et vous, avez-vous essayé ensuite de vous débarrasser de Wo Lee ?

— Nous n'avons pas essayé de nous en débarrasser.

— Il n'a pas été question de le renvoyer en ville avec le taxi ?

— Il n'avait pas bu.

— Je ne comprends pas. Essayez d'exprimer votre pensée. C'est parce qu'il n'avait pas bu que vous vouliez qu'il retourne à la base ?

— Il ne boit pas, ne fume pas. Il est jeune.

— Continuez !

— C'était inutile qu'il ait des ennuis.

— Que voulez-vous dire par là ? Vous prévoyiez donc, dès ce moment-là, que vous auriez des ennuis ?

— Je ne sais pas.

— Lorsque vous marchiez à la recherche de Bessy, avez-vous crié le nom de celle-ci ?

— Je ne crois pas.

— Est-ce parce que vous pensiez qu'elle n'était pas en état de vous entendre ?

Cette fois, le Flamand, très rouge, resta immobile, sans répondre, le regard fixe.

— Avez-vous tout le temps vu votre camarade O'Neil ?

— Il était du côté de la voie.

— Je vous demande si vous l'avez vu tout le temps.

— Pas tout le temps.

— Étiez-vous de longs moments à le perdre de vue ?

— D'assez longs moments. Cela dépendait du terrain.

— Auriez-vous pu l'entendre ?

— S'il avait crié, oui.

— Mais vous n'entendiez pas ses pas ? Vous ne saviez pas s'il s'arrêterait ou non ? Vous est-il arrivé de vous rapprocher de la voie ?

— Je crois. On ne marchait pas nécessairement droit. Il fallait contourner des buissons, des cactus.

— Le caporal Wo Lee s'est-il approché de la voie, lui aussi ?

— Je ne l'ai pas vu.

— Lequel d'entre vous a décidé de faire demi-tour, alors que vous marchiez tous les trois en direction de Nogales ?

— O'Neil a fait remarquer que Bessy n'avait certainement pas pu aller plus loin. Nous avons dit à Wo Lee de longer la route.

— Et vous vous êtes séparés, O'Neil et vous ?

— Oui, un peu plus avant dans le désert.

— Pendant que vous êtes resté en compagnie d'O'Neil, après avoir quitté Wo Lee, avez-vous parlé de Bessy ?

— Non, nous n'avons parlé de rien.

— Vous étiez encore ivres ?

— Probablement moins.

— Vous pourriez montrer sur le tableau l'endroit où vous avez fait de l'auto-stop ?

— Je ne sais pas au juste. C'était par là.

— Je vous remercie. Sergent O'Neil, s'il vous plaît.

Deux ou trois fois, Maigret s'était senti épié. C'était Mitchell qui l'observait pour se rendre compte de ses réactions.

— Vous n'avez rien à changer à votre témoignage d'hier ?

— Non, monsieur.

Est-ce que celui-ci aussi était né dans la misère ? Il n'en donnait pas l'impression. Il paraissait avoir passé son enfance dans quelque ferme du Centre, avec des parents travailleurs et puritains. En classe, il avait dû être le meilleur élève.

— Pour quelle raison avez-vous essayé de vous débarrasser de Wo Lee ?

— Je n'ai pas essayé de m'en débarrasser. J'ai pensé qu'il était fatigué et qu'il ferait mieux de rentrer à la base. Il n'a pas une très forte santé.

— Est-ce vous qui lui avez demandé de marcher le long de la route ?

— Je ne m'en souviens pas.

— Lorsque vous longiez la voie, à la recherche de Bessy, vous est-il arrivé de crier le nom de celle-ci ?

— Je ne m'en souviens pas.

— Vous vous êtes arrêté pour satisfaire un besoin ?

— Je crois que oui.

— Sur la voie ?

— Je ne sais pas au juste.

— Je vous remercie. Monsieur le coroner, nous ferions peut-être bien d'entendre, afin de leur rendre leur liberté, Erna Bolton et Maggie Wallach qui sont ici depuis hier matin.

La compagne de Mitchell n'était ni jolie ni laide, un peu bas-cul, les traits épais. Pour la circonstance, elle avait mis une robe de soie sombre, et elle portait des bas, des bijoux bon marché. On sentait qu'elle voulait faire bonne impression, qu'elle s'était arrangée du mieux qu'elle pouvait.

Quand on lui demanda sa profession, elle répondit à voix très basse :

— Je ne travaille pas pour le moment.

Et elle s'efforçait de ne pas regarder O'Rourke qui paraissait bien la connaître. Sans doute lui était-il arrivé d'avoir affaire à lui ?

— Vous partagiez votre appartement avec Bessy Mitchell ?

— Oui, monsieur.

— Le sergent Ward est venu la voir plusieurs fois. Étiez-vous présente ?

— Pas toutes les fois.

— Avez-vous assisté à des disputes entre eux ?

— Oui, monsieur.

— Quelle en était la cause ?

Maintenant que l'attorney s'était mis de la partie, le coroner jouait avec son fauteuil à bascule, ou bien restait à regarder le plafond en suçant son crayon. Il faisait très chaud, malgré la réfrigération. Ézechiel s'était levé pour aller fermer les stores vénitiens qui découpaient le soleil en tranches minces. Maigret, assis devant la négresse au bébé, toujours accompagnée de toute une tribu, respirait leur odeur épicée.

Les prunelles de Mitchell, qui fixait sa compagne assise au siège des témoins, ne bougeaient pas plus que celles d'un aigle.

— Ward reprochait à Bessy de se faire faire la cour.

— Par qui ?

— Par tout le monde.

— Par le sergent Mullins, par exemple ?

— Je ne sais pas. Il n'est jamais venu à la maison. Je l'ai vu pour la première fois le 27 juillet au *Penguin Bar*.

— N'y a-t-il pas eu, le 24 ou le 25, une dispute plus violente que les autres ?

— Le 24. J'allais sortir. J'ai entendu…

— Dites-nous très exactement les paroles que vous avez entendues.

— Le sergent a crié : « Un de ces jours, je te tuerai, et cela vaudra mieux pour tout le monde. »

— Il était ivre ?

— Il avait bu, mais je ne pense pas qu'il était ivre.

— N'avez-vous pas parlé personnellement à Bessy pendant la soirée du 27 juillet ?

— Oui, monsieur. À un certain moment, je l'ai prise à part pour lui dire : « Tu devrais faire attention à celui-là. »

— De qui s'agissait-il ?

— De Mullins. J'ai ajouté : « … Bill est furieux… Si tu continues, ils vont finir par se battre… »

— Qu'a-t-elle répondu ?

— Elle n'a pas répondu. Elle a continué.

— Continué quoi ?

— À parler à Mullins.

Peut-être le mot parler était-il un peu faible ?

— Qui a proposé de continuer la partie chez le musicien ?

— C'est lui, Tony, le musicien. Il a dit qu'on pouvait aller chez lui. Je crois que c'est Bessy qui le lui avait demandé.

— Elle était ivre ?

— Pas très. Comme d'habitude.

— Pas d'autres questions ?

Au tour de Maggie Wallach, qui avait l'air d'une grosse poupée de son, avec une face ronde de bébé et des yeux à fleur de peau. Sa peau était très blanche, et elle ne paraissait pas saine.

Était-elle la maîtresse du musicien ? Ce n'était pas précisé davantage que pour Erna Bolton et Mitchell.

— Où avez-vous fait la connaissance de Bessy Mitchell ?

— Nous travaillions au même *drive-in*, au coin de la Cinquième Avenue.

— Depuis combien de temps ?

— Environ deux mois.

Celle-ci sortait d'un *slum* de grande ville, et, petite fille, elle avait dû traîner son derrière nu sur les seuils, au milieu d'une marmaille bruyante et impitoyable.

— Vous étiez présente quand elle a rencontré le sergent Ward ?

— Oui, monsieur. Il était un peu plus de minuit, il est venu en auto et a commandé des *hot-dogs*.

— Avec qui était-il ?

— Je crois que c'était le sergent Mullins qui l'accompagnait. Ils ont bavardé longtemps. Bessy est venue me demander si je voulais les retrouver plus tard et je lui ai répondu que je n'étais pas libre. Lorsqu'ils sont partis, elle a voulu savoir comment je trouvais Ward et m'a annoncé qu'il allait revenir seul pour la chercher.

— Il est revenu ?

— Oui. Juste avant la fermeture. Ils sont partis ensemble.

— Pendant la nuit du 27 juillet, chez le musicien, avez-vous vu Ward faire irruption dans la cuisine et frapper Bessy ?

— Non, monsieur. Il ne l'a pas frappée. J'étais derrière lui quand il est entré dans la cuisine. Bessy buvait, et il lui a arraché la bouteille des mains, a failli la lancer à terre, s'est ravisé et l'a posée sur la table.

— Il était furieux ?

— Il n'était pas content. Il n'aimait pas qu'elle boive.

— C'est pourtant lui qui l'avait amenée au *Penguin* ?

— Oui, monsieur.

— Pourquoi ?

— Sans doute parce qu'il ne pouvait pas faire autrement.

— Le sergent Ward, à ce moment-là, s'est-il disputé avec Mullins ? Je parle toujours de la scène de la cuisine.

— Je comprends. Il ne lui a rien dit. Il l'a regardé durement, mais il ne lui a rien dit.

Au suivant ! On semblait vouloir en finir ce jour-là et le coroner devenait plus avare de suspensions.

Le musicien, Tony Lacour, était chétif et effacé. La conformation de son visage était telle qu'il semblait toujours avoir pleuré ou être sur le point de le faire.

— Que savez-vous de la nuit du 27 juillet ?

— J'ai passé la soirée au *Penguin Bar* avec eux.

— Vous ne travaillez pas ?

— Pas pour le moment. J'ai fini, il y a dix jours, mon engagement au *Puerto-Rico Club*.

À l'instant où Maigret se demandait de quel instrument il jouait, la question fut posée par l'attorney, qui devait avoir eu la même curiosité. C'était l'accordéon. Maigret l'aurait parié.

— Quand, au *Penguin*, une dispute a éclaté entre Ward et Mitchell, vous les avez suivis dehors ? Connaissez-vous la cause de la dispute ?

— Je sais que c'était une question d'argent.

— Mitchell n'a-t-il pas reproché à Ward d'avoir des relations avec sa sœur, alors qu'il était un homme marié ?

— Pas devant moi, monsieur. Plus tard, dans mon appartement, après l'incident de la bouteille, il lui a dit que Bessy avait tendance à boire, que c'était malheureux, qu'elle n'avait que dix-sept ans et que, dans les bars, elle faisait croire qu'elle en avait vingt-trois, sans quoi on ne l'aurait pas servie.

— C'est vous qui avez proposé à la bande d'aller chez vous ?

— Bessy m'a avoué qu'elle n'avait pas envie de rentrer, et, tout de suite, les autres ont parlé d'acheter des bouteilles.

— Avez-vous donné des cigarettes au sergent Ward ?

— Je ne crois pas.

— Avez-vous vu quelqu'un lui en glisser un paquet dans la poche ?

— Non, monsieur.

— Quelqu'un, à votre connaissance, fumait-il du marijuana ?

— Non, monsieur.

— Quelle heure était-il quand ils sont partis de chez vous ?

— Environ deux heures et demie.

— Qu'ont fait Harold Mitchell et Erna Bolton ?

— Ils sont restés.

— Jusqu'au matin ?

— Non. Peut-être encore une heure ou une heure et demie.

— A-t-il été question du sergent Ward et de Bessy ?

— Seulement de Bessy. Harold a expliqué que sa sœur avait pris l'habitude de boire et que c'était terrible pour elle parce qu'elle avait un mauvais poumon. Il a ajouté que, toute jeune, elle était allée en sana.

— Mitchell et Erna sont partis en voiture ?

— Non, monsieur. Ils n'ont pas d'auto. Ils sont partis à pied.

— Il devait être environ quatre heures du matin ?

— Au moins. Il commençait à faire jour.

Suspension ! Maigret retrouvait le regard du frère fixe sur lui, et ce regard-là n'était pas sans l'émouvoir un tout petit peu.

La première réaction de Mitchell à son égard avait été une méfiance glacée, et peut-être était-ce par une sorte de défi où il entrait du mépris, plutôt qu'avec espoir, qu'il avait répondu à ses questions.

Il venait de l'observer tout le temps de l'interrogatoire et paraissait maintenant se dire :

« Qui sait ? Il n'est peut-être pas comme les autres. C'est un étranger. Il cherche à comprendre. »

Son attitude n'était, certes, pas encore amicale, mais il n'y avait plus entre eux la même barrière infranchissable.

— Vous ne m'aviez pas dit qu'elle était tuberculeuse, murmura Maigret comme ils marchaient l'un derrière l'autre vers la sortie.

Harold ne fit que hausser les épaules. Peut-être était-il atteint aussi ? Non, car, dans ce cas, on ne l'aurait pas accepté dans l'armée. Erna Bolton l'attendait sous la colonnade. Elle ne lui prenait pas le bras. Ils ne se parlaient pas. Elle le suivait tout simplement, humble et docile, et son derrière trop bas se balançait comme un derrière de poule pondeuse.

O'Rourke, l'œil animé, se dirigeait avec l'attorney vers le bureau de celui-ci, tandis que les cinq hommes en tenue de prisonniers attendaient que le deputy-sheriff les reconduise à leur cellule.

La séance de l'après-midi aurait-elle lieu en haut ou en bas ? Maigret n'avait pas écouté la dernière parole du coroner. La femme juré, près de la boîte à coca-cola, mangeait un sandwich ; sans doute allait-elle tricoter sur un banc du square en attendant la séance.

— En bas, répondit-elle à sa question.

Harry Cole l'attendait au volant de sa voiture. Il y avait quelqu'un derrière, avec l'invariable chemise blanche. L'homme fumait une cigarette.

— Hello, Julius ! Pas encore fini ? Asseyez-vous près de moi. Nous allons aller manger un morceau.

La portière refermée, seulement, il ajouta, comme s'il présentait son compagnon :

— Ernesto Esperanza ! Il va falloir qu'il déjeune avec nous, car je n'ai personne pour le conduire à

Phoenix avant ce soir et je n'aime pas beaucoup le confier aux sheriffs du comté. Tu as faim, Ernesto ?

— Assez faim, chef !

— Essaie d'en profiter. C'est le dernier repas au restaurant que tu as des chances de faire avant dix ou quinze ans.

Et, très simplement, à Maigret :

— J'ai fini par l'avoir, non sans peine. Il a essayé de me descendre avec un calibre 42. Ouvrez la boîte à gants. Vous trouverez le jouet.

Le revolver y était, un gros automatique qui sentait la poudre. Maigret, machinalement, retira le chargeur dans lequel deux balles manquaient.

— Il a bien failli ne pas me rater. N'est-ce pas, Ernesto ?

— Oui, chef.

— Si je ne m'étais pas baissé à temps et si je ne lui avais pas donné un croc-en-jambe, j'y passais. Voilà six mois que j'essaie de l'avoir et que, de son côté, il fait son possible pour se débarrasser de moi. Ça va, Ernesto ? Tes côtes ne te font plus mal ?

— Pas trop…

Pour les clients de la *cafetaria* où ils mangèrent des côtelettes de mouton et de la tarte aux pommes, ce n'étaient que trois consommateurs comme les autres. Le lendemain seulement la photographie du Mexicain paraîtrait dans les journaux avec un gros titre annonçant qu'un des plus importants trafiquants de stupéfiants était sous les verrous.

— Que deviennent vos cinq petits soldats de l'Air Force ? questionna Harry Cole en s'essuyant la bouche avec une serviette en papier. Avez-vous découvert le méchant qui a mis la petite Bessy sur la voie ?

Maigret ne se renfrogna pas. Il n'était pas de mauvaise humeur ce matin-là.

6

Le défilé des confrères

Cela devenait intime. Le matin, et surtout après le repas de midi, que quelques-uns prenaient dans la cour ou dans le square voisin, on se retrouvait avec plaisir les uns les autres. On échangeait des petits saluts. On savait à quelle place les habitués allaient s'asseoir, et les cinq soldats eux-mêmes n'avaient pas l'air de vous regarder comme des intrus.

L'intimité était encore plus sensible en bas, où les jurés prenaient place sur un des bancs du public, à côté des curieux, et où on ajoutait au besoin des chaises. Invariablement, le coroner fronçait les sourcils en regardant le grand ventilateur bruyant. L'appareil distributeur d'eau glacée, avec ses gobelets en carton, était près de Maigret, de sorte que tout le monde, à un moment donné, venait à côté de lui.

Depuis qu'il avait caressé en passant le bébé de la négresse, celle-ci lui retenait sa place et lui adressait d'immenses sourires.

Quant à Ézechiel, il attendait que la séance soit commencée pour faire à un nouveau venu le coup de la cigarette ou du cigare. C'était un faux bourru avec une âme de gamin espiègle.

Il se dressait tout à coup, les moustaches frémissantes, le bras tendu, s'écriait, sans égard pour les magistrats qu'il interrompait :

— Hé ! vous.

Toute la salle éclatait de rire. On se retournait pour voir qui s'était fait prendre.

— Éteignez votre cigarette !

Et, satisfait, il adressait un clin d'œil à la ronde. Il avait eu encore plus de succès quand il avait pris en faute l'attorney lui-même qui, rentrant après une suspension, avait oublié qu'il fumait.

— Hé ! Attorney…

Maigret ne pouvait pas croire qu'on allait en finir ce jour-là, que, dans quelques heures, les cinq hommes et la femme du jury allaient être à même de décider si, oui ou non, la mort de Bessy était accidentelle.

Si leur décision était affirmative, en effet, l'enquête serait close une fois pour toutes. Si, au contraire, ils décidaient que la mort était due à des manœuvres criminelles d'une ou plusieurs personnes, Mike O'Rourke et ses hommes auraient tout le temps de travailler en attendant le procès définitif.

C'était drôle. Au déjeuner, Maigret avait fait une petite découverte qui l'amusait, qui lui faisait surtout plaisir, car c'était un peu une vengeance sur Harry Cole. Celui-ci n'avait pas été tout à fait le même que les autres jours. Il avait fait le beau comme s'il y avait eu une jolie femme avec eux, et le commissaire n'avait pas été long à comprendre que c'était à cause d'Ernesto, l'homme des stupéfiants.

Au fond, Cole avait pour lui l'involontaire considération, presque l'admiration qu'on vouait ici à tous ceux qui réussissent, qu'il s'agisse d'un milliardaire, d'une vedette de l'écran ou d'un assassin célèbre.

Le Mexicain avait passé pour vingt mille dollars de drogue d'un seul coup et il y avait eu d'autres expéditions auparavant : il possédait au-delà de la frontière, dans les montagnes accessibles seulement en avion, ses propres plantations de marijuana.

Au fond, si, à l'enquête, on ne manifestait pas plus d'intérêt pour les cinq soldats de l'Air Force, c'est que, si même l'un d'eux avait tué Bessy, ce n'était pas un criminel d'envergure.

Aurait-il tenu tête à la police, mitraillette au poing, obligeant à mobiliser tous les constables et à employer les gaz pour le réduire à l'impuissance, aurait-il attaqué dix banques ou massacré plusieurs familles de gros ranchers, qu'il y aurait eu foule dans les couloirs et jusqu'au milieu de la rue ?

Cela n'expliquait-il pas bien des choses ? Il s'agissait de réussir dans sa partie, quelle qu'elle fût.

Mitchell, parce qu'il était un dur, devait être respecté dans le petit cercle où il évoluait, tandis que Van Fleet, avec son visage d'enfant de Marie et ses cheveux ondulés, n'était rien du tout. La preuve, c'est qu'on l'avait surnommé Pinky. Le Rose ! En France, on aurait dit le Rouquin, ou le Frisé.

C'était un deputy-sheriff qui prenait place sur la chaise des témoins, Phil Atwater, celui qui était arrivé le premier sur les lieux et que l'inspecteur de la Southern Pacific avait trouvé en descendant de voiture.

Il ne portait pas sa plaque sur sa chemise. Il était quelconque, entre deux âges, avec la mine maussade des gens qui digèrent mal et qui ont toujours quelqu'un de malade à la maison.

— Je me trouvais dans le bureau du sheriff quand, un peu avant cinq heures du matin, nous avons été alertés par téléphone. J'ai pris une des voitures et suis arrivé à cinq heures sept sur les lieux de l'accident.

Le mot fit tiquer Maigret, et la suite allait prouver qu'il ne se trompait pas. Atwater, encore que policier, était de ceux qui ont horreur de ce qui est du quotidien.

— L'ambulance est arrivée à peu près en même temps que moi. Il n'y avait que les gens du train au bord de la route et une voiture qui s'était arrêtée quelques minutes plus tôt. J'ai laissé en faction un des hommes que j'avais emmenés, afin d'empêcher les curieux éventuels de s'approcher de la voie. Tout de suite, j'ai relevé les traces d'une auto qui avait stationné à cet endroit. Je les ai entourées d'un trait à la craie et, sur le bas-côté sablonneux, de bouts de bois plantés dans le sol.

Celui-là était le type même du fonctionnaire consciencieux et semblait défier le monde entier de le prendre en faute.

— Vous ne vous êtes pas occupé du corps ?

— Pardon ! Je m'en suis occupé aussi. J'ai même ramassé plusieurs morceaux de chair et un morceau de bras avec la main entière.

Il disait cela d'un ton condescendant, comme s'il s'agissait d'une chose de vulgaire routine. Puis il fouillait dans sa poche, en retirait un petit papier.

— Voici quelques cheveux. On n'a pas eu le temps d'en faire l'analyse, mais, à première vue, ils ressemblent aux cheveux de Bessy.

— Où les avez-vous ramassés ?

— À peu près à l'endroit où le choc a eu lieu. Le corps a été traîné ou roulé sur vingt-cinq mètres environ.

— Vous avez relevé des traces de pas ?

— Oui, monsieur. J'ai planté des bouts de bois afin de les protéger.

— Dites-nous quelles sortes de traces vous avez relevées.

— Des empreintes de femme. J'ai comparé avec un soulier de Bessy, et cela concorde.

— Il n'y avait pas d'empreintes masculines près des siennes ?

— Non, monsieur. En tout cas, pas entre la route et le chemin de fer.

— Pourtant, quand, un peu plus tard, vous avez suivi l'inspecteur de la compagnie, M. Hansen, celui-ci affirme avoir vu des traces d'homme.

— Probablement les miennes.

Il n'aimait pas la contradiction et il ne paraissait pas porter dans son cœur l'agent de la Southern Pacific.

— Voulez-vous, sur le tableau, nous montrer le tracé approximatif des pas ?

Il regarda le dessin qui avait été fait précédemment et, saisissant le chiffon, effaça tout. Puis il indiqua à nouveau la voie, la route, fit une croix à l'endroit où le

corps avait été découvert, une autre à celui où il avait
été heurté par le train.

Mais il se trompa en mettant le nord au sud. Son
dessin zigzagant ne concordait pas avec celui d'Hansen.
Selon lui, Bessy aurait fait beaucoup moins de détours
et se serait arrêtée une seule fois pour changer de direction.

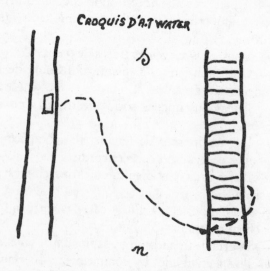

CROQUIS D'A.T WATER

Que pensaient les jurés de ces contradictions ? Ils
écoutaient, regardaient avec une attention soutenue,
et on les sentait désireux de comprendre et d'accomplir leur mission en conscience.

— C'est tout ce que vous avez découvert de ce
côté-ci, je veux dire au nord de l'endroit où Bessy est
morte ? Avez-vous cherché également des traces au
sud, c'est-à-dire en direction de Nogales ?

Atwater regarda son plan en silence et, comme le sud et le nord étaient inversés, fut un bon moment sans comprendre ce qu'on lui demandait.

— Non, monsieur, déclara-t-il enfin. Je n'ai pas pensé que ce soit nécessaire de chercher vers Nogales.

On le laissa partir. Il devait avoir affaire au bureau, car il quitta aussitôt la salle, plein de dignité et de confiance en lui.

— Gérald Conley.

C'était un autre deputy-sheriff, celui qui avait tant de cartouches à sa ceinture et un si beau revolver à crosse de corne sculptée. Il était tout rond, le visage coloré. On devinait que c'était une silhouette populaire à Tucson et que la popularité ne lui déplaisait pas.

— À quelle heure êtes-vous arrivé sur les lieux ?

— J'étais chez moi et n'ai été prévenu qu'à cinq heures dix. Je suis arrivé là-bas un peu après cinq heures et demie sans avoir pris le temps de boire une tasse de café.

— Qui avez-vous trouvé sur place ?

— Phil Atwater était là en compagnie de l'inspecteur de la compagnie. Un autre deputy-sheriff assumait le service d'ordre, car plusieurs voitures s'étaient arrêtées. J'ai vu la piste jalonnée par des morceaux de bois et je l'ai suivie d'un bout à l'autre.

— À certains endroits, les empreintes de la femme se superposaient-elles à celles de l'homme ?

— Oui, monsieur.

— À quelle distance de la route à peu près ?

— À une quinzaine de mètres de la route. Les traces, en cet endroit, indiquent clairement que deux personnes se sont arrêtées pendant assez longtemps, comme s'il y avait eu une discussion.

— Les traces, ensuite, divergeaient-elles ?

— Mon impression est que la femme a continué seule. Elle marchait en zigzaguant. Les empreintes masculines qu'on retrouve plus loin ne sont pas les mêmes que les premières.

Maigret recommençait à souffrir. À nouveau, il avait envie de se lever, d'ouvrir la bouche pour poser des questions précises.

Que les cinq garçons de l'aviation se contredisent, c'est assez naturel. Ils étaient comme cinq écoliers qui se sont mis dans une sale situation et qui essaient, chacun pour soi, de s'en tirer.

En outre, ils avaient commencé à boire à sept heures et demie du soir et ils étaient tous ivres, sauf le Chinois.

Mais la police ?

On aurait dit que les deputy-sheriffs étaient en train de régler entre eux des comptes personnels, et pourtant O'Rourke ne s'en inquiétait pas. Toujours assis à côté de l'attorney, sur qui il continuait à se pencher de temps en temps pour un commentaire, il souriait comme aux anges.

— Qu'avez-vous fait ensuite ?

— Je me suis dirigé du côté sud.

On le sentait bien content d'envoyer ce direct à son collègue qui venait de sortir.

— Une personne s'est soulagé la vessie près de la voie.

Maigret avait envie de questionner :

« Un homme ou une femme ? »

Car, en définitive, pour trivial que cela soit, un homme debout et une femme accroupie ne font pas les mêmes traces en urinant, surtout sur un terrain sablonneux.

Toute l'affaire était là, et personne ne semblait s'en apercevoir. Personne, non plus, n'avait demandé au docteur si Bessy avait fait l'amour ce soir-là. Personne n'avait examiné le linge des cinq garçons, et on se contentait de leur demander la couleur de la chemise qu'ils portaient…

Avec les traces partant de la voiture, c'était Ward qui devenait le plus suspect, à condition qu'à un endroit au moins ces traces se superposent. Et à condition que, comme dans la déclaration de l'homme de la Western Pacific, ces traces continuent jusqu'à la voie.

La déposition Atwater rendait la culpabilité de Ward à peu près impossible – à moins que le crime ait eu lieu lors du second voyage en auto.

Avec Conley, le sheriff au gros revolver, tout changeait une fois de plus. Ward n'aurait fait que suivre Bessy à une quinzaine de mètres. Mais, alors, pourquoi le sergent prétendait-il qu'il ne l'avait pas suivie du tout ?

Conley poursuivait :

— Il est impossible de relever des empreintes sur la voie elle-même, qui est caillouteuse, ni aux environs immédiats où le sol est plus dur que dans le désert. Mais, en marchant vers le sud et en obliquant vers la droite…

— Donc vers la route ?

— Oui, monsieur. En obliquant, dis-je, j'ai relevé d'autres empreintes.

— Venant de quelle direction ?

— De la route, plus au sud.

— Diagonalement ?

— Presque perpendiculairement.

— Des empreintes d'homme ?

— Oui, monsieur. J'ai posé des jalons. La longueur des empreintes me fait penser qu'il s'agit d'un homme de taille moyenne.

— Où cette piste vous a-t-elle conduit ?

— À une cinquantaine de mètres de l'endroit où l'auto s'est arrêtée pour la première fois.

Rien n'empêchait, maintenant, que Ward ait dit la vérité, que Bessy se soit éloignée en compagnie de Mullins et n'ait pas reparu.

L'attorney devait suivre le même raisonnement que lui, car il demandait :

— Vous n'avez pas relevé d'empreintes féminines de ce côté ?

— Non, monsieur.

Cela ne tenait déjà plus.

— La piste se perd une fois arrivée à la voie de chemin de fer ?

— Oui, monsieur. On a dû continuer à marcher sur le remblai, où, comme je vous l'ai dit, les pas ne marquent pas.

Suspension.

Deux fois O'Rourke passa près de Maigret dans la galerie, et les deux fois il le regarda avec un drôle de sourire. Il devait y avoir à boire dans le bureau où il entrait à chaque suspension d'audience, car, après, son haleine était plus forte.

Cole lui avait-il dit qui était ce gros spectateur passionné ? S'amusait-il de voir patauger son confrère ?

Le juré à la jambe de bois demanda du feu au commissaire.

— Compliqué, n'est-ce pas ? grommela Maigret.

Employa-t-il un mot incorrect que l'autre ne comprit pas ? Ou bien l'homme prenait-il à la lettre l'engagement de ne pas s'entretenir de l'affaire avant le verdict ? Toujours est-il qu'il se contenta de sourire et alla se planter devant la pelouse que rafraîchissaient des arroseuses à jet tournant.

Maigret se repentait de ne pas avoir pris de notes. C'étaient moins les contradictions des policiers qui l'intéressaient que celles des cinq hommes que chaque audience semblait rendre plus étrangers les uns aux autres.

— Hans Schmider !

On ne savait pas tout de suite ce qu'un témoin venait faire, et c'était un jeu de deviner sa profession. Celui-ci était gros, plus exactement il avait un gros ventre qui gonflait sa chemise, comme une poche molle, au-dessus de la ceinture trop serrée. Son pantalon collant ne lui arrivait pas au nombril, de sorte qu'il paraissait avoir de petites jambes et un buste démesuré.

Ses cheveux à moitié longs se dressaient en tous sens. Sa chemise était d'une propreté douteuse. Il avait des poils sur les bras et la poitrine.

— Vous appartenez au bureau du sheriff.

— Oui, monsieur.

À sa voix forte, à son air dégagé, presque familier, on devinait un habitué de ces sortes de séances.

— À quelle heure avez-vous été mis au courant ?

— Vers six heures du matin. Je dormais.

— Vous vous êtes rendu sur les lieux tout de suite ?

— Le temps de passer au bureau pour prendre mon matériel.

Il était tellement à son aise, renversé sur sa chaise, le ventre en avant, qu'il tira machinalement ses cigarettes de sa poche et qu'Ézechiel eut juste le temps de bondir.

— Dites-nous ce que vous avez vu.

Schmider se leva, se dirigea vers le tableau noir, les mains dans les poches, examina d'un œil critique le dessin qui s'y trouvait et l'effaça. Il dut se pencher pour ramasser par terre le morceau de craie, et son pantalon se tendit au point qu'on s'attendit à le voir craquer.

Il inscrivait d'abord le nord, le sud, l'est, l'ouest, dessinait la voie, la route, puis une ligne pointillée allant avec maints détours de celle-ci à celle-là.

Enfin, au bord de la route, deux rectangles.

— Ici, au point A, j'ai relevé des traces de la voiture que nous appellerons la voiture numéro un.

Il descendit de l'estrade pour aller prendre un paquet assez volumineux sur la table et il en retira un premier morceau de plâtre.

— Voici l'empreinte du pneu gauche avant, un Dunlop assez usagé.

De lui-même, il faisait passer l'objet, comme un gâteau, sous le nez des jurés, recommençait avec les trois autres moulages.

— Vous avez comparé ces empreintes avec celles de l'auto de Ward ?

— Oui, monsieur. Elles sont identiques. Il n'y a aucun doute sur ce point. Voici maintenant les empreintes de deux pneus de la voiture numéro deux. Ce sont des pneus presque neufs, achetés à crédit. Les maisons qui vendent cette marque de pneus ont été visitées, mais je ne pense pas que nous ayons déjà obtenu un résultat.

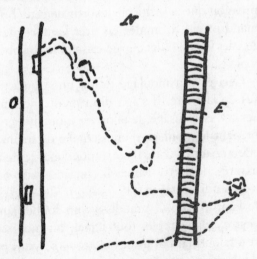

Dans la brigade du sheriff, Schmider était le technicien, l'homme de laboratoire, et il en avait la tranquille assurance ; l'idée d'une contradiction possible ne lui venait même pas à l'esprit.

— Vous avez relevé d'autres traces sur la route ?

— Quand je suis arrivé, il y avait beaucoup de voitures, outre l'ambulance et les autos de la police. Je n'ai pris les moulages que des empreintes qui m'ont été désignées et qui étaient particulièrement nettes.

— Qui vous les a désignées ?

Il se tourna vers la table de l'attorney et montra O'Rourke du doigt.

— Avez-vous d'autres moulages ?

Il revint vers sa boîte en carton qui était comme un tonneau des Danaïdes, et tout le monde attendait avec impatience et confiance à la fois, tout le monde avait l'impression que la vérité allait sortir de cette boîte.

Quand on vit Schmider en tirer l'empreinte d'un soulier, les cinq soldats, avec ensemble, regardèrent leurs pieds.

— Ceci est un moulage pris à une quinzaine de mètres de la route. Il s'agit d'un pied d'homme. Le soulier est assez usagé, le talon en caoutchouc. Voici maintenant le moulage d'une semelle de femme que j'ai effectué tout à côté. Il correspond exactement aux chaussures de Bessy Mitchell, comme vous pouvez vous en rendre compte.

De l'autre main, il brandissait un soulier sombre, rougeâtre, tout simple, tout banal, un mocassin de sport à talon plat qui avait beaucoup servi. Il passait les deux pièces à conviction sous les yeux des jurés. Pour un peu, il les aurait promenées dans les rangs du public.

— Vous êtes-vous livré à des recherches au sujet de la chaussure d'homme ?

— Oui, monsieur. J'ai comparé l'empreinte avec les chaussures des sheriffs qui sont allés sur les lieux.

— Elle ne correspond à aucune ?

— Non, monsieur. Le sergent Ward, comme j'ai pu m'en assurer, portait des bottes de cow-boy à hauts talons. Les pieds de Van Fleet, d'O'Neil et de Wo Lee sont plus petits.

On attendait. Il le savait et faisait durer son plaisir.

— La pointure correspond à peu près à celle du sergent Mullins, mais les chaussures qu'il m'a montrées n'ont pas de talons de caoutchouc.

On entendit un soupir, comme un soupir de soulagement, dans le rang des soldats, mais Maigret ne put savoir lequel d'entre eux l'avait poussé.

Schmider, qui avait rangé avec soin ses plâtres sur la table, plongeait à nouveau le bras dans la boîte et en tirait, cette fois, un sac à main de cuir blanc.

— C'est le sac qui a été trouvé à quelques pas de la voie, en partie enfoncé dans le sable.

— Quelqu'un a-t-il identifié ce sac ?

— Non, monsieur.

— Sergent Mitchell !

Celui-ci s'avança. On lui tendit l'objet. Il ouvrit le sac et y prit une sorte de bourse en soie rouge qui contenait quelques pièces de monnaie.

— C'est bien le sac à main de votre sœur ?

— Je n'en suis pas sûr, mais je reconnais cette bourse qu'Erna lui a donnée.

Celle-ci, des rangs du public, intervenait pour affirmer :

— C'est son sac. Nous l'avons acheté ensemble, en solde, il y a un mois.

Il y eut quelques rires. À mesure que l'enquête s'avançait, les gens étaient de plus en plus à leur aise et, pour peu, se seraient interpellés comme au cirque.

— Voici un mouchoir, deux clefs, un bâton de rouge, de la poudre compacte.

— En dehors des pièces de monnaie, il n'y a pas d'argent ?

— Non, monsieur.

Et Erna d'intervenir à nouveau, sans être questionnée :

— Je me souviens qu'elle avait oublié son portefeuille.

Aucun papier. Aucune pièce d'identité. Cela rappelait à Maigret une question qu'il s'était déjà posée.

On avait trouvé, sur la voie, un corps de femme assez abîmé. Or, quelques heures plus tard, avant que la nouvelle fût publiée par les journaux, les gens du sheriff annonçaient à Mitchell que sa sœur était morte.

Qui l'avait identifiée ? Comment ?

Il regardait O'Rourke d'un air maussade. C'était la première fois qu'il suivait une enquête en simple particulier, sans rien connaître du dessous des cartes, et cela le vexait de sentir que des tas de choses lui étaient cachées.

Ne lui arrivait-il pas d'en faire autant à Paris ? Combien de fois, pour avoir ses coudées plus franches, pour éviter une action intempestive, avait-il caché, même au juge d'instruction, ce qu'il savait d'une affaire ?

O'Rourke allait-il au moins se servir de ses avantages ?

Avait-il vraiment envie de découvrir la vérité, et surtout de la dire ?

Il y avait des moments où Maigret en doutait et d'autres où il pensait que son confrère, qui savait son métier, ferait le nécessaire à son heure.

Une dernière pièce à conviction restait dans la boîte, et Schmider l'en sortit enfin. C'était encore un plâtre, encore une empreinte de semelle.

— Ce moulage a été pris au sud de l'endroit où Bessy est morte.

Autrement dit, c'était la piste dont Gérald Conley, seul, avait parlé.

— C'est du 9, c'est-à-dire une pointure moyenne, presque une petite taille. Le caporal Wo Lee porte du 8. Le sergent O'Neil et le caporal Van Fleet portent du 9 et du 9 un quart. Les chaussures qu'ils m'ont présentées n'avaient pas les mêmes traces d'usure.

Une fois encore, Maigret faillit se lever pour demander la parole, oubliant qu'il n'était pas chez lui.

L'horloge, au-dessus de la porte qui était ouverte et dans l'encadrement de laquelle s'entassaient des curieux, marquait quatre heures et demie. Les deux jours précédents, on avait suspendu les audiences aux environs de cinq heures.

Deux fois déjà on avait apporté des papiers à signer au coroner, qui se livrait à ce travail sans interrompre l'interrogatoire.

— Pas de questions, messieurs les jurés ?

Ce fut le nègre qui demanda :

— Le témoin a-t-il relevé les traces du taxi ?

— Elles ne m'ont pas été indiquées.

— Ne sait-il rien de la troisième voiture, celle qui a ramené les trois soldats à la base ?

— Lorsque je suis arrivé sur les lieux, il y avait déjà plusieurs autos et, pendant que je travaillais, il en est arrivé d'autres.

Le coroner regarda l'horloge.

— Messieurs, nous n'avons plus à entendre que le chief deputy-sheriff avant que vous entriez en délibération. Je me demande s'il ne vaut pas mieux en finir tout de suite.

O'Rourke leva la main.

— Voulez-vous me permettre de dire deux mots ? Ma déposition ne sera pas nécessairement longue, mais il est possible que, si nous attendons demain matin, un nouveau témoin se présente, qu'il serait intéressant d'entendre.

Maigret respira. Il respira si fort, avec un tel air de soulagement, que deux de ses voisins se tournèrent vers lui. Il avait craint qu'on envoie les jurés délibérer avec des renseignements aussi hétéroclites et contradictoires.

Il lui paraissait surtout invraisemblable qu'on en finisse avec cette affaire sans parler davantage de la troisième auto, à laquelle le nègre venait justement de faire allusion, celle qui avait ramené les trois soldats et qu'on ne semblait pas avoir retrouvée.

Était-ce celle aux pneus achetés à crédit ? Pourquoi, par deux fois au moins, l'attorney avait-il demandé aux témoins si la carrosserie était en bon état et s'ils n'avaient pas remarqué des traces d'accident ?

Le coroner se tournait, interrogateur, vers les jurés, et ceux-ci, sauf la femme, hochaient affirmativement la tête avec empressement.

Ainsi, pendant un jour de plus, ils seraient autre chose que des citoyens ordinaires. Comme pour mettre le comble à leurs vœux, un photographe s'accroupissait devant eux, et un éclair traversait la pièce.

— Demain, à la Seconde Chambre, neuf heures et demie.

Maigret devait être sur la photographie, car deux personnes seulement le séparaient du premier juré.

Depuis une heure environ, il avait envie de travailler avec un bout de papier et un crayon, ce qui lui arrivait assez rarement. Il éprouvait le besoin de faire le point et il lui semblait qu'en peu de temps il parviendrait à éliminer la plupart des hypothèses.

— Ils n'ont pas questionné les autres hommes du train, fit une voix près de lui.

C'était Mitchell, de mauvaise humeur.

— Le mécanicien, qui se tenait à gauche de la locomotive, ne pouvait voir que le côté gauche de la voie, celui où étaient les jambes de ma sœur. Son assistant, à droite, voyait le haut du corps. J'ai encore demandé qu'on le fasse comparaître.

— Qu'a-t-on répondu ?

— Qu'on le ferait si on en voyait la nécessité.

— Comment ont-ils reconnu votre sœur ?

Cette fois, Mitchell le regarda avec étonnement, et Maigret dut, par cette simple question, perdre beaucoup de prestige à ses yeux, car il se contenta de hausser les épaules, et la foule les sépara.

Le commissaire avait compris. N'était-il pas évident qu'une fille comme Bessy Mitchell avait déjà eu affaire à la police ? La ville devait en compter quelques douzaines dans son genre, peut-être moins, et sans doute les tenait-on à l'œil.

Cela lui rappelait brusquement les hommes assis dans les bars, à longueur de soirée, à fixer d'un œil morne des calendriers plus ou moins érotiques. Cela lui rappelait les autos qu'il avait aperçues, arrêtées dans l'ombre, et dans lesquelles on devinait des couples qui retenaient leur respiration.

Harry Cole ne lui avait pas donné rendez-vous, mais Maigret était sûr qu'il allait le retrouver d'un moment à l'autre. C'était une façon de l'épater. C'était une façon de dire :

« Je vous laisse aller et venir, mais vous voyez que je sais toujours où vous trouver. »

Par esprit de contradiction, Maigret entra dans un bar au lieu de retourner à l'hôtel, et les premiers mots qu'il entendit furent :

— Hello ! Julius !

Cole était là, et Mike O'Rourke était assis à côté de lui devant un verre de bière.

— Vous vous connaissez ? Pas encore ? Le commissaire Maigret, qui est un policier fameux dans son pays. Mike O'Rourke, le plus rusé des deputy-sheriffs de l'Arizona.

Pourquoi ces gens avaient-ils toujours l'air de se moquer de lui ?

— Un verre de bière, Julius ? Mike me dit que vous avez suivi les débats avec une attention soutenue, et que vous devez avoir votre petite idée. Je l'ai invité à dîner avec nous. Je suppose que cela vous va ?

— Je suis enchanté.

Ce n'était pas vrai. Il aurait apprécié cette intention le lendemain, quand il aurait eu le temps de faire le point. Maintenant, il se sentait d'autant plus balourd que les deux autres paraissaient de très bonne humeur, comme s'ils avaient une idée de derrière la tête.

— Je suis sûr, disait O'Rourke en s'essuyant les lèvres, que le commissaire Maigret trouve nos méthodes d'investigation bien rudimentaires et bien naïves.

En guise de contre-attaque, Maigret riposta :

— La serveuse du *Penguin Bar* vous a donné des renseignements intéressants ?

— C'est une jolie fille, n'est-ce pas ? Elle est de sang irlandais, comme moi, et, vous savez, les Irlandais s'entendent toujours.

— Elle était au *Penguin* le soir du 27 ?

— C'était son jour de congé. Elle connaît très bien Bessy, Erna Bolton et plusieurs garçons.

— Y compris Mullins ?

— Je ne pense pas. Elle ne m'a pas parlé de lui.

— Wo Lee ?

— Non plus.

Restaient le caporal Van Fleet et le sergent O'Neil. Celui-ci était un Irlandais aussi, comme le chief deputy-sheriff.

— Vous avez retrouvé la troisième voiture ?

— Pas encore. Je garde l'espoir que nous la retrouverons avant demain matin.

— Il y a un certain nombre de choses que je ne comprends pas.

— Il y en aurait certainement davantage que je ne comprendrais pas si je suivais une enquête à Paris.

— Chez nous, la véritable enquête n'a pas lieu en public.

O'Rourke lui lança un regard amusé.

— Ici non plus.

— Je m'en suis douté. N'empêche que chacun de vos hommes vient déclarer ce qui lui plaît.

— Cela, c'est une autre histoire. N'oubliez pas que tout le monde dépose sous la foi du serment, et qu'aux États-Unis le serment est une chose très grave. Peut-être avez-vous remarqué cependant qu'ils ne font que répondre aux questions qu'on leur pose !

— J'ai surtout remarqué qu'il y a des questions qu'on ne leur pose pas.

Mike O'Rourke lui donna une tape sur l'épaule.

— O.K. ! Vous avez compris ! Quand nous aurons dîné, vous pourrez me poser toutes les questions qu'il vous plaira.

— Et vous y répondrez ?

— Probablement. Du moment que ce n'est pas sous la foi du serment…

7

Les questions du commissaire

Ce n'était pas Harry Cole, mais O'Rourke qui paraissait être l'amphitryon. Au lieu de conduire ses hôtes dans un restaurant, il les avait emmenés dans un cercle privé du centre de la ville.

Les locaux étaient neufs, très gais, d'un modernisme surprenant. Le bar était probablement le mieux achalandé que Maigret eût jamais vu et, pendant qu'ils prenaient l'apéritif, il put dénombrer quarante-deux marques de whisky, sans compter sept ou huit marques de cognac français et du vrai Pernod comme on n'en trouve plus à Paris depuis 1914.

En face du bar, bien astiquées, en ordre de marche, avec les séries familières de prunes, de cerises, d'abricots, étaient rangées les machines à sous. Quand le commissaire, qui voulait machinalement y glisser une pièce de cinq cents, y regarda de plus près, il s'aperçut que l'unité, pour certaines, était un dollar en argent, pour d'autres cinquante cents, pour d'autres enfin vingt-cinq.

— Je croyais ces appareils interdits, remarqua-t-il. Le jour de mon arrivée, justement, j'ai lu dans un journal de Tucson que le sheriff avait saisi un certain nombre de ces machines.

— Dans les endroits publics.

— Et ici ?

— Nous sommes dans un cercle privé.

Les yeux d'O'Rourke riaient. Il avait l'air heureux d'initier son confrère d'au-delà des mers.

— Voyez-vous, il y a beaucoup de cercles privés. Il en existe pour ainsi dire pour toutes les catégories sociales. Celui-ci n'est pas le plus élégant ni le plus fermé. Il y en a quatre ou cinq au-dessus. Puis toute une série en dessous.

Maigret apercevait la vaste salle à manger où ils allaient dîner et il commençait à comprendre la rareté des restaurants.

— Chacun, qui a la moindre situation, fait partie d'un cercle, et son ascension dans l'échelle sociale est marquée par des changements de cercles successifs.

— De sorte que chacun aussi peut jouer à la machine à sous.

— À peu près.

Et le sheriff, avec un coup d'œil en coin, glissa une grosse pièce d'un dollar toute neuve dans la fente d'un des appareils, ramassa d'un geste négligent les quatre pièces pareilles qui dégringolèrent.

— En bas, il y a un jeu de dés qui correspond pour nous à ce qu'est chez vous la roulette. On joue au poker aussi. Vous n'avez pas de cercles, en France ?

— Quelques-uns, limités à certaines classes sociales.

— Ici, nous avons même le cercle des ouvriers du chemin de fer et celui des employés des postes.

— Alors, s'étonna Maigret, voulez-vous me dire à quoi servent tant de bars ?

Harry Cole buvait son double whisky comme on accomplit un rite.

— D'abord, ils servent de terrain neutre. On n'a pas toujours envie de rencontrer des gens de *sa* catégorie.

— Un instant ! Arrêtez-moi si je me trompe. Ne voulez-vous pas dire plutôt qu'on n'a pas toujours envie de se comporter comme on est obligé de se comporter avec des gens de *sa* catégorie ? Je suppose qu'ici, par exemple, il est assez mal vu de rouler sous la table ?

— Exact. Il vaut mieux aller au *Penguin Bar* ou ailleurs.

— Je comprends.

— Il y a aussi ceux qui n'appartiennent à aucune catégorie, autrement dit à aucun club.

— Les pauvres types !

— Pas seulement ceux qui n'ont pas d'argent, mais ceux qui ne se plient pas aux usages d'une classe sociale déterminée. Tenez ! À Tucson, qui est une ville routière, un club réunit les Mexicains d'origine qui ont fait souche aux États-Unis depuis plusieurs générations. On y est mal vu de parler espagnol ! Ceux qui le parlent encore ou qui parlent l'anglais avec un accent vont à un autre club qui groupe les nouveaux venus. *Have a drink*, commissaire !

Le cadre, le service étaient ceux d'un restaurant de luxe à Paris, et un sheriff y prenait ses repas presque tous les jours.

— Dites-moi, les soldats de la base ont leur club aussi ?

— Ils en ont plusieurs.

— Sont-ils obligés aussi, quand ils veulent se conduire d'une certaine façon, d'aller dans les bars ?

— Parfaitement.

— Notre ami Julius commence à comprendre, fit Cole qui mangeait avec appétit.

— Beaucoup de choses restent encore un mystère pour moi.

Il y avait du vin sur la table, du vin français qu'O'Rourke avait eu la délicate pensée de commander sans en rien dire. Ce gros homme d'aspect fruste n'était pas exempt de finesse, bien au contraire, et, plus on avançait dans la soirée, plus Maigret se sentait de sympathie pour lui.

— Cela ne vous ennuie pas que je vous parle de l'enquête ?

— Je suis ici pour ça.

C'était concerté. Peut-être était-ce O'Rourke qui avait demandé à Cole de le présenter à son confrère ?

— Si je comprends bien, votre position est, ici, l'équivalent de celle que j'occupe à Paris. Le sheriff, au-dessus de vous, correspond plus ou moins au directeur de la Police Judiciaire.

— Avec la différence qu'il est élu.

— L'attorney, lui, représente le procureur de la République. Et les deputy-sheriffs que vous avez sous vos ordres sont l'équivalent de mes brigades et de mes inspecteurs.

— Je crois que c'est à peu près cela.

— J'ai remarqué que vous souffliez la plupart des questions à l'attorney. C'est vous aussi, sans doute, qui avez empêché que d'autres questions soient posées aux témoins ?

— Exact.

— Ces témoins, vous les aviez interrogés auparavant ?

— La plupart.

— Et vous leur avez posé *toutes* les questions ?

— J'ai fait mon possible.

— De quelle famille sort le caporal Van Fleet ?

— Pinky ? Ses parents sont de gros cultivateurs du Middle West.

— Pourquoi s'est-il engagé dans l'armée ?

— Son père exigeait qu'il travaille à la ferme avec lui. Il l'a fait à contrecœur jusqu'à il y a deux ans, puis, un beau jour, il est parti et s'est engagé.

— O'Neil ?

— Son père est instituteur et sa mère institutrice. Ce sont des gens très respectables. Ils ont tenu à faire de lui un intellectuel, et c'était un déshonneur quand il n'était pas le premier de sa classe. Il en a eu assez lui aussi. Tandis que Van Fleet allait de la campagne à la ville, O'Neil allait de la petite ville à la campagne. Pendant près d'un an, il a travaillé à piquer le coton dans le Sud.

— Mullins ?

— Il a eu, très jeune, des ennuis avec la police, et on l'a envoyé dans une école de redressement. Ses

parents sont morts alors qu'il avait dix ou douze ans.
La tante qui s'est occupée de lui est un être autoritaire
et insupportable.

— Le rapport du docteur était-il complet ?

— Je ne comprends pas ce que vous voulez dire.

— Cinq hommes ont passé une grande partie de la
nuit à boire avec une femme. Cette femme a été
retrouvée morte sur la voie de chemin de fer. Or, pas
un instant, à l'enquête, il n'a été question de ce qui
avait pu se passer entre la femme et un ou plusieurs
de ces hommes.

— Il n'en est jamais question.

— Dans votre bureau non plus ?

— Dans mon bureau, c'est différent. Je vous
affirme que l'autopsie a été aussi complète qu'on peut
le désirer.

— Le résultat ?

— Oui !

— Qui ?

C'était un peu comme si, jusqu'ici, Maigret n'avait
vu de l'affaire qu'une sorte de toile peinte, comme la
toile de fond d'un photographe. C'est cela qu'on mettait sous les yeux du public, qui paraissait s'en
contenter.

Maintenant, les vrais personnages, avec leurs authentiques faits et gestes, se substituaient peu à peu à
l'image artificielle.

— Cela ne s'est pas passé dans le désert.

— Chez le musicien ?

Cette visite chez le musicien chiffonnait Maigret
depuis le début.

— Tout d'abord, le médecin a découvert que Bessy avait eu des rapports avec un homme dans le courant de la nuit, mais, selon lui, assez longtemps avant sa mort. Vous savez qu'en pareil cas on peut faire un test assez semblable au test du sang et, parfois, déterminer si c'est avec tel ou tel homme que les rapports ont eu lieu. C'est à Ward que j'en ai parlé d'abord, et il est devenu cramoisi. Ce n'était pas de peur, mais de jalousie, de rage. Il a bondi en criant : « Je m'en étais douté. »

— Mullins ?

— Oui. Il a avoué tout de suite.

— Dans la cuisine ?

— C'était prémédité. Il avait confié à Erna Bolton qu'il avait une furieuse envie de Bessy. Pour une raison ou pour une autre, Erna n'aime pas beaucoup le sergent Ward. Elle a promis à Mullins : « Peut-être tout à l'heure, chez le musicien... »

» Elle a admis qu'elle avait fait le guet près de la cuisine. C'est elle qui a prévenu le couple de l'approche de Ward. Et c'est par contenance que Bessy a eu la présence d'esprit de saisir une bouteille de whisky et de boire au goulot.

Maigret comprenait mieux l'attitude des témoins qui réfléchissaient avant de répondre aux questions et qui pesaient chacun de leurs mots.

— Vous ne croyez pas que ces détails intéressent les jurés ?

— C'est le résultat qui compte, n'est-ce pas ?

— Et vous arriverez au même résultat ?

— J'y veille.

— Est-ce par pudeur que vous avez évité tout ce qui a trait aux questions sexuelles ?

Au moment où il posait cette question, Maigret se souvint des machines à sous du bar et crut comprendre.

— Je suppose que vous voulez éviter de donner de mauvais exemples ?

— C'est à peu près ça. En France, si ce qu'on m'a dit est vrai, vous faites exactement le contraire. Vous racontez dans les journaux les frasques des ministres et de tous les personnages importants. Puis, quand un petit, un homme de la rue, a le malheur d'en faire autant, vous le bouclez. D'autres questions, commissaire ?

— Si j'avais eu un moment, je les aurais préparées par écrit. Erna prétend-elle que son amie Bessy était amoureuse de Mullins ?

— Non. Elle pense comme moi que Bessy était vraiment amoureuse du sergent Ward.

— Mais elle avait envie de Mullins ?

— Quand elle avait bu, elle avait envie de tous les hommes.

— Cela lui arrivait souvent ?

— Plusieurs fois par semaine. Avec Ward, c'était la romance. Quand il ne venait pas la voir, il lui écrivait tous les jours et lui téléphonait parfois pendant une demi-heure.

— Elle espérait l'épouser ?

— Oui.

— Et lui ?

— C'est difficile à dire. Je suis sûr qu'il m'a répondu sincèrement. C'est un assez bon garçon, au fond. Il s'est marié comme beaucoup de jeunes gens se marient ici, en quelques jours. On rencontre une fille. On se croit amoureux parce qu'on en a envie et on va chercher une licence de mariage.

— J'ai remarqué qu'on avait évité de faire comparaître sa femme.

— À quoi bon ? Elle n'est pas bien portante. Elle a du mal à élever ses deux enfants. Elle en attend un troisième, et c'est ce qui retenait Ward. Il aurait bien voulu épouser Bessy et en même temps il avait peur de faire de la peine à sa femme.

Maigret ne s'était pas trompé quand il avait comparé ces grands gaillards à des écoliers. Ils jouaient les durs. Ils se croyaient des durs. Un mauvais garçon de la Bastille ou de la place Pigalle aurait dédaigneusement déclaré que ce n'étaient que des enfants de chœur.

— C'est vous, *chief*, qui avez identifié le corps ?

— Mes hommes l'avaient fait avant moi. Bessy est passée cinq ou six fois par mon bureau.

— Parce qu'elle se livrait à la prostitution ?

— Vous employez toujours des mots trop précis et c'est pourquoi il est si difficile de vous répondre. Par exemple, quand elle travaillait au *drive-in*, Bessy gagnait environ trente dollars par semaine. Or, l'appartement qu'elle occupait avec Erna leur coûte soixante dollars par mois.

— Elle se faisait des suppléments ?

— Pas nécessairement en argent. On l'emmenait manger et boire. Un cocktail coûte cinquante cents ! Un whisky aussi.

— Il en existe beaucoup comme elle dans la ville ?

— À différents niveaux. Il y en a que l'on conduit manger un spaghetti dans un *drive-in* et d'autres à qui on offre un dîner au poulet dans un bon restaurant.

— Erna Bolton ?

— Mitchell la surveille de près. Cela lui coûterait cher de le tromper, et je suis persuadé qu'il l'épousera un jour ou l'autre. Ce ne sont pas des petits saints, mais ils ne sont pas méchants.

— Le sergent Mitchell a-t-il su que sa sœur et Mullins avaient eu des relations dans la cuisine ?

— Erna l'a pris à part pour lui en parler !

— Quelle a été sa réaction ?

O'Rourke se mit à rire.

— Je n'étais pas là, commissaire. Je ne sais que ce qu'il a bien voulu me dire. Savez-vous qu'il était le tuteur de sa sœur et qu'il prenait son rôle au sérieux ?

— En la laissant coucher avec tous les hommes qui lui plaisaient ?

— Qu'auriez-vous voulu qu'il fasse ? Il ne pouvait être avec elle du matin au soir et du soir au matin. Il était indispensable qu'elle gagne sa vie, et elle n'avait pas assez d'instruction pour travailler dans un bureau. Il a essayé de la faire entrer comme vendeuse dans un magasin à prix unique, mais elle n'a pas pu rester plus d'un jour, car elle engageait la conversation avec les clients et se trompait dans ses comptes. Pour Mitchell, Ward était un pis-aller, et il aurait peut-être fini par l'épouser. Mullins aurait mieux valu, puisqu'il était célibataire.

C'était au tour de Maigret de rire. La physionomie des personnages changeait à vue d'œil à mesure des révélations d'O'Rourke.

On avait apporté de la fine, que le chief deputy-sheriff était fier de servir à son hôte, car la bouteille était millésimée. O'Rourke, qui avait entendu dire qu'on doit décanter le cognac avant de le boire, tenait religieusement son verre dans le creux de sa grosse main.

— À votre santé !

Ce qui surprenait Maigret, ce n'était pas l'indulgence d'hommes comme son confrère, ou comme Harry Cole, qui emmenait déjeuner son prisonnier dans un bon restaurant.

Cette indulgence-là était courante au Quai des Orfèvres aussi. Il y avait à Paris un certain nombre de mauvais garçons que Maigret connaissait par cœur, qu'il rencontrait de temps à autre et à qui il lui arrivait de dire :

— Tu as encore une fois été trop loin, mon petit, je suis obligé de t'arrêter. Cela te fera du bien de réfléchir à l'ombre pendant quelques mois.

Ce qui l'étonnait, c'était l'attitude des jurés, du public. Quand, par exemple, les témoins avaient décrit la beuverie de la nuit, cité le nombre de tournées, personne n'avait sourcillé.

Ces gens-là avaient l'air de comprendre qu'il faut de tout pour faire un monde et qu'une société comporte fatalement un certain pourcentage de déchets.

Tout en haut, il y avait les grands gangsters, qui étaient presque indispensables puisque, grâce à eux, on pouvait se procurer ce que la loi interdit.

Les gangsters ont besoin de tueurs pour régler leurs comptes entre eux.

Tout le monde ne peut pas faire partie d'un club d'une classe sociale déterminée. Tout le monde ne peut pas monter.

Il y a ceux qui descendent. Il y a ceux qui sont nés tout en bas. Il y a les faibles, les mal lunés et aussi ceux qui se font mauvais garçons pour crâner, pour se croire malgré tout aptes à quelque chose.

Or c'était tout cela que ces hommes pris dans la foule avaient l'air de comprendre.

— Van Fleet a-t-il une maîtresse ?

— Vous me demandez s'il couche plus ou moins régulièrement avec une femme ?

— Si vous préférez.

— Non. C'est plus difficile que vous ne le croyez. À part une Bessy ou une Erna Bolton, une femme, dans ce cas-là, finit toujours par se faire épouser. Bessy y était presque arrivée. Erna y arrivera.

— De sorte qu'il ne pouvait compter que sur des occasions ?

— De rares occasions, oui.

— Et O'Neil ?

— O'Neil aussi ! Je vous signale, en outre, que Ted O'Neil, malgré ses apparences, est le plus timide de tous. Il se sent déplacé. Il n'est pas dans son assiette ! Il a été élevé d'une façon stricte. Je me demande s'il ne lui arrive pas de regretter la maison paternelle et le milieu bien-pensant dont il se trouve exclu.

— Ses parents ne lui écrivent pas ?

— Ils ne veulent plus le connaître.

— Wo Lee ?

— Quand vous aurez habité une ville où vivent quelques centaines de Chinois, vous saurez qu'il vaut mieux ne pas essayer de les comprendre. Je crois que Wo Lee est un bon petit garçon et qu'il ambitionne de bien faire. Il est fier de son uniforme. Il se fera tuer bravement à la prochaine guerre.

Harry Cole, qui n'intervenait presque pas, les regardait tous les deux avec un sourire indéfinissable.

— Je connais un petit peu les Chinois, dit-il pourtant.

— Qu'est-ce que vous en pensez ?

— Rien ! laissa-t-il tomber ironiquement.

La plupart des gens avaient fini de dîner, et il y avait davantage de monde au bar, où on entendait des éclats de voix et des chocs de verres. Dans un salon voisin, on jouait aux cartes.

— Question ?

— Oui. Je ne sais pas trop comment la poser. J'en reviens toujours au fait qu'ils étaient cinq hommes et une femme et qu'ils avaient bu. Mullins, vous me l'avez dit, n'a pas résisté à la tentation. Il a eu ce qu'il voulait. Restent les trois autres. Croyez-vous qu'un garçon sanguin comme Van Fleet, qu'un jeune homme solide comme O'Neil n'aient pas eu envie de Bessy, eux aussi ?

— C'est fort possible.

— Ne pensez-vous pas qu'elle a joué le même jeu avec eux qu'avec Mullins ?

— C'est probable. Elle a dû les allumer, si c'est ça que vous voulez dire.

— Les Chinois ont-ils, comme les nègres, une certaine prédilection pour les femmes blanches ?

— Répondez, Harry.

— Je ne crois pas que ce soit par goût. Par goût, ils préféreraient plutôt leurs compatriotes. Mais c'est chez eux une question d'orgueil.

— Donc, reprit Maigret, qui revenait toujours à son idée, ils étaient cinq hommes et une femme dans l'auto. Derrière, si je ne me trompe, dans l'obscurité, il y avait, serrés les uns contre les autres, O'Neil, Bessy et Wo Lee. Attendez ! J'ai commencé par le mauvais bout. Vous avez dit que Ward était jaloux. Il connaissait le tempérament de Bessy et son comportement quand elle avait bu. Or c'est lui qui a organisé cette soirée avec ses camarades.

— Vous ne comprenez pas ?

— Je crois comprendre, mais j'aimerais savoir si mon raisonnement vaut pour les Américains.

— Ward était assez fier, lui, un homme marié, d'avoir ce que vous appelez une maîtresse. Imaginez-vous quelle supériorité cela représentait sur ses camarades ?

— Il courait le risque ?

— Il ne pensait pas au risque, mais seulement à les épater. Remarquez qu'à partir d'un certain moment il est devenu inquiet et a essayé d'empêcher Bessy de boire.

— Il ne paraît avoir été jaloux que de Mullins.

— Il n'avait pas tellement tort. À ses yeux, Mullins est le beau garçon qui plaît aux femmes. Il ne s'inquiétait pas beaucoup des deux autres qui ont une tête de moins que lui, et encore moins du Chinois, qui n'est qu'un enfant.

— Vous admettez que c'est une sorte d'exhibitionnisme ?

— J'ai entendu dire qu'à Paris comme ailleurs les personnages les plus précieux exhibent fièrement, à l'Opéra ou ailleurs, leur femme ou leur maîtresse largement décolletée.

— Croyez-vous qu'il se soit passé dans l'auto quelque chose qui ait décidé Bessy à ne pas aller à Nogales ?

— Il y a eu une première explication, mais j'ignore si elle est bonne. Depuis qu'il avait fait irruption dans la cuisine, Ward était nerveux, de mauvaise humeur. Il avait forcé Bessy à changer de place et à s'asseoir à l'arrière de l'auto pour la séparer de Mullins. Par la même occasion, il la séparait de lui. C'était une sorte de bouderie. Elle a fort bien pu répondre à une bouderie par une autre.

— Et si quelque chose lui avait fait peur ?

— Une tentative d'O'Neil ou du Chinois, dans une voiture où ils étaient six ? N'oubliez pas, commissaire, que ces gens-là, sauf Wo Lee, étaient tous passablement ivres.

— C'est pour cette raison que leur témoignage ne concorde pas ?

— Et aussi, j'en conviens, parce que chacun se sent plus ou moins soupçonné. En outre, il y a des rapports d'amitié qui interviennent. O'Neil et Van Fleet sont à peu près inséparables, et vous avez remarqué que leurs témoignages sont presque identiques. Wo Lee essaie de ménager tout le monde, parce qu'il lui répugne de jouer le rôle de rapporteur.

— Pourquoi Ward a-t-il déclaré que Bessy n'était pas remontée dans l'auto après le premier arrêt ?

— Parce qu'il a peur. N'oubliez pas que cette histoire le plonge dans les ennuis jusqu'au cou. Il a une femme, des enfants. Sa femme va probablement demander le divorce.

— Il a affirmé que Bessy s'était éloignée avec le sergent Mullins.

— Qu'est-ce qui nous prouve le contraire ?

— Vos deputy-sheriffs se contredisent, eux aussi.

— Chacun témoigne sous serment et dit ce qu'il croit la vérité.

— L'inspecteur de la Southern Pacific me paraît connaître son métier.

— C'est un homme de valeur.

— Conley ?

— Un brave homme.

— Atwater ?

— Un solennel imbécile.

Il ne bronchait pas en jugeant de la sorte des subordonnés.

— Et Schmider ?

— Un expert de premier ordre.

— Vous espérez vraiment retrouver la voiture qui a ramené les trois hommes ?

— Cela m'étonnerait qu'elle ne soit pas devant mon bureau demain matin, car, cet après-midi, nous avons eu l'adresse du garage qui a vendu les quatre pneus.

— C'est la raison pour laquelle l'enquête a été remise à demain ?

— Et aussi parce que les jurés seront plus frais.

— Vous pensez qu'ils ont compris quelque chose ?

— Ils ont été fort attentifs. À l'heure qu'il est, ils sont probablement un peu perdus. Il suffira, demain, de leur apporter quelques évidences s'il y en a.

— Et s'il n'y en a pas ?

— Ils jugeront selon leur conscience.

— N'y a-t-il pas avec ce système beaucoup de coupables qui restent en liberté ?

— Cela vaut mieux qu'un innocent enfermé, n'est-ce pas ?

— Pourquoi êtes-vous retourné hier au *Penguin Bar* ?

— Je vais vous le dire. Bessy, qui habitait à quelques pas, y allait presque chaque soir. J'ai voulu dresser une liste des hommes qu'elle avait l'habitude de rencontrer.

— La serveuse vous a donné des renseignements intéressants ?

— Elle m'a appris que Van Fleet et O'Neil étaient venus plusieurs fois.

— En compagnie de Ward ?

— Non.

— Il leur est arrivé de sortir avec Bessy ?

— Non. Bessy ne les aimait pas.

— Cela exclut-il la possibilité que Bessy leur ait donné rendez-vous ? O'Neil aurait pu lui parler dans l'auto et lui demander de se débarrasser des autres.

— J'y ai pensé.

— Elle manifeste l'intention de ne pas continuer jusqu'à Nogales, se dispute exprès avec Ward, refuse de remonter dans la voiture et attend les deux autres dans le désert. Ceux-ci, dès leur arrivée à Tucson, se séparent de leurs compagnons, sans soupçonner que Ward et Mullins ont l'intention de retourner sur les lieux. Ils essayent de se débarrasser de Wo Lee qui n'est pas dans le coup et prennent un taxi.

— Et ils la tuent ?

— Je crois que j'aurais fait examiner le linge que portaient les deux hommes.

— Cela a été fait. Pour Van Fleet, l'examen a été négatif, s'il s'agit bien de ce que je crois comprendre. Pour O'Neil, il était trop tard, car son linge avait été déjà donné à la buanderie quand nous le lui avons demandé.

— Vous croyez que Bessy a été assassinée ?

— Voyez-vous, commissaire, ici on ne croit jamais quelqu'un coupable avant d'en avoir la preuve. Tout homme est présumé innocent.

Maigret riposta, mi-sérieux, mi-plaisant :

— Tout Français est présumé coupable. N'empêche que c'est vous, j'en jurerais, qui avez fait boucler les cinq hommes sous l'inculpation d'incitation de mineure à la débauche.

— L'ont-ils fait boire, oui ou non ? L'ont-ils admis ?

— Oui, mais…

— Ils ont donc enfreint la loi, et cela m'arrange, car cela simplifie mon travail de les voir en prison. Je n'ai pas trop d'hommes à ma disposition. Il aurait fallu les surveiller tous les cinq. Je crois que vous en savez maintenant à peu près autant que moi. Si vous avez d'autres questions à poser, je reste à votre disposition.

— Est-ce immédiatement après avoir appris la mort de sa sœur que Mitchell a déclaré qu'elle avait été assassinée ?

— Cela a été sa première réaction. N'oubliez pas qu'il savait qu'elle avait eu des rapports avec Mullins dans la cuisine et que Ward les avait presque surpris.

— Non !

— Que voulez-vous dire ?

— Mitchell n'a jamais soupçonné Ward. En tout cas, ce n'est pas lui qu'il soupçonne en ce moment.

— Il vous l'a dit ?

— Il me l'a laissé entendre.

— Vous en savez donc plus que moi, et je ferais peut-être bien d'avoir une conversation avec lui. De toute façon, il faut que je vous quitte pour aller à mon bureau. Vous restez avec le commissaire, Harry ?

Maigret se retrouva dans la rue avec Cole, dont la voiture, comme d'habitude, n'était pas loin.

— Où avez-vous envie d'aller, Julius ?

— Me coucher.

— Vous ne croyez pas que ce serait le moment de prendre un dernier verre ?

C'était bien cela : ils sortaient d'un club où ils avaient à leur disposition, dans une atmosphère agréable, toutes les boissons de la terre. Cole y connaissait chacun. Ils pouvaient boire et bavarder tout leur saoul.

Or, à peine sorti, l'envie le prenait d'aller s'accouder dans un bar anonyme.

N'était-ce pas un peu l'attrait du péché ?

Maigret faillit quitter son compagnon et regagner l'hôtel, car il avait vraiment envie de dormir. Par une

sorte de lâcheté, il le suivit, et Cole, tout naturellement, un peu plus tard, arrêta l'auto en face du *Penguin*.

C'était presque désert, ce soir-là. Il y régnait,
comme d'habitude, une demi-obscurité, et de la
musique émanait de la machine lumineuse. Près de
celle-ci, à une table, deux couples étaient assis :
Harold Mitchell avec Erna Bolton et le musicien avec
Maggie.

Mitchell sourcilla en voyant entrer le commissaire
en compagnie de l'officier du F.B.I. et se mit à parler
bas avec ses compagnons.

— Vous êtes marié ? demanda Maigret à Cole.

— Et père de trois enfants. Ils sont là-bas en Nouvelle-Angleterre, car je ne suis plus ici que pour
quelques mois.

On lut une certaine nostalgie dans son regard, et il
vida son verre d'un trait.

— Que pensez-vous du club ? questionna-t-il à
son tour.

— Je ne pensais pas le trouver si luxueux.

— Il y a mieux. Au *Country Club*, par exemple, on
trouve un golf, plusieurs tennis, une magnifique pis-
cine.

Cole. qui avait fait signe de remplir son verre,
continuait :

— On mange beaucoup mieux et moins cher que
dans les restaurants. Tout est de bonne qualité. Seulement, avouez que c'est… Il n'y a pas de mot en
anglais. Je crois qu'en français vous dites : c'est
emmerdant, n'est-ce pas ?

Drôles de gens ! Ils s'imposaient eux-mêmes des règles strictes. Ces règles, ils s'appliquaient consciencieusement à les suivre tant d'heures par jour, ou tant de jours par semaine, ou tant de semaines par an.

Éprouvaient-ils tous le besoin de leur échapper à un certain moment ?

Ce fut beaucoup plus tard, alors que la fermeture était proche, que Cole, qui avait beaucoup bu et qui, aujourd'hui, n'était agressif qu'avec lui-même, confia son secret.

— Voyez-vous, Julius, pour que le monde tourne rond, il est indispensable que les gens vivent d'une certaine manière. On a des maisons confortables, des appareils électriques, une auto luxueuse, une femme bien habillée qui vous donne de beaux enfants et qui les tient propres. On fait partie de sa paroisse et de son club. On gagne de l'argent et on travaille pour en gagner chaque année davantage. N'est-pas ainsi dans le monde entier ?

— Peut-être est-ce plus parfait chez vous.

— Parce que nous sommes plus riches. Chez nous, il existe des pauvres qui ont leur auto. Les nègres qui piquent le coton possèdent presque tous une vieille voiture. Nous avons réduit le déchet au minimum. Nous sommes un grand peuple, Julius.

Et ce ne fut pas par politesse que Maigret répondit :

— J'en suis convaincu.

— Il n'y en a pas moins des moments où la maison confortable, la femme souriante, les enfants bien lavés, l'auto, le club, le bureau, le compte en banque ne suffisent pas. Est-ce que cela arrive chez vous aussi ?

— Je crois que cela arrive à tous les hommes.

— Alors, Julius, je vais vous donner ma recette, que nous sommes quelques millions à connaître et à pratiquer. On entre dans un bar comme celui-ci, peu importe lequel, car ils sont tous identiques. Le barman vous appelle par votre prénom ou par un autre prénom s'il ne vous connaît pas, cela n'a pas d'importance. Il pousse un verre devant vous et vous le remplit chaque fois qu'il le voit vide.

» À certain moment, quelqu'un que vous ne connaissez pas vous tape sur l'épaule et vous raconte son histoire. La plupart du temps, il vous montre la photographie de sa femme et de ses gosses et finit par avouer qu'il est un gros cochon.

» Parfois un type qui a le whisky mélancolique vous regarde de travers et, sans raison apparente, vous tape sur la gueule.

» Cela ne fait rien. On finit de toute façon par vous mettre dehors, à une heure du matin, parce que c'est la loi et que la loi reste la loi.

» On essaie de rentrer chez soi sans renverser de réverbères, car on risque la prison en conduisant une voiture en état d'ivresse.

» Et, le lendemain matin, on a recours à la petite bouteille bleue que vous connaissez. On fait quelques bons rots qui sentent le whisky. Un bain chaud, suivi d'une douche glacée, et le monde est à nouveau propre et neuf, on est tout heureux de retrouver sa maison en ordre, les rues bien nettoyées, l'auto qui roule sans bruit et le bureau réfrigéré. Et la vie est belle, Julius !

Maigret regardait, dans le coin, près de la machine à musique, les deux couples qui les regardaient.

En somme, c'était pour que la vie fût belle que Bessy était morte !

8

L'intervention du nègre

Ils étaient là tous les cinq, en uniforme bleu de prisonnier, sur la terrasse du premier étage. À force de lavages, la toile des vêtements était devenue du même bleu que les filets à sardines, du même bleu que le ciel qu'on retrouvait chaque matin aussi pur.

À l'ombre, dans le recoin, subsistait encore un peu de la fraîcheur de la nuit et de l'aube ; aussi, dès qu'on franchissait la ligne de lumière, des vagues brûlantes cuisaient-elles la peau.

Tout à l'heure, quand le soleil serait au plus haut dans le ciel, un des cinq hommes serait peut-être accusé de meurtre ou d'assassinat.

Y pensaient-ils ? Et ceux d'entre eux qui se savaient innocents se demandaient-ils lequel des leurs avait tué ? Ou bien le connaissaient-ils et ne s'étaient-ils tus que par camaraderie ou par esprit de corps ?

Ce qui frappait, c'était leur isolement.

Ils appartenaient à la même base, à la même unité. Ils étaient sortis, avaient bu, s'étaient amusés ensemble et tous s'appelaient par leur prénom.

Or, dès leur première comparution devant le coroner, d'invisibles cloisons s'étaient dressées entre eux et ils avaient cessé de se connaître.

Le plus souvent, ils évitaient de se regarder les uns les autres et, quand d'aventure ils le faisaient, leur regard était grave et lourd, chargé de soupçons ou de rancune.

Il leur arrivait de se frôler, de se trouver coude à coude sans que cela établît un contact entre eux.

Pourtant des liens existaient entre ces hommes que Maigret avait devinés dès le premier jour et qu'il commençait à mieux comprendre.

Par exemple, ils se partageaient en deux groupes distincts, non seulement quand ils étaient de sortie, mais à la caserne.

Le sergent Ward et Dan Mullins formaient un de ces groupes. C'étaient les aînés, on avait envie de dire les grands, et à côté d'eux les trois autres faisaient figure de bleus, constituaient la petite classe.

Comme les nouveaux élèves de l'année, ces trois-là gardaient quelque chose de pataud, d'indécis, et on lisait dans leurs yeux une admiration mêlée d'envie pour les anciens.

Or, c'était entre Ward et Mullins que le mur était le plus épais, le plus impénétrable. Ward pouvait-il oublier que Mullins avait possédé Bessy presque sous ses yeux, dans la cuisine du musicien, et que c'était sans doute la dernière étreinte qu'elle eût connue ?

Pour l'avoir, lui, il avait payé le prix. Il avait promis de divorcer, et cela signifiait qu'il serait séparé de ses enfants. Il avait tout mis dans la partie, alors que son camarade n'avait eu qu'à la caresser de son regard de bellâtre.

N'avait-il pas, contre Dan, des soupçons plus graves ? Ne fallait-il pas croire qu'il était de bonne foi quand il avait parlé d'une drogue qui lui aurait été administrée à son insu ?

Il s'était endormi tout à trac, et son orgueil de buveur l'empêchait d'admettre que c'était l'alcool. Il ignorait combien de temps il avait dormi. À ce sujet, Maigret avait fait une remarque amusante. Chaque fois que le coroner ou l'attorney avait demandé des précisions sur l'heure, les hommes avaient fini par répondre :

— Je n'avais pas de montre.

Cela lui avait rappelé son service militaire, au temps où les soldats touchaient un sou par jour et où après quelques semaines toutes les montres du régiment étaient au mont-de-piété.

Qu'est-ce qui prouvait à Ward que Mullins était resté à côté de lui dans la voiture ?

Maigret avait demandé à Cole, qui s'y connaissait, puisque c'était sa spécialité :

— Le musicien ne pouvait-il pas avoir chez lui des cigarettes de marijuana ?

— D'abord, je suis à peu près certain que non. Ensuite, en aurait-il eu, cela n'aurait pas plongé Ward dans le sommeil épais qu'il a décrit. Il se serait senti, au contraire, d'une vitalité anormale.

Mullins, de son côté, ne soupçonnait-il pas Ward d'avoir profité de son sommeil pour gagner la voie de chemin de fer ?

Jamais, pourtant, on ne surprenait entre eux un regard de haine ou de reproche. On aurait dit que chacun essayait avec obstination, le front dur et plissé, de trouver la solution du problème.

Dans la petite classe, Van Fleet était le plus nerveux. Il avait, ce matin-là, les yeux de quelqu'un qui n'a pas dormi de la nuit, ou qui a longtemps pleuré.

Son regard était immobile, anxieux. Il semblait pressentir un malheur imminent, et ses ongles étaient rongés jusqu'au ras des doigts. Il les rongeait encore par inadvertance, s'arrêtait net dès qu'il s'en apercevait et cherchait une contenance.

O'Neil, têtu et renfrogné, ressemblait toujours au bon élève injustement puni et il était le seul des cinq à porter avec gaucherie un uniforme de prisonnier trop grand pour lui.

Le Chinois, lui, dans son regard, dans son visage aux traits à peine dessinés, dans son attitude, avait quelque chose de si pur qu'on avait envie de le traiter en enfant.

— Dernier jour ! lançait, à l'oreille de Maigret, une voix joyeuse qui le fit sursauter.

C'était un des jurés, le plus vieux, qui avait l'air d'une eau-forte. Ses yeux, entourés de mille rides fines et profondes, pétillaient à la fois de malice et de bienveillance. Il avait vu Maigret si assidu, si attentif, il l'avait senti si passionné, qu'il devait le croire déçu que cela finisse déjà.

— Dernier jour, oui.

Est-ce que le vieillard, qui ne paraissait pas tourmenté, avait déjà son idée sur l'affaire ? Van Fleet, qui était le plus près et qui avait entendu, se mettait à ronger ses ongles, tandis que le sergent Ward fixait son regard sombre sur ce gros homme à l'accent étranger qui s'occupait de lui, Dieu sait pourquoi.

Ils étaient tous rasés de frais. Ward s'était même fait couper les cheveux, et on les lui avait tondus plus court que d'habitude sur la nuque et autour des oreilles, de sorte que la peau très blanche à ces endroits tranchait avec le reste de la peau tannée par le soleil.

Il se passait quelque chose d'anormal. Il était dix heures moins vingt, et Ézechiel n'avait pas encore appelé les jurés en séance.

Il n'était pas sous la galerie, mais en bas, à l'ombre, près de la pelouse, à fumer sa pipe devant une porte close.

On n'avait vu ni le coroner, ni l'attorney, ni O'Rourke, qui, d'habitude, allaient et venaient dans les couloirs.

Les habitués étaient allés s'asseoir dans la salle dès neuf heures et demie, puis ils en étaient sortis les uns après les autres, laissant leur chapeau ou un objet quelconque pour garder leur place. On regardait Ézechiel d'en haut. Certains descendaient pour aller boire un coca-cola. La négresse au bébé adressa la parole à Maigret, mais il ne comprit pas ce qu'elle disait et se contenta de lui sourire, puis de taquiner d'un doigt le menton de l'enfant.

Il descendit lui aussi, vit qu'il y avait réunion dans le bureau du coroner et reconnut O'Rourke qui téléphonait.

Il glissa cinq cents dans la fente de la machine rouge et but son premier coca-cola du matin à la bouteille. D'en bas, il continuait à observer les cinq hommes accoudés à la balustrade au premier étage.

C'est alors qu'il prit un bout de papier dans son portefeuille et griffonna quelques jambages. Sous les arcades, il y avait un marchand de journaux et de cartes postales. Il vendait aussi des enveloppes et Maigret en acheta une, y glissa son papier, la ferma et écrivit le nom d'O'Rourke.

Petit à petit, on sentait monter l'impatience en même temps qu'une certaine inquiétude. Tout le monde avait fini par repérer la porte derrière laquelle les officiels étaient entrés, et parfois on voyait un des deputy-sheriffs en sortir, affairé, pour se précipiter vers un autre bureau.

Enfin une auto claire s'arrêta devant la colonnade, et un petit homme trapu traversa le patio et se dirigea vers le bureau du sheriff. On devait le guetter, car O'Rourke, courant à sa rencontre, l'emmena, et la porte se referma sur eux.

À dix heures moins cinq, enfin, Ézechiel, tirant une dernière bouffée de sa pipe, lança son traditionnel :

— Jurés !

Chacun prit sa place. Le coroner essaya diverses positions de son fauteuil et régla les micros. Ézechiel tripota un peu les boutons de la réfrigération et alla fermer les persiennes.

— Angelino Potzi !

O'Rourke cherchait Maigret des yeux et lui adressait un clin d'œil. Harold Mitchell, assis un peu plus loin, surprit ce signe et se renfrogna.

— Vous êtes marchand de comestibles et fournisseur de la base d'aviation ?

— Je fournis le mess des officiers et celui des sous-officiers.

Italien d'origine, il avait gardé son accent. Il avait très chaud. Il s'était dépêché et s'épongeait sans cesse, regardait autour de lui avec curiosité.

— Vous ne savez rien de la mort de Bessy Mitchell et vous n'avez pas entendu parler de l'enquête ?

— Non, monsieur. Je suis arrivé il y a une heure de Los Angeles, où je suis allé avec un de mes camions chercher de la marchandise. Ma femme m'a dit qu'on avait téléphoné plusieurs fois pendant la nuit pour demander si j'étais de retour. Tout à l'heure, au moment où je venais de prendre une douche et où j'allais me coucher, un homme du sheriff est venu.

— Quel a été votre emploi du temps depuis le 28 juillet au matin ?

— En quittant la base où j'avais à prendre des commandes…

— Un instant. Où avez-vous passé la nuit du 27 au 28 ?

— À Nogales, côté mexicain. Je venais d'acheter deux camions de cantaloùps et un camion de légumes. Nous avons passé une partie de la nuit ensemble, mes fournisseurs et moi, comme cela nous arrive souvent.

— Vous avez bu beaucoup ?

— Pas beaucoup. Nous avons joué au poker.

— Ne vous est-il rien arrivé d'autre ?

— Nous sommes montés prendre un verre au quartier réservé, et, pendant que ma voiture stationnait, une auto a dû la heurter, car j'ai retrouvé une aile abîmée.

— Décrivez-nous votre voiture.

— C'est une Pontiac beige, que j'ai achetée d'occasion il y a une huitaine de jours.

— Vous saviez que les pneus avaient été acquis à crédit ?

— Je l'ignorais. Il m'arrive fréquemment d'acheter et de revendre des voitures. Pas tant pour un bénéfice que pour rendre service.

— À quelle heure avez-vous repris la route de Tucson ?

— Il devait être à peu près trois heures du matin quand j'ai franchi la grille. J'ai bavardé un instant avec l'agent de l'Immigration, qui me connaît très bien.

Il avait gardé l'habitude européenne de gesticuler en parlant et il regardait tour à tour les personnages qui l'entouraient, comme s'il ne comprenait pas encore ce qu'on lui voulait.

— Vous étiez seul dans l'auto ?

— Oui, monsieur. En approchant de l'aéroport de Tucson, j'ai aperçu quelqu'un qui me faisait signe de m'arrêter. J'en ai conclu que l'homme faisait de l'auto-stop et j'ai regretté que ce ne soit pas arrivé plus tôt, car j'aurais eu de la compagnie.

— Quelle heure était-il ?

— Je n'ai pas roulé vite. Il devait être un peu plus de quatre heures.

— Il ne faisait pas jour ?

— Pas encore. Mais la nuit n'était déjà plus noire.

— Tournez-vous et dites-nous lequel de ces hommes vous a arrêté de la sorte.

Potzi n'hésita pas.

— C'est le Chinois !

— Il était seul au bord de la route ?

— Oui, monsieur.

— Comment était-il habillé ?

— Je crois qu'il portait une chemise mauve ou violette.

— Vous n'aviez pas vu de voitures en venant de Nogales ?

— Si, monsieur, environ deux milles plus loin.

— Vers Nogales ?

— Oui. Une Chevrolet était arrêtée au bord du chemin, devant un poteau télégraphique. Ses feux n'étaient pas allumés, et, un instant, j'ai cru à un accident, car l'avant touchait presque le poteau.

— Vous n'avez remarqué personne à l'intérieur ?

— Il faisait trop sombre.

— Que vous a dit le caporal Wo Lee ?

— Il m'a demandé si je ne voulais pas attendre un instant ses deux camarades qui allaient venir d'une seconde à l'autre. Il a ajouté qu'ils appartenaient tous les trois à la base, et j'ai répondu que j'y allais justement. J'ai pensé que les deux autres s'étaient éloignés un instant de la route pour faire leurs besoins.

— Vous avez attendu longtemps ?

— Cela m'a paru long, oui.

— Combien de minutes environ ?

— Peut-être trois ou quatre. Le caporal a crié des noms, les mains en porte-voix tournées vers la voie du chemin de fer.

— Vous pouviez voir la voie ?

— Non, mais je fais souvent la route et je sais où elle passe.

— Wo Lee ne s'est pas éloigné ?

— Non. Je voyais bien qu'il était décidé à partir sans ses camarades si ceux-ci ne venaient pas tout de suite.

— Il était à l'intérieur de la voiture ?

— Il est resté dehors, appuyé sur l'aile avant.

— C'est l'aile avant qui a été abîmée à Nogales ?

— Oui, monsieur.

Maigret comprenait. Les policiers avaient dû retrouver sur la route de la peinture écaillée, et c'est pourquoi on avait demandé aux trois hommes si l'auto qui les avait ramenés à la base portait des traces d'accident.

— Que s'est-il passé ensuite ?

— Rien. Les deux autres sont arrivés. On a d'abord entendu leurs pas.

— Venant de la direction de la voie ?

— Oui.

— Qu'ont-ils dit ?

— Rien. Ils sont entrés aussitôt dans l'auto.

— Ils ont pris place derrière ?

— Un des deux s'est installé derrière avec le Chinois. L'autre s'est assis à côté de moi.

Il se retourna et, sans qu'on le lui demande, désigna O'Neil.

— C'est celui-là qui était à l'avant.

— Il a bavardé avec vous ?

— Non. Il était fort rouge et avait la respiration bruyante. J'ai pensé qu'il était saoul, qu'il venait peut-être de vomir.

— Ils ne se sont pas parlé entre eux ?

— Non. Pour vous dire la vérité, je me suis mis à parler tout seul.

— Jusqu'à la base ?

— Oui. Je les ai quittés dans la première cour, tout de suite après les barbelés. Je crois que le Chinois est le seul à m'avoir dit merci.

— Vous n'avez rien retrouvé, par la suite, dans votre voiture ?

— Non, monsieur. J'ai fait ce que j'avais à faire et je suis rentré chez moi. Il m'arrive souvent de passer une nuit sans dormir. Le chauffeur est venu me chercher avec un des camions, et nous nous sommes dirigés vers Los Angeles. Nous en sommes repartis hier à midi. Je n'ai pas lu les journaux, car j'ai été fort occupé.

— Pas de questions, messieurs les jurés ?

Ceux-ci hochèrent la tête, et Potzi, ramassant son chapeau de paille qu'il avait posé par terre, gagna la sortie.

— Un instant. Voulez-vous avoir l'obligeance de rester encore un moment à la disposition de la cour ?

Il n'y avait plus de place assise et il se tint debout dans l'encadrement de la porte, alluma une cigarette, s'attirant ainsi les foudres d'Ézechiel.

Au moment où O'Rourke se levait enfin, le vieux nègre du jury tendit la main comme à l'école.

— Je voudrais qu'on demande à chacun des cinq hommes, sous la foi du serment, quand il a vu Bessy Mitchell, vivante ou morte, pour la dernière fois.

Maigret tressaillit et regarda le juré avec un étonnement mêlé d'admiration. O'Rourke, en se rasseyant, se tourna vers lui, lui jeta un coup d'œil qui signifiait :

« Pas si bête, le vieux ! »

Il n'y avait que le coroner à paraître ennuyé.

— Sergent Ward ! appela-t-il.

Et, quand le sergent fut assis devant le micro en métal chromé :

— Vous avez entendu la question du juré. Je vous rappelle que vous déposez sous la foi du serment. Quand avez-vous Bessy pour la dernière fois, vivante ou morte ?

— Le 28 juillet, dans l'après-midi. M. O'Rourke m'a amené au dépôt mortuaire pour la reconnaître.

— Quand l'aviez-vous vue avant cela pour la dernière fois ?

— Quand elle a quitté l'auto en compagnie du sergent Mullins.

— Lors du premier arrêt de la voiture, sur le côté droit de la route ?

— Oui, monsieur.

— Lorsque vous êtes descendu ensuite pour aller à sa recherche, vous ne l'avez pas aperçue ?

— Non, monsieur.

Le nègre fit signe qu'il était satisfait.

— Sergent Mullins ! Je vous pose la même question et vous adresse la même observation. Quand avez-vous vu Bessy pour la dernière fois ?

— Quand elle est sortie de la voiture avec Ward et qu'ils se sont éloignés dans l'obscurité.

— Lors du premier arrêt ?

— Non, monsieur. Lors du second.

— C'est-à-dire quand la voiture était déjà tournée vers Tucson ?

— Oui, monsieur. Je ne l'ai pas revue ensuite.

— Caporal Van Fleet.

Celui-ci était visiblement mûr. Ses nerfs, pour une raison ou pour une autre, commençaient à flancher, et il ne faudrait qu'un tout petit choc pour qu'il s'effondre. Son visage était brouillé, ses doigts sans cesse en mouvement ; il ne savait où poser son regard.

— Vous avez entendu la question ?

O'Rourke s'était penché sur l'attorney, qui prononçait :

— J'insiste sur le fait que vous témoignez sous serment et je vous rappelle que le parjure est un crime fédéral qui vous expose à une peine pouvant aller jusqu'à dix ans de prison.

Ce fut aussi pénible à voir qu'un chat blessé sur lequel s'acharnent des gamins excités. Pour la première fois, on sentit vraiment le drame. À ce moment précis, le bébé de la négresse se mit à crier. Le coroner, impatienté, fronça les sourcils. La maman essaya en vain de faire taire l'enfant. Deux fois Van Fleet ouvrit la bouche pour parler, et les deux fois le bébé cria de plus belle, si bien qu'en fin de compte la négresse se décida à regret à quitter la salle.

Alors Pinky ouvrit la bouche une fois de plus, et sa bouche resta ouverte sans qu'il en sortît aucun son. Le silence parut aussi long qu'à Potzi les trois minutes d'attente sur la grande route. On avait envie d'aider le caporal, de lui souffler une réponse, de demander au coroner de ne pas le martyriser davantage.

Ce fut O'Rourke, encore une fois, qui se pencha sur l'attorney, et celui-ci se leva, marcha droit vers le banc des témoins, maniant un porte-mine à la façon d'un maître d'école.

— Vous avez entendu la déposition de Potzi ? Lorsqu'il s'est arrêté au bord de la route, votre camarade Wo Lee seul s'y trouvait. Où étiez-vous ?

— Dans le désert.

— Du côté de la voie ?

— Oui.

— Sur la voie ?

Il secoua négativement la tête avec énergie.

— Non, monsieur. Je jure que je n'ai pas mis les pieds sur la voie.

— Mais, d'où vous étiez, vous pouviez voir la voie ?

Pas de réponse. Il regardait partout et nulle part. Maigret avait l'impression qu'il devait faire un énorme effort pour ne pas se retourner vers O'Neil.

Les gouttes de sueur étaient visibles sur son front, et il s'était remis à ronger ses ongles.

— Qu'avez-vous vu sur la voie ?

Il ne répondait pas, figé par la panique.

— Dans ce cas, répondez à la première question : quand avez-vous vu Bessy, morte ou vivante, pour la dernière fois ?

L'angoisse du Flamand était telle qu'on en avait mal aux nerfs et que certains, sans doute, avaient envie de crier : « Assez ! »

— J'ai dit morte ou vivante. Vous m'avez entendu ? Répondez.

Alors, Van Fleet se leva d'une seule pièce et éclata en sanglots tout en agitant négativement la tête d'une façon convulsive.

— Ce n'est pas moi ! Ce n'est pas moi !... criait-il, haletant. Je le jure ! Ce n'est pas moi !...

Il tremblait des pieds à la tête en proie à une crise de nerfs, ses dents claquaient, il promenait autour de la salle un regard perdu qui ne devait rien voir.

O'Rourke s'approcha vivement de lui et lui saisit un bras fermement, car il était obligé de serrer très fort pour empêcher le gamin de se jeter à terre. Il le conduisit ainsi vers la porte et le remit entre les mains du gros Gérald Conley, le deputy-sheriff au revolver à crosse sculptée.

Il lui parla à voix basse, alla s'entretenir ensuite avec le coroner.

On sentait le flottement, l'indécision. L'attorney s'approcha à son tour du coroner, et ils discutèrent pendant quelques instants. Puis on eut l'air de chercher quelqu'un. On ramena des couloirs Hans Schmider, l'homme des empreintes, qui avait à nouveau un paquet dans la main.

Tourné vers le nègre du jury, le coroner murmura :

— Si vous le permettez, nous allons entendre ce témoin avant de poser la question aux deux derniers hommes. Approchez, Schmider. Dites-nous ce que vous avez découvert cette nuit.

— Je me suis rendu à la base en compagnie de deux hommes, et nous avons fouillé les ordures qui attendaient d'être brûlées. Celles-ci s'entassent dans un terrain vague, à une certaine distance des baraquements. Nous avons dû nous servir de lampes électriques. En fin de compte, nous avons trouvé ceci.

D'un carton, il tirait une paire de chaussures basses, assez usagées, et en montrait le dessous, désignait les talons de caoutchouc.

— J'ai comparé avec les empreintes. Ce sont bien les chaussures qui ont laissé les traces numéro 2.

— Précisez.

— J'appelle traces numéro 1 celles qui vont approximativement de la voiture à la voie de chemin de fer, en suivant plus ou moins la piste de Bessy Mitchell. Les traces numéro 2 sont celles qui commencent plus loin sur la route en direction de Nogales, pour aboutir au même point, sur la voie, non loin de l'endroit où le corps a été retrouvé.

— Avez-vous pu déterminer à qui ces chaussures appartiennent ?

— Non, monsieur.

— Vous avez questionné les gens de la base ?

— Non, monsieur. Il y a environ quatre mille hommes.

— Je vous remercie.

Avant de partir, Schmider posa les souliers sur la table de l'attorney.

— Caporal Wo Lee.

Celui-ci se dirigea vers le siège des témoins, et on dut une fois de plus baisser le micro.

— N'oubliez pas que vous témoignez sous la foi du serment. Je vous pose la même question qu'à vos camarades. Quand avez-vous vu Bessy Mitchell pour la dernière fois ?

Il n'eut pas une hésitation. Il marqua cependant un temps, comme il le faisait d'habitude, avec l'air de traduire mentalement la question dans sa propre langue.

— Quand elle est sortie de la voiture la seconde fois.

— Vous ne l'avez pas revue ensuite ?

— Non, monsieur.

— Vous ne l'avez pas entendue ? intervint l'attorney à qui O'Rourke avait parlé bas.

Cette fois, il réfléchit davantage, fixa un moment le plancher, écarta ses grands cils de fille qui découvraient des yeux purs.

— Je ne suis pas sûr, monsieur.

Aussitôt il chercha O'Neil du regard, eut l'air de s'excuser.

— Que voulez-vous dire exactement ?

— J'ai entendu des bruits, comme si des gens se disputaient et remuaient des arbustes.

— À quel moment ?

— Peut-être dix minutes avant l'arrivée de la voiture.

— Vous parlez de la voiture de Potzi ?

— Oui, monsieur.

— Vous étiez sur la route ?

— Je ne l'ai pas quittée.

— Il y avait longtemps que vous aviez renvoyé le taxi ?

— Peut-être une demi-heure.

— Où étaient vos camarades ?

— Quand nous avons abandonné le taxi, nous avons d'abord marché tous ensemble en direction de Nogales, comme je vous l'ai dit. Je crois que nous nous étions trompés d'endroit et que nous nous étions arrêtés trop près du champ d'aviation. Après un certain temps, nous avons fait demi-tour et nous nous sommes séparés. Je continuais à marcher sur la route. J'entendais Van Fleet à une vingtaine de mètres dans le désert, et O'Neil était plus loin.

— À hauteur de la voie ?

— À peu près. À un certain moment, il y a eu des bruits.

— Vous avez reconnu une voix de femme ?

— Je ne sais pas.

— Cela a duré longtemps ?

— Non, monsieur, cela a été très court.

— Vous n'avez entendu ni la voix de Van Fleet, ni celle d'O'Neil ?

— Je crois que oui.

— Laquelle des deux ?

— Celle d'O'Neil.

— Que disait-il ?

— C'était confus. Je crois qu'il appelait Van Fleet.

— Il a prononcé ce nom ?

— Non, monsieur. Il l'appelait Pinky, comme d'habitude. Quelqu'un s'est mis à courir. J'ai eu l'impression qu'on continuait à parler bas. C'est alors que j'ai aperçu une auto qui venait de Nogales et que je me suis avancé sur la route pour lui faire signe.

— Vous saviez que vos camarades viendraient vous rejoindre ?

— Je pensais qu'en entendant l'auto s'arrêter ils viendraient.

— Pas de question, attorney ?

Celui-ci fit non de la tête.

— Messieurs les jurés ?

Ils disaient non aussi.

— Suspension !

9

La bouteille plate du sergent

C'est en vain que Maigret essaya d'arrêter O'Rourke au passage. Affairé, il passa vite et s'enferma dans un bureau qui devait être le sien, au rez-de-chaussée. La fenêtre en était ouverte à cause de la chaleur, et on put voir un défilé ininterrompu pendant toute la durée de la suspension.

Pinky était là, assis sur une chaise, près des classeurs verts : on lui avait donné de l'alcool pour le remettre d'aplomb.

O'Rourke et un de ses hommes lui parlaient gentiment, comme entre camarades, et il arriva deux ou trois fois au caporal d'avoir un pâle sourire.

La négresse errait toujours dans les couloirs, son bébé sur le bras, avec ses frères et sœurs qui lui faisaient escorte, et, quand on appela les jurés, elle fut la première à aller prendre place.

En définitive, cela se passait à peu près comme en France, à cette différence près qu'en France les interrogatoires auraient eu lieu dans un des bureaux de la Police Judiciaire, toutes portes closes, au lieu de se dérouler en public.

Les jurés paraissaient plus graves, comme s'ils sentaient venir l'heure des responsabilités.

Est-ce que, sans la question du nègre, l'enquête aurait pris la même tournure ? O'Rourke se serait-il chargé de l'opération ?

— Sergent Van Fleet.

Il avait maintenant l'air d'un boxeur qui s'est fait salement sonner au cours des rounds précédents et qui s'avance vers son adversaire pour le knock-out, de sorte qu'on le suivait des yeux avec une certaine pitié.

On savait qu'il savait, et tout le monde voulait connaître enfin la vérité. En même temps, on avait un peu honte de l'état dans lequel on était obligé de le mettre.

Le coroner laissa le soin de l'achever à l'attorney, qui se leva à nouveau et s'avança vers le témoin, son porte-mine à la main.

— Une dizaine de minutes avant l'arrivée de la voiture qui vous a ramenés tous les trois à la base, il s'est passé un incident sur la voie et du bruit a été perceptible de la route. Avez-vous entendu ?

— Oui, monsieur.

— Avez-vous vu quelque chose ?

— Oui, monsieur.

— Que s'est-il passé exactement ?

On comprenait qu'il avait pris la résolution de tout dire. Il cherchait ses mots ; pour un peu, il aurait demandé de l'aide.

— Il y avait déjà un certain temps que Jimmy était couché avec Bessy…

C'était curieux de l'entendre, à ce moment précis, appeler O'Neil par son prénom.

— Je suppose que j'ai dû faire du bruit sans le vouloir.

— À quelle distance étiez-vous du couple ?

— À cinq ou six mètres.

— O'Neil savait que vous étiez là ?

— Oui.

— Cela avait été convenu entre vous ?

— Oui.

— Qui a acheté la bouteille plate de whisky. À quel moment ?

— C'était un peu avant la fermeture du *Penguin Bar*.

— En même temps que les autres bouteilles ?

— Non.

— Qui y avait pensé ?

— Nous deux.

— Vous voulez dire O'Neil et vous.

— Oui, monsieur.

— Dans quelle intention avez-vous acheté une bouteille pouvant se glisser dans la poche, alors que vous aviez bu toute la soirée et que vous alliez continuer à boire chez le musicien ?

— Nous voulions saouler Bessy, et le sergent Ward ne la laissait pas boire autant qu'elle voulait.

— Vous aviez dès ce moment des intentions précises ?

— Peut-être pas précises.

— Vous saviez qu'on proposerait d'aller finir la nuit à Nogales ?

— Là ou ailleurs, cela se passe toujours de la même manière.

— En somme, avant votre départ du *Penguin*, c'est-à-dire avant une heure du matin, vous saviez ce que vous vouliez ?

— Nous nous disions que nous aurions peut-être une occasion.

— Bessy était-elle au courant ?

— Elle savait que Jimmy était allé plusieurs fois au *Penguin* pour la rencontrer.

— Aviez-vous mis Wo Lee dans le secret ?

— Non, monsieur.

— Qui avait la bouteille en poche ?

— O'Neil.

— Qui l'avait payée ?

— Nous deux. Je lui ai donné deux billets d'un dollar. Il a mis le reste.

— Il y avait déjà une autre bouteille dans l'auto.

— Nous ne savions pas d'avance qu'on l'y laisserait. Et puis c'était une trop grosse bouteille, qu'on ne pouvait pas cacher.

— Quand vous êtes partis pour Nogales et qu'O'Neil s'est trouvé à l'arrière avec Bessy, a-t-il essayé d'en profiter ?

— Je suppose.

— Lui a-t-il donné à boire ?

— C'est possible. Je ne le lui ai pas demandé.

— Si je comprends bien, cela vous a arrangés qu'on abandonne Bessy dans le désert.

— Oui, monsieur.

— Vous en avez parlé entre vous ?

— Nous n'avons pas eu besoin d'en parler, nous nous sommes compris.

— Avez-vous décidé dès ce moment de vous débarrasser de Wo Lee ?

— Oui, monsieur.

— Vous n'avez pas prévu que Ward et Mullins retourneraient dans le désert ?

— Non, monsieur.

— Supposiez-vous que Bessy serait consentante ?

— Elle avait déjà beaucoup bu.

— Et vous comptiez la faire boire davantage ?

— Oui, monsieur.

Au point où il en était maintenant, il répondrait aux questions les plus gênantes.

— Comment se fait-il que vous ayez mis une demi-heure à peu près pour retrouver Bessy Mitchell ?

— Nous avons dû arrêter le taxi trop tôt. Nous avions bu aussi. Il est difficile dans la nuit de reconnaître un endroit déterminé de la route.

— Vous avez encore essayé de renvoyer Wo Lee. Quand vous avez fait demi-tour, vous avez marché tous les deux dans le désert.

— Oui, monsieur.

— Vous étiez ensemble ?

— O'Neil se tenait à ma droite, à une vingtaine de mètres. Je pouvais entendre son pas. De temps en temps, il sifflait doucement pour me faire savoir où il était.

— C'est sur la voie qu'il a trouvé Bessy ?

— Non, monsieur. Tout près.

— Elle dormait ?

— Je ne sais pas. Je le suppose.

— Que s'est-il passé au juste ?

— J'ai entendu qu'il lui parlait doucement et j'ai compris qu'il se couchait près d'elle. Elle a d'abord cru que c'était le sergent Ward. Puis elle a éclaté de rire.

— Il l'a fait boire ?

— Sûrement, car j'ai entendu le bruit de la bouteille vide tombant sur les cailloux, probablement sur la voie.

— Que faisiez-vous pendant ce temps-là ?

— Je m'approchais aussi silencieusement que possible.

— O'Neil le savait ?

— Il devait le savoir.

— C'était entendu entre vous ?

— Plus ou moins.

— C'est alors qu'il s'est produit quelque chose d'imprévu ?

— Oui, monsieur. J'ai dû accrocher un buisson, et cela a fait du bruit. Alors Bessy s'est débattue et est devenue furieuse. Elle a crié qu'elle comprenait, que nous étions des sales types, que nous la prenions pour une putain, mais que nous nous trompions. O'Neil essayait de la faire taire, par crainte que le caporal Wo Lee l'entende.

— Vous vous êtes encore approché ?

— Non, monsieur. Je ne bougeais pas. Mais elle voyait ma silhouette. Elle nous lançait des injures, promettait de le dire à Ward qui nous casserait la gueule.

Il parlait d'une voix monotone, dans un silence absolu.

— O'Neil la tenait-il à bras-le-corps ?

— Elle lui ordonnait de la lâcher et elle se débattait. À la fin, elle s'est dégagée et s'est mise à courir.

— Sur la voie ?

— Oui, monsieur. O'Neil courait après elle. Elle tenait à peine sur ses jambes et zigzaguait. Elle a buté plusieurs fois sur les traverses. Elle est tombée.

— Ensuite ?

— O'Neil a crié : « Tu es là, Pinky ? »

» Je me suis approché de lui et j'ai entendu qu'il grognait : « C'est une garce ! »

» Il m'a demandé d'aller voir si elle était blessée. Je lui ai dit d'y aller lui-même parce que je n'en avais pas le courage. Je me sentais malade. J'entendais sur la route une auto qui se rapprochait. Wo Lee nous a appelés.

— Personne n'est allé voir dans quel état était Bessy ?

— O'Neil a fini par y aller. Il s'est juste penché sur elle. Il a tendu la main, mais il ne l'a pas touchée.

— Qu'a-t-il dit en revenant ?

— Il a dit : « Un sale tour qu'elle nous joue. Elle ne bouge pas. »

— Vous en avez conclu qu'elle était morte ?

— Je ne sais pas. Je ne pouvais plus le questionner. L'auto nous attendait. On voyait ses phares. On entendait la voix du chauffeur.

— Vous n'avez pas pensé au train ?

— Non, monsieur.

— O'Neil n'y a pas fait allusion ?

— Nous n'avons pas parlé du tout.

— Et une fois à la base ?

— Non. Nous nous sommes couchés sans rien dire.

— Pas de questions, messieurs les jurés ?

Ils ne bougèrent pas.

— Sergent O'Neil.

Les deux hommes se croisèrent près de la chaise des témoins en évitant de se regarder.

— Quand avez-vous vu Bessy Mitchell pour la dernière fois ?

— Quand elle est tombée sur la voie.

— Vous vous êtes penché sur elle ?

— Oui, monsieur.

— Elle était blessée ?

— J'ai cru voir du sang sur sa tempe.

— Vous en avez conclu qu'elle était morte ?

— Je ne sais pas, monsieur.

— L'idée ne vous est pas venue de la transporter ailleurs ?

— Je n'en avais pas le temps, monsieur. L'auto attendait.

— Vous n'avez pas pensé au train ?

Il eut une seconde d'hésitation.

— Pas d'une façon précise.

— Lorsque vous l'avez trouvée près de la voie, elle était endormie ?

— Oui, monsieur. Elle s'est réveillée presque tout de suite.

— Qu'avez-vous fait ?

— Je lui ai donné à boire.

— Vous avez eu des rapports sexuels avec elle ?

— J'ai commencé, monsieur.

— Qu'est-ce qui vous a interrompus ?

— Elle a entendu du bruit. En apercevant la silhouette du caporal Van Fleet, elle a compris et s'est débattue en me criant des injures. J'ai eu peur que Wo Lee l'entende. J'ai essayé de la faire taire.

— Vous l'avez frappée ?

— Je ne crois pas. Elle était ivre. Elle me griffait, j'essayais de lui faire entendre raison.

— Vous aviez l'intention de la tuer pour qu'elle se taise ?

— Non, monsieur. Elle m'a échappé et s'est mise à courir.

— Vous reconnaissez ces chaussures. Elles vous appartiennent ?

— Oui, monsieur. J'ai pensé le lendemain qu'on pourrait retrouver des traces dans le sable et je les ai jetées.

— Pas de question ?

Quand O'Neil eut quitté la chaise des témoins, le coroner appela :

— M. O'Rourke.

Celui-ci se contenta de se lever sans quitter sa place.

— Je n'ai rien à ajouter, dit-il. À moins qu'on ait des questions à me poser.

Il prenait un air modeste, presque étonné, comme s'il n'était pour rien dans ce qui venait de se passer, et Maigret grommela entre ses dents :

« Vieille ficelle, va ! »

Alors, en homme excédé, le coroner lut un texte donnant la charge du jury à Ézechiel, qui s'engageait à l'empêcher d'entrer en communication avec qui que ce fût pendant la durée des délibérations.

Puis il donna quelques explications aux cinq hommes et à la femme, et on les vit disparaître dans une pièce dont la porte de chêne se referma.

Dans la galerie, on revoyait les chemises blanches, les cigares et les cigarettes, les bouteilles de coca-cola.

— Je crois que vous avez tout le temps d'aller déjeuner, dit O'Rourke à Maigret. Ou je me trompe fort, ou ils en ont pour une heure ou deux.

— Avez-vous lu mon billet ?

— Excusez-moi, cela m'était sorti de la tête.

Il tira l'enveloppe de sa poche, la fit sauter, lut un seul mot : « O'Neil. »

Un instant, il abandonna son sourire toujours un peu gouailleur pour observer son confrère.

— Vous aviez compris aussi qu'il ne l'avait pas fait exprès ?

Au lieu de répondre, Maigret questionna :

— Que va-t-il lui arriver ?

— Je me demande si on pourra l'accuser de viol, car, au début tout au moins, la fille était consentante. Il ne lui a pas porté de coups. Il reste contre lui, en tout cas, le faux témoignage.

— Et cela va chercher dans les dix ans ?

— C'est exact. Ce sont des gamins, des sales gamins, n'est-ce pas ?

Sans doute pensaient-ils tous les deux à Pinky et à sa crise. Les gamins étaient non loin d'eux, tous les cinq. Le sergent Ward et Mullins se regardaient à la dérobée, comme s'ils s'en voulaient de s'être soupçonnés mutuellement.

Allaient-ils se rapprocher, redevenir amis comme avant ? Passeraient-ils l'éponge sur l'histoire de la cuisine ?

Ward, après une hésitation, accepta la cigarette que l'autre lui tendait, mais ne lui parla pas tout de suite.

Wo Lee avait fait ce qu'il avait pu pour répondre honnêtement aux questions sans charger ses camarades. Il se tenait, tout seul, contre une colonne, buvant un coca-cola qu'on était allé lui chercher.

Van Fleet parlait à mi-voix avec le deputy-sheriff Conley, comme s'il éprouvait encore le besoin de s'expliquer, cependant qu'O'Neil, tout seul, le visage hermétique, regardait farouchement le patio où les jets d'eau rafraîchissaient la pelouse.

« Des sales gamins ! » avait dit O'Rourke, qui était prêt à commencer allégrement une nouvelle enquête.

Il proposa à Maigret, comme s'il ne voyait pas comment s'en tirer :

— On prend un verre sur le pouce ?

Qu'est-ce qui les empêchait l'un et l'autre de retrouver leur cordialité et leur bonne humeur de la veille ? Ils se dirigeaient vers le bar du coin et retrouvaient plusieurs de ceux qui avaient passé les deux journées précédentes à l'audience. Personne ne discutait le coup. Chacun buvait son verre solitairement.

Sur les étagères, le soleil jouait le long des bouteilles multicolores. Quelqu'un avait glissé cinq cents dans la machine à musique. Un ventilateur vrombrissait au-dessus du bar, et, dehors, des autos passaient, souples et luisantes.

— Il arrive, commença Maigret d'une voix hésitante, qu'on se sente à l'étroit dans un vêtement de confection qui vous gêne aux entournures. Il arrive même parfois que cette gêne devienne intolérable et qu'on ait envie de tout arracher.

Il but son verre d'un trait, en commanda un autre. Il se souvenait des confidences d'Harry Cole, évoquait des milliers, des centaines de milliers d'hommes, dans des milliers de bars, qui, à la même heure, noyaient consciencieusement la même nostalgie, le même besoin d'impossible, et qui, le lendemain matin, avec l'aide d'une douche et de la bouteille à débarbouiller les estomacs, redevenaient des braves gens sans fantômes.

— Il y a fatalement des accidents, soupira O'Rourke en coupant avec soin la pointe d'un cigare.

Si Bessy n'avait pas entendu de bruit... Si elle ne s'était pas imaginé, dans son ivresse, qu'on la traitait en fille perdue...

Cinq hommes et une femme – des vieillards, un nègre, un Indien à jambe de bois – étaient réunis sous la surveillance d'Ézechiel et s'efforçaient, au nom de la société consciente et organisée, de rendre un verdict équitable.

— Il y a une demi-heure que je vous cherche. Combien de temps, Julius, vous faut-il pour boucler vos bagages ?

— Je ne sais pas, pourquoi ?

— Mon confrère de Los Angeles est impatient de vous voir. Un des plus fameux gangsters de l'Ouest a été abattu il y a quelques heures au moment où il sortait d'une boîte de nuit d'Hollywood. Mon confrère est persuadé que cela vous intéressera. Vous avez un avion direct dans une heure.

Maigret ne revit jamais Cole, ni O'Rourke, ni les cinq hommes de l'Air Force. Il ne connut jamais le verdict. Il n'eut même pas le temps d'acheter des cartes postales représentant des cactus en fleur dans le désert, qu'il s'était promis d'envoyer à sa femme.

Dans l'avion, il écrivait, sur un bloc posé sur ses genoux :

Ma chère Madame Maigret,

Je fais un excellent voyage, et mes confrères d'ici sont très gentils avec moi. Je crois que les Américains sont gentils avec tout le monde. Quant à te décrire le pays, c'est assez difficile, mais figure-toi qu'il y a dix jours que je n'ai pas porté un veston et que j'ai une ceinture de cow-boy autour du ventre. Encore heureux que je ne me sois pas laissé faire, car j'aurais des bottes aux pieds et un chapeau à large bord comme dans les films du Far-West.

Au fait, je suis dans le Far-West et je survole en ce moment des montagnes où on rencontre encore des Indiens avec des plumes sur la tête.

Ce qui commence à me paraître irréel, c'est notre appartement du boulevard Richard-Lenoir et le petit café du coin qui sent le calvados.

Dans deux heures, j'atterrirai dans le pays des vedettes de cinéma et…

Quand il s'éveilla, le bloc avait glissé de ses genoux ; une stewardess, aussi jolie que sur une couverture de magazine, lui fixait gentiment sa ceinture de sûreté autour du ventre.

— Los Angeles ! annonça-t-elle.

Il apercevait, en plan incliné, car l'avion virait déjà sur l'aile, une immense étendue de maisons blanches entre les collines vertes, au bord de la mer.

Qu'est-ce qu'il faisait là ?

FIN

Tucson (Arizona), le 30 juillet 1949

Table

Le Livre de Poche s'engage pour
l'environnement en réduisant
l'empreinte carbone de ses livres.
Celle de cet exemplaire est de :
400 g éq. CO₂
Rendez-vous sur
www.livredepoche-durable.fr

PAPIER À BASE DE
FIBRES CERTIFIÉES

Composition réalisée par FACOMPO (Lisieux)

Achevé d'imprimer en février 2013 en France par
CPI BRODARD ET TAUPIN
La Flèche (Sarthe)
N° d'impression : 71645
Dépôt légal 1ʳᵉ publication : février 2013
LIBRAIRIE GÉNÉRALE FRANÇAISE
31, rue de Fleurus – 75278 Paris Cedex 06